Aba, B.

Skizzen aus Amerika.

Aba, B.

Skizzen aus Amerika.

Inktank publishing, 2018

www.inktank-publishing.com

ISBN/EAN: 9783747792094

All rights reserved

Kriegau, Adolph, freiherr von

Skizzen aus Amerika.

Von

B. ABa. (pseud.)

Wien.

Druck und Verlag von Carl Gerold's Sohn.

1885.

1.

Die Chinatown.

Nahezu alle amerikanischen Städte sind schachbrettartig angelegt. Der zwischen vier sich senkrecht schneidenden Straßen gelegene, dem Baue der Häuser gewidmete Raum heißt Block. Ein solcher Block nimmt in S. Francisco einen Flächenraum von 113.437 Quadrat-Schuh ein. Acht Blocks in Mitte der Stadt bilden die Chinatown und sind ausschließlich von Chinesen bewohnt. Eine förmliche Chinesenstadt in der Stadt der wahren Yankees. S. Francisco beherbergt rund 40.000 Chinesen. Sie sind weder Bürger der Stadt, noch des Staates. Sie bleiben Fremde so lange sie den Zopf tragen und diesen legen sie nicht ab, denn ohne ihn können sie in ihre Heimat nicht zurückkehren, und jeder will zurück in sein Vaterland lebendig, und geht das nicht, todt. In Californien leben mehr als 100.000 Kinder des himmlischen Reiches; sie betreiben mit Vorliebe Bergbau und begnügen sich mit Minen und Wäschereien, welche der Yankee als werthlos oder zu wenig lohnend aufläßt; übrigens verwenden sie sich als Wäscher, Köche, Diener, in allen Zweigen des bürgerlichen und wirthschaftlichen Lebens. Man lobt ihre Reinlichkeit und Ordnungsliebe, man tadelt ihren starren Sinn und ihre Unbeständigkeit. Aber man hat keine besseren, überhaupt keine anderen Diener im fernen Westen, deshalb nimmt man sie. Der dienende Chinese wurde pretiös, weil er seine Unentbehrlichkeit erkannte, er wird auch noch pretiöser und theurer werden, weil das Gesetz neue Einwanderung aus dem Reiche der Mitte

B. Aba, Skizzen aus Amerika.　　　　　　　　　1

5

verbietet. Die Waare wird im Preise steigen bei fallender Concurrenz.

Einer meiner Freunde, ein reicher Mann, der in Oakland reizend wohnt, hatte in der Woche, die ich in Oakland zubrachte, neun Köche. Einer fand die Küche zu groß, der andere stieß sich am japanesischen Kammerdiener, der dritte war bereit für die Familie zu kochen, aber Gäste beim Mittagsmahle entsprachen seinem Sinne nicht. Ein Koch bezieht zwischen 20 und 50 Dollars monatlich, macht die Speisen, welche er zu kochen gelernt hat, sehr gut — aber will man z. B. einen Pudding von der doppelten Größe als gewöhnlich, so versagt er den Dienst. Die Frau meint 10 Eier anstatt 5; er aber schüttelt den Kopf und sagt: five **Maam** — no ten und keine Macht der Welt könnte ihn aus seinem Geleise bringen. Er ist gleich einer Maschine, die z. B. vortrefflich Stecknadeln macht, aber auch die kleinsten Stifte nicht machen kann, ohne umgeändert zu werden. Es wird aber lange dauern, bis Chinesen sich verändern — ihre Civilisation ist sozusagen versteinert, fest krystallisirt durch den ungeheueren Druck nahezu ungezählter Jahrhunderte. Man sieht das in Habana, wo sie ihr altes Leben abgestreift haben und jetzt sichtlich degeneriren und zu Grunde gehen.

Von diesen Original-Chinesen nun leben in ihrer nationalen Tracht und Manier, ja von echt chinesischen Stoffen, 40.000 in den acht Blocks so, daß auf Einen Chinesen etwa 6 Kubik-Schuh Wohnungsraum kommen würde, wenn nicht Theater, Spiel-, Pfand- und Theehäuser, größere Magazine, Arbeitssäle 2c. mehr Raum für sich in Anspruch nehmen würden, als auf eine Person entfällt, so daß für Unverheiratete Boxes übrig bleiben, die etwa einem hohlen Kubus von $4^{1}/_{2}$ Schuh entsprechen.

Es gibt nur wenige verheiratete und noch weniger behäbige Kaufleute dieser Race in der Chinatown S. Francisco's.

Der arme Lastträger und Taglöhner kommt aus China nach
Amerika, allein, lebt sparsam, arbeitet fleißig und kehrt mit
etlichen hundert Dollars nach Hause zurück, oder auch mit
weniger als dies, und ist dort ein Rentier — leiht Geld auf
Zinsen, oder beginnt ein kleines Geschäft, oder handelt mit
Krämerwaaren. Das Weib, wenn er eines hat, die Kinder
läßt er zu Hause — sie sollen sich selbst durchbringen.
Zumeist aber sind es junge Leute, die hinüber gehen, die
zwei-, dreimal nach China reisen, ihr Erspartes hinüber-
tragen und wieder zurückkommen durchs goldene Gate,
das ihnen wirklich golden ist, im Vergleiche zum schweren
Leben ihrer übervölkerten Heimat. Dieser junge, ledige Mann
braucht nur eine Schlafstelle, denn er arbeitet vom frühen
Morgen bis zum späten Abend. Er speist beim Restaurant,
bekommt echt chinesische Kost, oder kocht sich seinen Reis,
seinen Thee selbst und schläft dann in seiner kleinen Box,
die er Tags über durch ein Vorhängschloß absperrt.

Man hatte diese Boxes als schrecklich geschildert. Ich
fand aber darin einen gewissen Comfort, wenn ich bedenke wie
europäische Massenquartiere aussehen und wie jene Höhlen
beschaffen sind, in welchen sich europäische Taglöhner ein-
quartieren! Und diese Chinesen sind doch auch nichts anderes
als Taglöhner oder Gesellen, denn 9000 von ihnen drehen
Cigarren, 7000 machen Schuhe für Europäer und 6000
verfertigen Kleider für europäische Bergleute und Leute der
niedersten Classe. Für sich selbst bringen sie Schuhe und Kleider
aus dem theueren Vaterlande, dem sie zwar arbeitende Hände,
nicht aber die Producte ihres Fleißes entziehen.

Es ist der Brauch, die Chinastadt bei Nacht zu besuchen,
weil da die Theater offen, die Bewohner entweder zu Hause
oder in öffentlichen Localen zu finden sind, weil die Chinesen
nur nach gethaner Arbeit sich dem Genuße des Opiums
hingeben und, ich denke wenigstens so, weil es geheimnißvoller,

1*

schauerlicher aussieht, wenn man mit der Laterne durch die
schmalen Gänge humpelt, welche die Boxes von einander
scheiden und die düsteren Gäßchen, Höfe und Holzstiegen betritt,
welche innerhalb jeden Blocks Haus mit Haus, Straße mit
Straße verbinden; denn diese Miethhäuser haben Aus- und
Eingänge nach allen Seiten. Man sagt auch, daß zahlreiche
Verbrechen hier begangen werden, daß Opfer und Thäter
vollständig verschwinden und dergleichen, weshalb nächtliche
Besucher stets einen Detectiv engagiren, dem sie für 5—6 Stunden
5 Dollars Gold zahlen und der allerdings ein ausgezeichneter,
aber auch sehr gemüthlicher Führer ist, weil er alle Chinesen
kennt, mit allen auf bestem Fuße steht, für jeden freundliche
Grüße hat und weil er weiß, was in jeder Schublade, jedem
Wandfache, jedem Fasse und Korbe zu finden ist, wer von
den Bewohnern zeitlich zu Bette geht, wer schwärmt, wer sich
berauscht und durch welche Schlupfwinkel man kriechen muß,
um die mistères der Chinatown auch richtig zu ergründen.
Man sieht da wirklich viel Häßliches, viel Unreinliches, viele
Armuth — aber auch viel Hübsches, ja Schönes und Interessantes;
wir sahen sogar etliche Herren, die ohne Revolver und ohne
Policisten ihren Rundgang machten und später ging ich selbst
bei Nacht allein in die Chinastadt, besuchte das Theater, die
Theater — Niemand störte mich, und so mag denn der Ruf
dieser Chinesenstadt schlechter sein, als sie selbst, so wie der
Ruf der Chinesen viel schlechter ist, als sie es verdienen. Der
Yankee haßt den Chinesen und deshalb verachtet er ihn.
Hepworth-Dixon sagte schon vor zwanzig Jahren die Chinesenfrage voraus, welche jetzt auf der Tagesordnung steht und
dort noch lange keine Lösung finden wird, denn nicht der Haß
vermag es, staatlich-sociale Fragen zu lösen, sondern nur die
Weisheit und die Klugheit.

Zuerst führte uns der behäbige, dicke Detectiv mit dem
freundlichen Gesichte, das den Vollbart, jedoch ohne Schnurr-

bart, trägt, in das Gewölbe eines Droguiſten. Der hübſche,
junge Specereimann ſteht hinter dem Ladentiſche, auf welchem
Recepte in chineſiſcher Sprache und fertige Päckchen verſchriebener
Arzeneien liegen. Alle Wände ſind durch Käſten verdeckt;
zahlreiche Schubladen enthalten die Stoffe für Medicamente.
Der Chineſe verwendet nur Vegetabilien, keine Mineralien, keine
Salze, zu Medicamenten. Nur Pflanzen und Thiere. Er trocknet
Kräuter und Fröſche, Eidechſen und Käfer, Fliegen und
Blüthen, macht davon Thee und Aufgüſſe aller Art. Aber
der Effect dieſer Arzeneien ſcheint nicht ſehr groß zu ſein,
denn die Aerzte S. Francisco's ſagen, daß chineſiſche Doctoren
jene böſe Krankheit, welche Europa nach Amerika hinübergeſchifft
hat, nie heilen, daß aus derſelben hartnäckige Ausſchläge
entſtehen, daß die Schäbe ſehr allgemein ſei und viele
Chineſen hinraffe. Der Droguiſt zeigt uns bereitwillig ſeine
getrockneten Inſecten und Reptilien, er iſt ſelbſt Arzt, curirt
und diſpenſirt ſelbſt, wie es ſein Vater gethan hat, von dem
er ſeine Kunſt erlernte, denn mediciniſche Schulen gibt es in
China nicht, die Arzeneikunde iſt bei den Chineſen eine
Erfahrungsſache, weiter nichts.

Rechts von der Apotheke befindet ſich ein Barbierladen.
Wir ſteigen etliche Stufen zu ihm hinab. Vier Chineſen ſitzen
auf niederen Stühlen ohne Lehne. Vier Raſirer ſind an der
Arbeit; jeder bearbeitet ſeinen Mann. Dieſer hält ein Schüſſelchen
vor ſich, in welches der Barbier die Abfälle wirft. Der Bart
der Chineſen iſt ſchwach, daher bald abgenommen. Die wenigſten
der Söhne des himmliſchen Reiches tragen Vollbärte; ich ſah
nur ganz alte Männer mit ſpärlichem Bartwuchſe um das
Kinn. Der ebenſo ſpärliche Schnurrbart bleibt in der Regel
ſtehen. Der Barbier macht ſeine Arbeit langſam, aber gut.
Mit einem ſchmalen Meſſer ſcheert er das Vorderhaupt, die
Schläfen und das Genick reinlich aus, ſo daß eine Scheibe
von dicken, ſchwarzen Haaren, im Durchmeſſer von einem

halben Schuh bleibt, in welcher sich nun alle Kraft des Haarwuchses concentrirt, welche jene wundervollen Zöpfe producirt, die der nationale Stolz dieses alten Volkes sind. Diesen Zopf flicht nun der Barbier sorgfältig, viertheilig ein, verstärkt ihn, wenn er zu schwach ist, durch schwarze Seide, und der Bursche trägt ihn entweder hinabhängend bis zu den Waden, oder, wenn er sich fürchtet von Straßenjungen daran gezogen zu werden, um den Kopf geschlungen, wie unsere Damen ihre Zöpfe noch vor Kurzem trugen und bald wieder tragen werden. Darauf setzt der Chinese den schwarzen, amerikanischen Hut, das einzige Kleidungsstück, das er angenommen hat und das im Süden durch Stroh- und Panamahüte ersetzt wird. In den Minen zieht er auch hohe, schwere Stiefel an, in der Stadt jedoch trägt er seine Stoffschuhe mit hohen, weißen Papiersohlen. Das Beinkleid läßt er frei flottiren und bindet es nicht an den Knöcheln, wie seine heimische Sitte es heischen würde, und sein Jaquet ist stets verschnürt — er gehört zur sujtásos nemzet, er gehört einer verschnürten Nation an. Nun greift der Barbier zu einem stiletartigen, kleinen, dreiseitigen Messer und putzt seinem Clienten die Ohren sauber aus, befreit sie von allen Haaren und von allem Schmutze. Man sagt, der Chinese leide nie an Taubheit, weil er dem Ohre so große Sorgfalt widmet. Mag sein. Dafür scheint sein Auge schwach zu sein, denn man sieht sehr viele Brillen, welche europäischen Staargläsern gleichen und colossale Dimensionen haben. Ist auch das Ohr geputzt, so ist der Kerl fertig, zahlt für die Operation von einer halben Stunde fünf Cents, d. i. 10 kr. ö. W., und trollt sich.

Nun führt uns der Policeman in ein Miethhaus niederer Art. Wir steigen etwa zehn Holzstufen hinab und gelangen in eine Art Kellerraum. Das erste, was wir sehen, sind die Haus- und Schutzgötter, Fratzen von einer Lampe schwach erleuchtet. Man zündet Räucherpapier an, der Detectiv treibt die Teufel aus, indem er an den Thürspalten mit dem brennenden Papiere hin= und herfährt. Der Wohnungsherr lacht befriedigt, reicht uns die Hand und frägt: do-y-do? Wir schauen uns um im finsteren Raume. Da stehen Theekessel und winzige Schalen; da Kochgeschirr von Blech, nicht eben einladend; da gebrochene, alte Fässer, gefüllt mit Abfällen und Fetzen. Ventilation existirt nicht, die Thüre ist Luft= und Lichtquelle für den ganzen vom Opium duftenden Raum, der sich nach rückwärts fortsetzt, als eine Art Keller, rechts und links jene Boxes enthaltend, welche die Junggesellen als Schlafstellen und Rauchzimmer benützen, von denen früher gesprochen wurde.

Es ist wahr, daß europäische Schweinställe gar oft luftiger, bequemer und eleganter gehalten sind als diese Miniaturholzgewölbe des Chinesen, es ist aber auch wahr, daß in London und Paris und auch sonst in großen Städten häßlichere Quartiere zu finden sind als diese Ställe, und ebenso ist es wahr, daß man des Nachts im berühmten Pullman keine größeren Schlafstellen besitzt als sie der Chinese in der Chinastadt inne hat, von den eleganten Oceandampfern gar nicht zu sprechen, wo zwei Personen in einer solchen Box schlafen und bei schlechtem Wetter und geschlossener Lucke auch keine bessere Luft athmen als der Chinese in seinem Holzgewölbe. Der Policeman zieht eine Kerze aus dem Sacke, leuchtet uns vorwärts, klopft Schläfer ohne Bedenken aus ihrem ersten Schlummer, läßt die Thüre öffnen und hält sein Licht in den Raum hinein. Gekrümmt liegt oder hockt der Miethsmann drinnen; er kann sich nicht ausstrecken, aber er fühlt kein Bedürfniß hiezu. Einrichtungs= stücke giebt es nicht, der chinesische Arbeiter schläft wie der Türke und Walache in seinen Kleidern, als Kopfkissen dient ein kleiner hölzerner Schämmel, der in Frauengemächern, wie wir sie später sahen, mit Leder überzogen ist und mehr unter

das Genick geschoben wird, als daß er Stütze für das Haupt
wäre, denn beide Geschlechter tragen Sorge für ihre nicht
mühelose Coiffure. Do-y-do, do-y-do? — der Inwohner beginnt
wieder an der Pfeife zu saugen, schließt die Box und wir
gehen in das Opiumhaus. Auch dieses liegt unter der Erde.
An den Wänden sind Pritschen in Etagen angebracht, dort
liegen die Raucher oder Trinker. Aus einer winzigen Büchse,
in der der Opiumraucher seinen theuren Rauchvorrath mit
sich führt, nimmt er mit einer Nadel eine ganz kleine Quantität
hervor, so groß wie eine Erbse und legt sie in die Pfeife,
führt diese zu einer kleinen Lampe, macht einen langen Zug,
der den ganzen Rauch in seine Lungen oder seinen Magen
leitet — legt das Instrument weg und wartet die Wirkung
ab. Erfolgt sie nicht, so wiederholt er die Procedur bis sein
Auge verglast und er träumt — man sagt selig träumt. Ich
hätte gerne versucht, welche Wirkung das Opium hat; aber
man ließ es nicht zu und hatte Recht, denn eines soll der
Reisende vor Allem vermeiden, nämlich das Krankwerden.
Später im Süden fühlte ich starke Kopfschmerzen, nachdem
ich gewisse, ganz gute und theuere Cigarretten geraucht hatte.
Man erklärte mir, der Schmerz käme vom Opium, das man
dem Tabake beizumischen pflege. Ich zweifle, daß es dieser
Effect ist, welchen die Opiumraucher suchen. Die Pritschen,
auf denen die Raucher liegen, sind kurz, die Füße hängen von
dem Kniegelenke nach abwärts oder sind zum Kinn hinauf-
gezogen. Schön ist der Anblick nicht, aber ekelerregend auch
nicht. Viel ekelhafter als ein opiumbetäubter Chinese ist ein
Trunkenbold, ein von Whiskey berauschter, sei er nun Yankee
oder Negro, Mann oder Weib, und ein europäischer Bierrausch
ist auch viel, viel grauslicher, und einen berauschten Chinamann
sah ich nie. Die Opiumsäufer ziehen sich direct in ihre Höhlen zurück.

Unser nächster Besuch galt dem Victualienhändler, der
einen großen Store hält. Es existirt nur ein Fleischhauer, der

Rinderfleiſch verkauft, u. zw. nur Abfälle der weißen Schlächterei.
Dagegen findet man Schweinefleiſch bei allen Händlern von
Lebensmitteln, denn das Schweinefleiſch bildet die Hauptfleiſch=
nahrung des Chineſen und nur das Schwein kauft er in
Californien. Alle anderen Nahrungsmittel, ſelbſt zum Theile
den Reis, importirt er. Dahin gehört in erſter Linie die an
der Sonne getrocknete und in Oel eingelegte Ente; dahin der
ebenfalls getrocknete Fiſch; dahin die Schildkröte, welche in
großen Tonnen lebendig ihres Koches harrt. Alle Arten von
Gemüſe, getrocknetes Grünzeug, ſteinharte, winzige Kaſtanien,
Nüſſe, Schwämme aller Art liegen in mehr maleriſcher als
geſchmackvoller Unordnung herum, auf dem Boden, in Schwingen,
in Fäſſern und ganz rückwärts ſchnattern große, echt chineſiſche
dunkle Gänſe und erwarten ihr Geſchick. Obwohl es nahezu
11 Uhr iſt, iſt der Store noch offen und mit Käufern gefüllt,
die feilſchen um jedes Stück, wie gefeilſcht wird auf dem be=
rühmten Naſchmarkte in Wien und auch dort, wo prix fix
ſteht.

Ganz folgerichtig gehen wir zum nächſten Reſtaurant
niederer Sorte, in das Speiſehaus der Arbeiter, welche hier
ihren Lunch um 12 Uhr nehmen. Gleich rechts neben der
Thüre ſtehen auf einer Etagère kleine Schälchen, in welchen
zu 5 Cents Leckereien oder derlei Sachen verlockend aufgerichtet
ſind. Nicht Ein Object iſt zu erkennen. Sind das Oliven oder
Maikäfer? Nudeln oder Würmer, Kartoffelſtücke oder Seife
— keiner der chineſiſchen Clarks verſteht engliſch und der
Policeman kennt nur die kleinen gelben Laibchen, welche den
Mittelpunkt des köſtlichen Fraßes, die pièce de résistance
bilden, es ſind dies gepreßte Bienen, ein delicates Stück, das
ausſieht wie Ahornzucker oder wie Wachs, das man zum
Bohnen des Bodens braucht. Kleine Tiſchchen ſtehen im Raum,
jedes trägt ſolche Schälchen, an einigen ſitzen Gäſte, ſie ſchlürfen
aus Schälchen, die kaum größer ſind als jene Schalen, die

wir unseren Töchtern zu Weihnachten für ihre Puppen schenken. Wir kosten da Thee, er ist ungezuckert und nicht so fein, als wie jener, den wir in Europa trinken. Do-y-do und weiter geht es in's Theehaus.

Der Begriff des Theehauses hat einen häßlichen Beiklang. Aber dieser Nebenbegriff, welcher vielleicht der Hauptbegriff ist, darf uns nicht abhalten vom Besuche. Man muß alles sehen, ob Sonnenschein oder Regen! Eine große, breite Treppe führt uns in das erste Stockwerk. Wir befinden uns in einem großen Salon, der mit reich geschnitzten Meubles aus China reich möblirt ist. Man kennt in Wien diese Art Einrichtung von der Weltausstellung aus. Große schwere Sofa's mit rothem Seidenstoff überzogen, gleiche Armstühle, schwere, wunderbar und wunderlich geschnitzte Tische stehen da, Blumenvasen aus prächtigem Porcellan schmücken die große leere Halle. Von oben ertönt Musik oder Geklimper und Gesang. Wir steigen in den zweiten Stock hinauf, wo wir ein ebenso großes, ebenso reich eingerichtetes Zimmer finden, das ungefähr in der Mitte durch eine geschnitzte Holzwand getheilt wird, deren Thüröffnung mit einem Vorhange aus rother Seide geschlossen ist. Aus diesem reservirten Raume klingt nun die Musik deutlich heraus. Wir treten ein. Links steht ein großer, runder Tisch, um den herum junge Damen sitzen; sie sind in lichte Seide gekleidet, sehr schön coiffirt, und fächeln sich Kühlung zu. Zwischen ihnen rascheln Kinder herum, Miniaturausgaben der Erwachsenen, Knaben mit Zöpfen, Mädchen von jedem Alter, costumirt und coiffirt gleich den Großen. Die ganze Gesellschaft ignorirt uns, sie kennt den alten Detectiv, der schon 30 Jahre lang den gleichen Dienst verrichtet und sich dabei gewiß besser steht, als diese Dämchen. Auch die Sängerin ignorirt uns, sie fährt fort ihr Drahtsaiteninstrument zu zwicken und mit Fistelstimme ohne Scala traurige Lieder zu singen, wie ich sie auf dem Rethezát und im Vulcanpaß gehört habe. Das Mädchen —

oder diese Frau — ist in schwarze Seide gekleidet, hat wunderschöne kleine Hände, wie alle Chinesen, stark geweißten Teint, sehr flache Nase, ein wundernettes Haargebäude, das ihr sicher den Schlaf verdirbt. Sie macht den Eindruck größter chinesischer Eleganz und feinster Sitte, denn sie würdigte uns erst als wir fortgingen eines Blickes, wenn ich nicht irre — eines verächtlichen.

Das nächste Object bildet ein sehr großes Flatthouse, das einst Hôtel war, nunmehr 2400 Chinesen als Miethhaus dient, fast einen halben Block einnimmt und acht Ausgänge hat. Hier, sagte der Policeman, hatte ich die schwersten Aufgaben zu erfüllen und mußte oft genug mit dem Revolver arbeiten. Mag sein, vor 30 Jahren. Wir gingen durch, durch dieses Chaos von Boxes und traten auf der anderen Seite durch das Hinterpförtchen in das Eine der Theater. Ich halte das chinesische Theater für so interessant, daß ich es besonders behandeln will. Für heute will ich den Rundgang fortsetzen und Sie noch in's Spielhaus, in ein Pfandhaus, in einen großen Waarenstore, in einen Tempel und in die Schneidereien führen, dann Cigarrenmacher besuchen und zum Schlusse das Capitel der öffentlichen Sittlichkeit streifen, damit sie ein Bild dieser Stadt in der Stadt erhalten.

Das Spielhaus ist ganz leer. Aufpasser haben längst gemeldet, daß die Polizei da herumstreife. Unser Führer zeigt uns gleich den Verschluß. Dicke, mit Eisenblech beschlagene Thüren schützen die Eingänge, deren vier nach verschiedenen Richtungen auf schmale Gäßchen münden. Er meint, daß noch geheime Ausschlüpfe im Nachbarhause bestehen und der Spielmeister lacht, als der Mann des Gesetzes uns dies erzählt, denn dieser Chinese versteht englisch. Um diese Pfosten= thüre gegen das Einbrechen durch die löbliche Wache zu be= wahren, werden schwere hölzerne Riegelbalken vorgelegt, die in die Mauer eingelassen sind, und um zu hindern, daß auch diese Prügel gesprengt werden, treibt man Stützbalken in die Riegel, und diese Balken stemmen sich gegen die gegenüber liegende Wand. Non plus ultra des Verschlusses. Man kann aus ihm sehen, welche Spielratten diese Chinesen und wie verboten ihre Spiele sind! Der Policeman sagte, ihr Spiel bestehe lediglich im Errathen der Zahl der Bohnen, welche einer der Wettenden in der Hand hält. Das wäre einfach genug und dumm genug. Aber den Einen bringen Hahnenkämpfe in höchste Aufregung, den Andern Karten, warum den Dritten nicht Bohnen? Spielen doch die Yankees ihr Poker auch mit Bohnen aber nicht um Bohnen, und das thun die Chinesen auch nicht. Ganze Vermögen werden gewonnen und verloren in Hahnenkämpfen zu New-Orleans und in Cuba — wie im Poker und wie im Spielhause der Chinesen und jenem der Europäer zu Monaco!

Interessanter ist das Pfandhaus. Es gleicht einer wohlgehaltenen Bibliothek, nur passen in diese die vielen Opiumpfeifen nicht, welche ein Hauptobject der Leihhäuser bilden. Die Bücher werden ordentlich geführt, und gelöste Scheine liegen aufgespießt zur Registrirung bereit und neu eingelieferte Pfänder harren der Versorgung. Alles ist reinlich und der Eigenthümer, sagt der Führer, ist ein ehrlicher Mann, was dieser lächelnd bestätigt, er muß es ja wissen und weiß es auch; er nimmt nie mehr als 2—5 Percent per mese.

Ganz neben dieser Pfandleihanstalt, welche wohl eine sehr alte chinesische Institution ist, hält Sun Kam Wall, ein gebildeter, feiner, gut englisch sprechender Kaufmann, der ein hübsches Haus bewohnt, seinen großen Laden, in welchem alle Kunst- und Industrie-Erzeugnisse des Reiches der Mitte zu haben sind. Sun Kam Wall ist Importeur, er ist Großhändler. Mit großer Zuvorkommenheit zeigte er uns seine Schätze an Cloissonet, Stickereien und besonders an feinem Pelzwerk, wie wohl ähnliches, höchstens in Bergen noch aufgehäuft gefunden werden kann. Foa ladies, sagte der Kaufmann und meinte damit sicher nicht chinesische Damen; wir sahen deren keine. Aber die erfrorenen Ladies in S. Francisco tragen allerdings schon Pelze, wenn das Thermometer auf + 16° Réamur sinkt und die Herren Chinesen ziehen auch Pelzwämse unter ihren blauen Baumwolljaquetten an, sie sind ja auch zart wie Frauen. Herr Sun Kam Wall spricht gut englisch ohne des Buchstaben R zu bedürfen. Als er jedoch die Güte hatte unsere Namen sich chinesisch zu notiren, da blieb er bei diesem R stecken und malte endlich getrost ein L an dessen Stelle.

Nun kam einer der vielen Tempel an die Reihe. Er war, gleich den griechischen Kirchen, durch eine prachtvoll geschnitzte Holzwand in zwei Theile getheilt. Der vordere Theil enthielt rechts und links kleine Statuen, Bilder sehr frommer und wohlthätiger Männer, die jetzt göttlich verehrt werden. Diese braven Herren lebten vor etlichen tausend Jahren und sollen sehr ähnlich sein. Vor den Statuen sind kleine Altäre, wenn man so sagen darf, auf welchen die Gläubigen (?) Räucherholz und Votivpapiere verbrennen, deren uns die Priester eine Hand voll für einen Quarter, d. i. ¼ Dollar, gerne verkauften. Im zweiten Theile steht das Bild einer schwärzlichen Frau in Brokat gekleidet. Das Kleid hat die Form eines Zuckerhutes. Die Statuette sieht sehr alt aus und trägt eine Krone. Noch zwei ähnliche Holzschnitzwerke, in prächtige Gewänder gehüllt, stehen rechts und links hinter Räucherapparaten und brennenden Cedernspännen, die man leicht für Wachskerzen halten kann. Der ganze Raum ist in Halbdunkel gehüllt und sieht capellenartig aus; der Chinese braucht keine großen Kirchen, er tritt ein, macht ein paar Verbeugungen, zündet Stäbchen und mit Staniol beklebte Räucherpapierchen als Opfergaben an und geht wieder. Der zweite Theil des Raumes gehört eigentlich

für Trauungen. Fromme, edle Frauen und Mütter, deren
Statuetten wir geschildert haben, schützen die Braut= und
Eheleute. Die Trauung vollzieht ein Priester für eine Taxe
von acht Dollars, zwei assistiren für 16 Dollars, vier für
30 u. s. f. Es geht dies tarifmäßig; aber die Trauungen
sind sehr selten, von den Ehetaxen könnten die Priester nicht
leben, deshalb müssen sie Monopol legen auf das von ihnen
bereitete und geweihte Räucherwerk.

Schneider und Cigarrenmacher sitzen in großen Sälen;
es war Mitternacht vorüber, als wir solche Räume betraten.
Man arbeitete noch, die Nähmaschinen klapperten lustig darauf
los, Knöpfe wurden gleich Nieten eingeschlagen, sogar die
Knopflöcher macht die Maschine. Was der Chinese thut, er
thut es gut und nett; ich glaube, daß seine Cigarren netter,
reinlicher gearbeitet sind, als irgend welche — möglich, daß
nur seine zierliche Hand uns täuscht. Man erzeugt Cigarren
zu allen Preisen — ja auch echte Habanacigarren macht man,
welche übrigens auch in New=Orleans von Habanesen fabricirt
und in Verkehr gesetzt werden. Aus echtem Habanablatte
gedrehte Cigarren. Sie sind gut, keine Frage; die aus frischem
Blatte gemachte Cigarre in Cuba ist unvergleichlich besser. Die
fertige Cigarre gährt nochmals und wenn dieser Proceß
glücklich vollendet ist, dann hat man edle Waare und feines
Aroma.

Zum Schlusse nur noch zwei Worte über das, was man
in Egypten „Fantasia“ nennt. Ungeachtet der großen Aehn=
lichkeit in der äußeren Anordnung, hat die chinesische Einrichtung
keinen Anspruch auf Fantasia, keine Tarabuca, kein Thabl,
kein Tanz, das nüchternste Geschäft, die niedrigste Speculation,
die gemeinste Nothwendigkeit für die große Hafenstadt. Der
Chinese gründet in Amerika keine Familie, er bleibt Reisender,
er trägt den Paß stets bei sich, er nimmt keine Frau!

Auch diese Wesen, welche Gattinnen ersetzen sollen, leben in Boxes, deren Thüren Holzgitter haben, gleich den Musch=arabies der arabischen Harems. Durch diese zetteln sie kurze Liebesverhältnisse an, indem sie lockend, einschmeichelnd, fast bittend und bettelnd Passanten laden. Ganze Gäßchen sind von solchen Boxes und ganze Häuser, wie in Cairo, sind mit diesen Damen bevölkert, die meist sehr dick und sehr kurz sind, unverfälschte chinesische Tracht beibehalten, aus deren weiten Falten wahrhaft winzige, aber nicht verstümmelte Füßchen und winzigste Händchen hervorgucken. Die Augen dieser kleinen Damen sind durchaus schief, während jene der meisten Männer gerade stehen. In vielen solchen Häusern gibt es kleine Chinesen und kleine Chinesinnen, Früchte dieser kurzen Ehen, merkwürdige Mischlinge, denn in S. Francisco leben 40.000 Deutsche, 15.000 Italiener, 40.000 Chinesen, 20.000 Juden, ebenso=viele farbige Leute und 100 Segelschiffe liegen im Hafen aus allen Zonen und aller Herren Ländern.

So sieht diese Stadt in der Stadt aus. Sie ist nicht mit Steinmauern umgeben, liegt zunächst der größten, schönsten und reichsten Verkehrsader der Kearnehstreet; die Straßen der Chinatown setzen sich nach allen vier Weltgegenden fort und doch bildet das Chinesenviertel eine Town für sich, ein echtes Ghetto. Amerikaner administriren sie und überwachen sie scharf — aber in die Spielhöhlen können auch Detectives nicht eindringen. Amerika lehnt die Chinesen ab, aber auch die Chinesen lehnen die Yankees ab, sie wollen nichts als ihren Reichthum theilen, sie wollen Geld machen — sie wollen das=selbe, was die Amerikaner thun und thun es auch.

Im Beibehalten ihrer Tracht, ihres Zopfes liegt ihre moralische Kraft. Auf Cuba ist der Zopf verschwunden und die Kraft gebrochen.

II.

Das chinesische Theater.

In S. Francisco's Chinatown befinden sich zwei Theater. Beide sind gleich eingerichtet. Beide ganz von Holz, mit engen Zugängen und noch engeren Nebenräumen, die europäischen Schauspielern kaum gefallen würden, und wehe — tausend mal wehe — wenn da einmal ein Feuer ausbricht. Da ist Alles verloren, da rettet sich höchstens der Cassier, welcher in einem Verschlage aus Holz nächst der hölzernen Stiege sitzt. Das muß brennen gleich Zunder, denn die Erde dieser Länder ent= hält weit weniger Feuchtigkeit, als die Erde unseres Welt= theiles; an keinem Stein oder Holzhause ist hier zu sehen, was z. B. in Wien alltäglich ist, daß nasse Flecken sich um das ganze Erdgeschoß ziehen, daß sich Tapeten lösen und die Stiegenflur mit Feuchtigkeit bedeckt oder das Holzpflaster der Einfahrten aufbäumt. Nirgends in Amerika, wo doch gewiß zwei Drittheile der Menschen in Framehouses wohnen, sah ich den Holzschwamm wachsen, wie in den Holzhäusern von Steiermark; nirgends gibt es gewölbte Keller; man hat nicht nöthig, seine Vorräthe gegen das Eindringen der Erdfeuchtig= keit zu schützen; es dringt keine ein. Also bis hinunter in die Kellerräume ist Alles Holz und Alles strohtrocken.

Nun wohl! bei gehöriger Vorsicht kann man ja das Haus erhalten. — Bei gehöriger Vorsicht! Erst im Jänner 1884 brannte wieder ein steinernes feuersicheres Theater in Cleveland und das Parktheater in New=York ab, in welchem sich die Küche des Hauses gewiß nicht im Keller befand und wo die

Schauspieler nicht im Theater wohnten, wie etwa die Sänger von Dan Rice's Boote, der sein Operahouse und Museum mit sich führt, auf dem Mississippi von Stadt zu Stadt zieht, von Bayou zu Bayou, damit die Pflanzer aller Wohlthaten des Theaters theilhaftig werden und er Geld mache. Seine Sängerinnen schlafen auf der Bühne, seine Sänger im Zuschauerraume und der Vorhang scheidet die Geschlechter. Wenn dieses Floating Operahaus zu brennen beginnt! Schrecklich; aber nicht schrecklicher, als sich die Phantasie ein Feuer im chinesischen Theater vorstellt, in dessen, aus Schlupfwinkeln bestehenden Räumen die zahlreiche Truppe der Schauspieler, Musiker und Statisten wohnt, ißt und schläft. Mehr als hundert Mitglieder zählt diese Bande, die keinen trennenden Vorhang braucht, denn es gibt keine Schauspielerinnen.

Der Detectiv brachte uns durch eine wohlverbarricadirte Hinterpforte, deren Verschluß er jedoch kannte, direct unter das Podium. Man hörte die Tritte der Helden und hörte die Musik, welche jeden ihrer gewichtigen Schritte, jedes ihrer historischen Worte begleitete, denn nur ein Bretterboden scheidet die Scene von der Theaterküche. In Mitte eines ziemlich geräumigen Gemaches steht ein großer Herd, auf dem offenes Feuer brennt, um welches herum Blechgefäße stehen, die zugedeckt sind. Bohnen, Kohl zeigt uns der fürwitzige Mann des Gesetzes und Maiskolben. Ein großer Topf enthält kochendes Wasser. Eben kommt ein Mann in chinesisch-bürgerlichem Gewande die schmale Treppe herab; er trägt eine kleine Schale in der Hand, in welche er etwas Thee aus einer Büchse wirft. Er lächelt uns freundlich zu, winkt dem Policeman, gibt ihm das do-y-do und steigt sammt seiner Schale wieder die leiterartige Treppe hinauf. „Einer der Musiker" sagt unser Führer und weist auf die „Löcher" („holes") rings um die Küche; es sind dies Wohnstuben der Künstler. Beiläufig so ist auch die sociale Stellung der Männer der dar-

stellenden Kunst. Ganz convenient meinten wir, der Policeman
aber stieg schon die Leiter hinauf, wir folgten ihm in die
Garderobe, die sich hinter der Scene befindet und zugleich
gemeinschaftliches Ankleidezimmer der Acteurs ist, die sich nicht
zu geniren brauchen, da sie „Männer unter sich" sind. Jeder
Acteur hat sein Tischchen, auf dem die Farben in Tiegeln
stehen, die Pinsel und der Handspiegel liegen, um sich für
die Rolle, die man zu geben hat, auch richtig zu schminken,
zu malen — oder besser, anzustreichen. Die ganze Garderobe
hängt an quer gespannten Drähten. Anzüge von allen Farben
in Cotton, Seide, Atlas, prächtig gestickte Ueberwürfe, reiche
Brocatgewänder, Tuniken im Schnitte der Meßkleider, Frauen-
costumes für reiche und arme Weibsleute, wunderbare Kopf-
bedeckungen aus ganz herrlichen Stoffen, die den Hauben
schwäbischer Bäuerinnen als Muster gedient haben können,
hier aber Senatoren, Minister und hohe Functionäre überhaupt bezeichnen; noch wunderbarere Goldkronen mit künstlichen Blumen in Fülle decorirt, der Kopfputz hoher Damen,
Prinzessinnen und Marquisen. Mit Stolz zeigt uns ein dis-
ponibler Held diese exquisite Sammlung alt-chinesischer Gewänder, deren jedes Schauspiel bedarf, denn man gibt nur
alte historische Stücke, ganze Capitel aus China's Vorzeit,
die Geschichte großer Eroberer oder großer Usurpatoren, die
stets gewaltige Weiberfreunde sind und jedes Refus furchtbar
bestrafen, denn Helden und Räuber sind nicht stets groß-
müthig — manchmal auch nicht.

Nun stürmt unter großem Spectakel eine Schaar Krieger
mit hölzernen Schwertern, die sie drohend tragen und schütteln,
durch die zwei Thore, welche die „Stage" mit dem Ankleide-
raum verbinden, herein, wirft die Schwerter auf einen Haufen
und zieht die braunen Gewänder aus. Es sind dies geschlagene
Truppen, die sich grün kleiden und wieder hinauseilen, den siegreichen Helden zu begrüßen als friedliche Bürger und ihn

selbst schnell in die Stadt zu begleiten, denn der Held will sogleich zu seiner Geliebten. Diese, ein nicht übler junger Chinese, ist eben mit der Toilette fertig geworden. Die Wangen bis zum Kinn sind dunkelroth gefärbt, Kinn, Nase und Stirn tragen eine dichte, man könnte sagen, cubanische Schichte von weißer Farbe. Die Ohren sind roth und lange Ringe hängen darin. Das Haar ist reizend geordnet, Nadeln stecken in den breiten wegstehenden Flechten. Ein blaues Oberkleid fällt über die weiten Hosen, aus den Aermeln ragen die Hände nur schüchtern hervor und zagend spielen sie mit dem unentbehrlichen Fächer, der jede Beweg ung, jedes Wort er klärend sich bewegt. Der Gang dieser Mannfrau ist trippelnd, fast schwankend, denn sie gehört den höheren Ständen an, die sich bekanntlich ihre Füße zu Stelzen verstümmeln. Alles an dieser Dame ist zimpferlich. Niemand würde in ihr den verkappten Burschen vermuthen.

Durch das linke Thor verläßt just der grause, tapfere Held die Bühne und wir treten durch das rechte hinaus auf's Podium, ziehen uns gegen die Wand zu, wo Chinesen stehen; man bringt uns Sitze und von diesem guten Platze aus über= sehen wir das ganze Theater. Hölzerne Bänke ohne Lehne steigen bis zum Dachraume auf. Sie sind voll von Chinesen, die rauchend, die Hüte auf dem Kopfe, aufmerksam lauschen. Zwischen den Bänken drängen sich Diener durch, welche Skar= nizchen feilbieten, in welchen Zucker, Candis und Früchte ent= halten sind. Rechts und links von der Bühne befinden sich je vier Logen, zu zweien übereinander, dort ließen sich Frauen und Kinder nieder. Die Bühne selbst hat überraschende Aehn= lichkeit mit jener von Oberammergau. Der ganze Hinter= grund ist durch die lange Flucht eines Hauses eingenommen, das zwei große Thore zeigt, die, wie schon gesagt, hinaus= führen aus dem Raume des Spieles. Zwischen den Thoren befindet sich statt des Balcons eine Nische. Diese Haupt=

2*

decoration verändert sich nie; vor ihr spielt sich Alles ab, mag da Saal, Schlafgemach, mag Feld, Wald, Fluß oder Meer den Schauplatz bilden. Der Chinese hilft seiner Phantasie durch kleine, conventionelle Mittel nach, die keinen Zweifel überlassen in Betreff des Ortes, wo die Handlung vorgeht. Seine Phantasie ist sehr rege, ihn beirrt nicht, daß wir und Andere als Zuseher auf der Bühne selbst saßen, ihn genirt es nicht, daß die Musiker auf der Bühne Thee trinken und Tabak aus Pfeifen rauchen, herumgehen gleich den Theater= dienern, welche, noch während die Action läuft, die künftige Action scenisch vorbereiten. Er ist ganz in das Spiel vertieft. Das Corps der Musiker sitzt nicht, wie in Europa, vor der Bühne, nicht vertieft, wie in Bayreuth, sondern auf der Bühne, hinter der Stage in der Nische. Sie müssen da sitzen, denn sie müssen jede Phase der Handlung sehen, die sie mit ihrer improvisirten Musik begleiten. Sie müssen die Grund= lage für den näselnden Gesang geben, den die Recitatoren für ihre Mittheilungen gebrauchen. Musik — Gesang! Es gibt keinen Ausdruck für das Häßliche dieses Lärmes, nicht einmal „scheußlich" reicht dafür aus. Nur eine zweisaitige Mandoline, die mit weiß Gott was gestrichen wird, producirt eine Art Melodie, der aber die Scala fehlt und die dem Geklage walachischer Schafhirten in den südlichen Karpathen einigermaßen ähnlich ist. Diese musikalische Formel ist auch die Formel für die fistulirenden Declamationen der Männer und der Frauen, die stets bei der höchsten Note anfangen und dann herabfallen, ohne die geringste Congruenz mit der gequälten Guitarre, von der sie kaum etwas hören können, weil die anderen Instrumente das Gequitsche durch Höllen= lärm übertäuben. Da ist vor Allem der Kong, dieser mächtige, scheppernde, nachklingende Spectakelmacher, der gräßliche Ohren= zerreißer, den unsere Musikbanden in den Tschinellen doch noch beibehalten haben, wie sie die türkische Trommel beibehalten haben, obwohl beide Instrumente lediglich Lärminstrumente sind, die über die Tonart erhaben, stets „falsch" dreinschlagen zum Zeichen, daß unsere Ohren noch immer nicht fein genug sind, um das Barbarische dieser disharmonischen türkischen Musik zu hassen. Die Ohren der Chinesen sind noch weniger delicat als die unseren; sie werden durch das Zusammenwirken ihrer Werkzeuge angenehm gekitzelt, wie wir uns freuen, einer Banda nachmarschieren zu können. Auch die Chinesen haben eine Trommel; sie klopfen mit zwei Stäben auf einen soliden Eisenblock los und schlagen Holzstückchen gleich Castagnetten aneinander und eine Art Clarinette schleudert unarticulirte Pfiffe dazwischen, daß die Ohren gellen. Diese theilweise doppelt besetzten Instrumente empfangen jeden Neuauftretenden mit einem „Tusch", den oder die Helden und Heldinnen mit langandauernden Tuschen und jeden Satz mit Gewinsel und jede Specialaction mit willkürlichem Lärm. Nicht für Augenblicke ruhen sie; man befindet sich nicht im Schauspielhause, sondern in der Oper, wie in New-Orleans jedes Schauspielhaus Operahouse heißt, Great Operahouse, French Operahouse, obwohl dort Minstrells und japanische Gaukler debutiren; man ist im Melobrama, im dramatisch-musikalischen Festspiele, wie es sich für die Chinesen seit Jahrtausenden versteinert forterbte von Geschlecht zu Geschlecht. Es gibt in S. Francisco auch „Werkel"; sie verirren sich in alle Gaue und Städte des weiten Landes; die Chinesen umstehen horchend die Strauß'schen Walzer voll einschmeichelnder Melodie, aber an der Tradition ihrer Musikdramen ändern sie nichts, ihnen gefällt ihre Musik, wie den Arabern die ihre gefällt, die sie weit vorziehen dem Aidamarsche, welchen die egyptischen Regimentsbanden jetzt vielleicht in Chartum tadellos blasen und trommeln, um die Felachen und Neger zu tapferem Widerstand gegen die Beduinen des Mahdi zu entflammen.

Der Theaterdiener stellt in die Mitte der Bühne einen Tisch und vier Sessel herum. Es erscheinen vier Minister, so nennt sie der Dolmetsch, die unter sich musikalisch berathen. Dieser Conseil wird durch das getrommelte Eintreten der hohen Dame unterbrochen, welche sich über die Verfolgungen beklagt, die sie vom Helden zu erleiden hat. Erst berathen die Herren Minister längere Zeit und rathen der Armen endlich fortzugehen und sich in das Haus einer gewissen Frau zu flüchten, wo sie ruhig fortleben könne. Sie geht rechts fort. Links kommt der Held, der durch seine Aufpasser gehört hatte, daß seine Liebste ihn verklagte; er stellt die Minister zur Rede und da sie Ausflüchte gebrauchen, schlägt er Einem von ihnen mit dem hölzernen Schwerte den Kopf symbolisch ab. Der Getroffene fällt zu Boden und kriecht sogleich durch das linke Thor hinaus von der Bühne, wo er nichts mehr zu thun hat, denn er ist todt. Die anderen Drei zittern wie Espenlaub, was schallendes Gelächter im Publicum erregt und stehlen sich fort. Der Held läßt einen gewaltigen Monolog in der Fistel auf musikalischer Basis los, wie Gurnemanz oder der Gott der Walküren; er ist befriedigt und zieht sich unter Geräusch zurück.

Nun räumt der Diener den Tisch weg und stellt an die linke Seite einen Galgen aus Bambus, der eine Zimmer=thüre bedeutet. Bald erscheint unsere Heldin; sehr betrübt macht sie die Pantomime der Thüröffnens, tritt in das Ge=mach, schließt die nicht vorhandene Thüre sorgfältig und klagt in hoher, höchster Frauenfistel; sie beklagt ihr Geschick lange, bis endlich eine andere, sehr freundliche und sehr zimpfer=liche Dame in köstlichem Schmucke erscheint, die ihren Gast fächelnd empfängt und zum Sitzen ladet. Die Heldin erzählt ihr nun singend ihre ganze Misère. Je länger diese Erzählung dauert, desto stutziger wird die Hausfrau, endlich lehnt sie es ab, der Flüchtigen Unterkunft zu gewähren, denn der Held mache auch ihr die Cour. Weinend zieht sich die Heldin zurück. Auch die Grausame, die Nebenbuhlerin, geht; der Diener entfernt Stühle und Galgen; die Scene ist möbelfrei, ein Platz am Meere, wie wir gleich sehen werden. Die Heldin kommt von links. Sie ist sehr erschreckt und schaut sich um Rettung um. Es scheint keine zu geben; singend sucht sie ein Versteck; es gibt keines. Ein gräßlich gemalter, schwarz ge= kleideter und stark bewaffneter Mann verfolgt das Fräulein in großen Sätzen; geschickt entwischt es ihm und zur rechten Zeit tritt ein hübscher, eleganter, junger Herr ein, der eine Gerte in der Hand trägt, was stets bedeutet, daß der Träger zu Pferde sitzt. Galant und in großen Schritten — denn das Pferd bäumt sich — nimmt er sich des in einer Ecke knieenden Mädchens an, aber der Unhold ersticht diesen Seladon stracks; er fällt, ist todt und geht fort, denn Niemand ist da, der ihn wegtragen könnte. Der Räuber nimmt die Verfol= gung neuerlich auf, dem geängstigten Mädchen bleibt nichts übrig, als sich in's Meer zu stürzen; zu diesem Behufe er= scheint ein Theaterdiener mit einer Fahne, die er schwingt. Das Bewegen des weißen Tuches bedeutet die Meereswellen. Die Heldin lauft zur Fahne und fällt nieder. Der Diener bedeckt sie mit der Fahne. Die Wellen haben das arme Kind verschlungen. Nun kommt der richtige Held, übersieht rasch die Situation, tödtet den Räuber, der den Platz und die Bühne räumt, läßt das Mädchen durch sein Gefolge aus dem Wasser ziehen und forttragen. Ein Monolog belehrt uns in Betreff seiner edlen Absichten und hohen Liebe und der Zu= friedenheit mit der großen, tapferen That.

Die nächste Scene bringt die Rivalinnen wieder zu= sammen, aber der Papa der Grausamen ist zugegen und be= lehrt sein Töchterlein über die Pflichten der Nächstenliebe. Die Heldin steht gebeugt vor Vater und Tochter, sie windet fort und fort Wasser aus den Zipfeln ihrer Kleider, damit kein

Zweifel bleibe, daß sie triefe; aber es war zwei Uhr geworden; wir mußten nach Hause; das Stück hat vor Wochen oder Monaten kein Ende. Wir gingen denselben Weg zurück, den wir gekommen. Das Feuer in der Küche brannte noch, der Musiklärm schallte hinaus auf die schmale, finstere Gasse.

Erinnert dieses Spiel nicht an die Spiele unserer Kindheit? Ihr seid die Mauer von Jericho; wir sind die Juden; wenn wir blasen, so fallet Ihr um!

III.

Amerikanisches Fuhrwerk.

Die Nothwendigkeit „Hände" zu sparen, lehrte die Amerikaner die fehlenden „Hände" zu ersetzen. Die Theorie der Anpassung an die gegebenen Verhältnisse bewährt sich. Das „help yourself" bezieht sich nicht nur auf Lynchjustiz und Revolver; ihm verdankt der verbesserte Hammer, die schwung=kräftige lange Hacke, die Nähmaschine, der zwanzigzeilige Pflug so gewiß sein Entstehen, als die Bauart der Wohnungen. Der große amerikanische Eisenbahnwaggon und das ganze Fuhrwerk, von dem wir heute erzählen wollen, ist Product der Nothwendigkeit mit Menschenkraft sparsam umzugehen, denn sie ist nicht nur theuer, sondern sie fehlt vielfach ganz. Neue Eisenbahnen entstehen, längs derselben neue Ansied=lungen, dorthin zieht es die Emigranten, die nicht nur aus Europa kommen, sondern aus Amerika's Osten hinüber=rochiren in den Westen, Norden und Süden, freie Männer, auf freiem Boden, ihre eigenen Herren. Die Noth zwingt den Amerikaner mit jenem Autoritätsglauben aufzuräumen, der Werkzeug und Fuhrwerk von Generation zu Generation vererbt, und vielfach kommt ihm zu Gute, daß er von vorne anfangen muß, sich Alles neu anzuschaffen hat, daher nur Zweckmäßiges anschafft, nur Handsames, nur Kraftersparendes.

Noch vor ganz kurzer Zeit war der Leiterwagen in Wien dominirend für Bewegung von Lasten. Auch der Steierwagen der Milchfrau ist nichts anderes als ein Leiterwagen. Hier fährt der Milchmaier im Buggy, vor sich hat er die wohlver=

schlossenen Milchgefäße, er fährt im Trab, kutschirt sein Roß
selbst, übersieht seine Waare, die gleich ihm selbst durch ein
ordentliches Wagendach geschützt ist, er fährt bei den Häusern
vor, denen er Milch abzugeben hat, bindet das Pferd an die
in's Trottoir eingelassenen Ringe, gibt seine Waare ab, besteigt seinen leichten, auf guten Druckfedern ruhenden Wagen
und fährt weiter. Er erspart Zeit und Arbeitskraft und fährt
wie ein „Herr". Die Milchfrau in Wien läßt ihr Wägelchen,
wenn etwas bricht, repariren, verläßt Purkersdorf um drei Uhr
Morgens, fährt im Schritte, guckt sich stets um, ob nichts
gestohlen wird, hat neben sich ihr Töchterlein, damit Jemand
beim „Stande" ist, während sie ihre Kunden befriedigt, und
oft schläft sie, ihre Tochter oder ihre Töchter auf dem offenen
Sitze, den ganzen weiten Weg, den das Pferd im Schritte
zurücklegt oder doch nur unwillig in schweren Trab fällt, wenn
eine der Dreien erwacht und das Leitseil anzieht, daß dem
hartmauligen Gaul die Lippen springen.

Noch viel auffallender unterscheidet sich der eigentliche
Lastwagen Amerika's von dem Lastwagen Europa's. Er streift
fast die Erde. Er ist so nieder gebaut, daß er, die rückwärtigen
Räder an das erhabene Trottoir gelehnt, gestattet, die schwersten Kisten und Ballen auf ebener Fläche in den Laderaum
zu ziehen. Dieser ruht ganz auf den hinteren, sehr hohen Rädern,
die an einer rechtwinkelig gebogenen Achse laufen. Der Laderaum ist mit dem vorderen Räderpaar durch einen einfachen
Hängeapparat verbunden, welcher gestattet, daß die vorderen
ebenso großen Räder unter dem Wagen durchgehen und hoch
oben ist der Sitz für den Kutscher angebracht, dessen nach allen
Seiten offenes Dach ihn gegen Regen und Sonne schützt.
Die Last wird nicht, wie auf den Wiener „Streifwägen" durch
Ketten und Stricke befestigt, sondern eiserne Hülsen umgeben
das Ladebrett, in welches genau passende, hohe wohlgearbeitete
Stangen gesteckt werden, welche die feste Leiter ersetzen.

Manchmal sieht man in Wien ähnlich gebautes Fuhr=
werk, in welchem Werksteine transportirt werden; aber die
Spediteure schleppen Alles auf feder= und gitterlosen Streif=
wägen, ja selbst die gut geleitete Transportgesellschaft führt
Streifwägen und der Verlust von Packeten ist immerhin
möglich, abgesehen davon, daß jede Last mindestens drei Schuh
hoch gehoben werden muß.

Jedes Haus hat hier seine Fournisseure. Alles wird in's
Haus gebracht. Diese Fournisseure decken ihre Buggies mit
einem Tonnendache vollständig zu. So entsteht der „sieben=
bürgische Koberwagen", ein sehr praktisches Vehikel, von dem
sich das gedeckte Buggy nur dadurch unterscheidet, daß es viel
höhere Räder hat, den Kasten nicht durch Weidengeflechte ab=
schließt, sondern solid construirt und endlich auf guten Federn
ruht, was der Siebenbürger Marterwagen sorgfältig vermeidet.

Die Anglosachsen haben natürlich auch ihre Wägen hieher
gebracht. Die Stagecoache hat sich so ziemlich unverändert er=
halten; die Kalesche und der Phaëton wurden angenommen
und nur darin verändert, daß die Rippen des Lederdaches
frei bleiben, das Leder auf= und abgeknöpfelt werden kann,
um zu sehen und gesehen zu werden. Auch der Brougham
wurde angenommen, ist jedoch stets Landau. Alle diese Fahr=
zeuge dienen aber nur zu Paradefahrten, für Fiaker in großen
Städten und für Hôtelbedürfnisse.

Das eigentlich nationale Fahrzeug ist das Buggy, das
man wohl aus einzelnen Exemplaren in Europa bereits
kennt. Seine Basis ist die Schublade, die auf guten Druck=
federn und diese auf der Stahlachse ruhen, an der hohe, fili=
gran ausgearbeitete Räder aus Hikoryholz stecken. In der
Schublade, die manchmal etwas ausgeschnitten wird, um das
Aussteigen und Einsteigen zu erleichtern, das wirklich die einzige
Schattenseite dieses vortrefflichen Wagens bildet, denn um
hinein= und herauszukommen muß man das Pferd oder die

Pferde um 45 Grad auf die Seite stellen, weil der Tritt zwischen den hohen Rädern steckt, deren Spurweite um einen Schuh größer ist als jene europäischer Wägen.

Dies Buggy ist das Fahrzeug des Farmers und seiner Familie, das Fahrzeug des Geschäftsmannes, des Sportsman, der Lady, des Fräuleins, das allein ausfährt oder seinen An= beter herumfährt, der Maman, welche ihre Kinderchen in die Luft bringen will, es ist das Fuhrwerk jedes Pferdebesitzers, mag er ein kleiner Krösus oder ein großer Eisenbahnkönig sein, in ihm treibt man in den Park und läßt den Traber rennen, daß die Funken stieben, in ihm macht man Besuche und bindet das Pferd am Ringe fest, in ihm fährt man aus dem Office in den Schlafplatz, in ihm macht man die Wett= fahrten, ja man fährt eigentlich immer wett, denn nie läuft das Pferd dem Herrn zu schnell, selbst im Centralpark nicht, wo das Schnellfahren verboten ist. Hat man kein eigenes Buggy, so leiht man sich eines im Stable aus, der Amerikaner hat stets Vertrauen, er leiht auch dem Fremden sein gutes Roß auf's Gesicht, ja vielleicht ihm eher, als dem Yankee.

Das Buggy ist das nationale Fahrzeug. Es ist so leicht, daß das Pferd keine Last zu ziehen hat; die hohen Räder gleiten selbst über amerikanisches Pflaster hin, ohne daß man einen Stoß verspürt; sein Geleise ist so breit, daß an ein Umkippen gar nicht zu denken ist. Es ist meiner Ansicht nach das vollkommenste Fahrzeug, das es heutzutage gibt.

Dagegen sind die Fiaker schlecht. Sie führen schwere Wägen, fahren träge und sind horrend theuer. Für Einen Tag rechnet er 20 Dollars, für eine Fahrt oft bis 6 bis 7 Dollars. Diese Kerle sind Beutelschneider und deshalb halten viele Clubs Clubwägen, die den Mitgliedern um den Kostenpreis zur Verfügung stehen. Der Club muß überhaupt Vieles gut machen, was das amerikanische Leben sündigt, dessen größte Sünde wohl die „Kost" ist, von der wir gleich reden wollen.

IV.

Die Kost in Amerika.

Wenn ein europäischer Tourist nach Newyork kommt,
so führen ihn seine Freunde zu Delmonico, wo er speist wie
im Palais royale zu Paris, wie bei Sacher in Wien,
die echte Allerweltskost, vielleicht noch verfeinerter, noch ver=
künstelter als in der Metropole Frankreichs; er trinkt Bordeaux
und Champagner und sagt: nicht besser, aber gewiß so gut,
wie bei uns. Führen ihn die Freunde in den Club, so speist
er ebenso exquisit, ja besser als im ersten Restaurant, weil
etwas einfacher gekocht ist; schleifen sie ihn zum deutschen
Bierwirth, wo er vortreffliches Bier und ausgezeichnete Selch=
würste, etwa mit Sauerkraut, bekommt, so ist er entzückt und
ruft befriedigt aus: Hier ist's gut sein, hier laßt uns Hütten
bauen.   Wird der Fremde nun gar zu reichen Leuten zur
Tafel geladen, auf der nichts fehlt, was die Saison bringt
und was sie nicht bringt, doch die Preservebüchse liefert, so
gesteht er sich, daß diese Amerikaner zu leben wissen.

Hat er sich in eines jener Riesenhôtels einquartiert, wie
Palmerhouse oder Palace=Hôtel oder Fifthavenue=Hôtel, so
wird er etwas herabgestimmt. Embarras de richesses, denkt
er sich; er wählt im reichen Speisezettel zum Frühstück, Lunch
oder Diner das, was er kennt, wundert sich, daß man die
gesalzene Butter in kleinen Schälchen neben das Gedeck streift
und die gekochten Eier in einem Glase verrührt bringt, und
daß Alles, was angeschafft wurde, zwar nicht sogleich, aber
zugleich gebracht wird; aber auch derlei hat seine Annehm=

lichkeit, namentlich zergeht die Butter nicht auf dem warmen
Teller; man gewöhnt sich, eine Viertel- oder halbe Stunde
zu warten, kauft sich zu diesem Behufe den Newyork-Herald
liest die langen Mordthaten, Feuersbrünste, Eisenbahnunglücke
und die kurzen Nachrichten aus der Heimat, und schlingt
endlich sein Essen um so rascher hinein, je länger man mit
Warten und Lesen zugebracht hat. Man macht es wie die
Amerikaner und lernt erst später, dem Aufwärter einen Quarter
in die Hand drücken, damit das Ding etwas rascher gehe,
was dann auch meist der Fall zu sein pflegt, mögen die
Wärter nun Weiße oder, wie meist, Schwarze sein. Die Kost
ist nicht schlecht. Sie ist Fabriksarbeit, wie es nicht anders
sein kann, wo Hunderte zu gleicher Zeit abgefüttert werden.
Sie ist normale Wirthshauskost, amerikanisch gepfeffert, Kost
à la minute und in Masse erzeugt. Man kann dabei existiren,
ohne eben entzückt zu sein.

Aber man wohnt nicht in Newyork, bleibt nicht im
äußersten Osten, schlägt keine Hütten, findet nicht Karten in
alle Clubs und Einladungen in Privathäuser, wenn man
reiset; man ist auf Hôtel-, Eisenbahn- und Schiffskost ver-
wiesen und da gestehe ich — diese Kost ist meist schrecklich.

75 Cents! das zählt nicht. Nicht einmal Ein Dollar.
Nicht einmal ganz zwei Gulden österr. Währung. Es ist
z. B. sieben Uhr Morgens. Twenty five minutes for your
breakfast, gentlemen! ruft der Neger, der als Portier im
Pullmann sleepingcar, oder wie der Schlafwagen kürzer
heißt, im sleeper, fungirt, die Betten macht, Stiefel und
Kleider putzen soll und den Waggon absperrt, wenn ihn die
Reisenden verlassen haben, weil er versperrt doch sicherer zu
sein pflegt. Ein Tam-Tam, von einem Stationsneger kräftig
geschlagen, oft drei bis vier oppositionelle Concurrenz-Tam-
Tams laden in's Dining-room oder den Dining-Salon.
Man tritt ein durch das einzige Thor des großen, stets sehr

nett gehaltenen Raumes, durch welches man unbedingt wieder hinaus muß, weshalb ganz zweckmäßig der Zahltisch neben dieser Thüre steht und oft die Aufschrift „Register" trägt. Einer der schwarzen Kellner oder Wärter (selten bedienen Damen) weist den Sitzplatz an. Cofe or thee? ist die erste Frage. Beide sind ausnahmslos schlecht. Der Kaffee ist oft so schlecht, daß man den Himmelbrandthee doch noch vor= zieht. Nun streicht ein anderer Neger vorerst Butter in das kleine Schälchen, Butter, die sehr und überall an älteres Rindschmalz gemahnt, dann bringt er das Zubehör zum Thee die Omelette; diese ist, wie alle Speisen, mit ranzigem Fett bereitet. Daneben stellt er auf ganz kleinen Schüsselchen, für jeden Gast extra, ein Stück gebratenen Ochsenfleisches, zäh wie Leder; daneben mashed potatoes, d. i. zerdrückte Kar= toffel, Erdäpfelpurée, aber ohne Fett; man nimmt sich von dem kleinen Schälchen, das in keinem Gast= oder Privathause fehlt, diese dunkelgelbe, stark gesalzene, präservirte Butter, steckt ein Stückchen davon in die Potatoes, aber die Butter zergeht nicht, denn die Kartoffeln sind kalt, wie überhaupt alle Speisen mit Ausnahme der Cackes kalt geworden sind. Neben das Fleisch stellt der Neger noch verschiedene Schüsselchen mit Brei, Bohnen, Brein, Paradiesäpfelschnitten in Essig, gerollter Gerste, in Wasser abgekochten Reis, gedörrte Zwetschken ꝛc. und bringt manchmal auch gedörrte Kalbsleber oder gebratenen Zwiebel. Sechs bis acht Schüsselchen stehen da herum und es gehört ein Wolfshunger dazu, um davon auch nur zu kosten. Höchst selten steht irish Stew, d. h. mit Kartoffeln gedämpftes Lammfleisch zu Gebote, das manchmal sogar weich genug ist, um gekaut zu werden. Das Stake wird zeitweilig durch Chops ersetzt, aber auch diese sind von Kautschuk und wenn panirt ranzig. Zum Schlusse kommen öfters Cackes, die in Privathäusern und Clubs aus Buch= weizenmehl gemacht werden, resch und schmackhaft sind, wenn

man sie mit Butter beschmiert und Ahornsyrup darüber
gießt. Auf den Stationen und Schiffen sind sie pappig, aus
Kleister fabricirt, und werden durch alte Butter nicht besser,
nur durch Syrup süß. Orangen und Aepfel stehen gleich dem
Sellerie in Gläsern zur Verfügung. Der Ungar würde sagen:
tessék! Für Europäer sind nur die Kartoffel, Bohnen, das
Stew und die Cakes eßbar; aber auch da stiert er mißtrauisch herum, wie ja auch der Amerikaner von Allem kostet,
auf Alles viel Pfeffer, auf Alles Butter, auf Alles Sauce
gibt, die in verschiedenen Flaschen und mit allen möglichen
Etiquetten zur Vervollständigung der Kocherei zu Gebote
stehen. Der Amerikaner schneidet sich überall ein Stückchen
herab, nimmt Alles auf einen Teller, auf dem er Alles verzehrt und den er voll von Resten und Ueberbleibseln zurück-
läßt. Es ist die Massenkost, wie sie die alten Römer und
Gallier, Germanen und Hunnen genossen haben; diese Massenkost wird verwüstet; in Hôtels ersten Ranges kaufen kleine
Restaurants die Ueberbleibsel und diese setzen sie ihren Gästen,
vielleicht ab- oder umgekocht, vielleicht besser als sie das Hôtel
bot, vielleicht sogar als Salmi, vor. In kleinen Wirthschaften
gehören die Abfälle den Schweinen, für die sie gewiß gut
genug sind, wenn ihnen auch Mais lieber wäre. Wärter,
Dienstleute ɛc. achten solche Reste nie; sie speisen gerade wie
die Herrenleute, werden gerade so mit so vielen Schüsselchen
servirt, sind gerade so wählerisch wie die Herrenleute und
verwüsten die Gabe Gottes, die freilich ungekocht ungleich
höheren Werth hätte und ebenso genießbar wäre, gerade so
wie die Herrenleute. Wunderbar bleibt es immerhin, daß das
Land „der Rinder" im Ganzen und Großen schlechtes Fleisch
ißt. Man schlachtet das Weidevieh und schrotet es frisch-
geschlachtet aus. Interessant ist, daß die Kochkunst im Lande
der rapiden Entwicklung nicht einmal zum Embryo der Entwicklung kam. Wahrscheinlich entscheiden bei Besetzung der

Restaurants-Posten auch Parteiverhältnisse wie bei den Richter-posten, und man kann ein ganz vorzüglicher Seifensieder sein, und deshalb doch ein schlechter Koch! Macht 75 Cents, d. i. 1 fl. 80 kr. ö. W. Nun kommt der Mittagstisch meist zu einem Dollar, natürlich ohne Wein. Er ist genau so beschaffen, wie das Frühstück, nur leitet eine Suppe das Essen ein. Sie ist Mackturtle, aber mehr Mack als Turtle. Eine braune, trübe, dicke Sauce, ohne Geschmack, sehr stark gepfeffert und mit darin herumschwimmenden Fleischstückchen, gelben Rüben und Tomaten. Manchmal kommen gedörrte Nieren, öfters Turkey, d. h. Indian, muskulös und dauerhaft, zuweilen Kapauner, noch muskulöser und knochiger — es scheint, daß das Klima bei Menschen und Thieren nur die Sehnen und die Kampflust entwickelt. Nie fehlt der Pudding — stets eine Abart des Wiener Gugelhupfs in kaltem, parfumirtem Zucker-wasser schwimmend. Den Schluß macht schwarzer Kaffee aus Surrogaten sorgfältig bereitet. Macht 2 fl. 40 kr. ö. W.

Das Souper gleicht dem Diner auf ein Haar und kostet 75 Cts. Die Suppe wird hie und da nicht gereicht, sondern durch Thee und Kaffee ersetzt.

Diese drei Diners, von denen drei Viertheile in den Trog fallen, kosten netto 6 fl. ö. W. und man hat gar oft noch Hunger, kauft sich Aepfel zu 5 Cents oder stillt den knurrenden Magen durch Ahornzuckerln, die der Bibliothekar des Zuges feil hat.

Daß dem so sei und daß nichts übertrieben wurde, beweisen zwei Thatsachen. Erstens sahen sich die Eisenbahn-gesellschaften genöthigt, den mangelhaften Restaurationen durch Dining cars abzuhelfen. Schwarze Köche kochen und schwarze Aufwärter in weißen Kleidern bedienen. Eine Mahlzeit kostet 75 Cents, der Frühstückkaffee allein auch so viel. Es ist viel-leicht etwas besser gekocht, dafür aber auch blutiger. Man ißt die Thierleichen roh. Zweitens emancipirt sich der reiche

B. Aba, Skizzen aus Amerika.   3

Reisende durch seine Vorräthe von jeder Eisenbahn= oder
Schiffsverpflegung. Eigene Körbe wurden dazu gebaut, in
denen sich Butter, kaltes Fleisch, Kuchen und die Einrichtung
zur Thee= und Kaffeebereitung befinden. Damen, oder wenn
der Eisenbahnkönig seine Diener bei sich hat, so kochen diese
das Frühstück im Waschzimmer, serviren kalten Braten dazu,
haben Weiß= und Schwarzbrot für die Butter und leben auf
ihrer eigenen Bahn ganz comfortabel, während die anderen
Fahrgäste im Salon gesiebd — gestraft werden. Aber ich habe
der amerikanischen Küche doch Unrecht gethan. Eine Speise
machen sie gut und diese heißt Pie, ein runder niederer Kuchen
aus schwerem Butterteige, gefüllt mit Aepfeln, Preiselbeeren
oder anderem süßen Zeug. Gut ist nur das Apfelpie, wenn
man die dicken Ränder auf dem Teller liegen läßt und liegen
lassen muß man doch immer etwas. Dieses Pie steht auf
jedem der drei Tische und jeder greift darnach. Sie sind doch
Vegetarianer diese Amerikaner, denn Pie und Zwetschkencompot
bilden ihre Hauptnahrung.

Auf dem Mississippi ist die Kost noch um 50 oder 100%
schlechter als auf anderen Dampfern und auf Eisenbahnstationen.
Acht Tage auf dem Mississippi können den Reisenden mager machen.

„Excellent breakfast" sagte ein Tischnachbar nach
einem Frühstück, bei dem selbst er das Stake nicht hatte
überwinden können. „Excellent dinner, we had" meinte der
Reverend, weil ein Turkey dabei war, der auf jeder Bühne
jahrelang alle Festbankete hätte zieren können. „Very good
super" sagte mir die liebenswürdige Witwe, welche den Trip
von St. Louis nach New=Orleans aus Vergnügen mitmachte,
um 18—20 Tage hin und her das Glück dieser „Kost" zu
genießen. Darin liegt die Bestätigung, daß diese Art Nahrung
die nationale ist, daß man mit dieser Art Kochkunst zufrieden ist.

Hiedurch wird der Restaurant in großen Städten und
die Kost im Club zur Ausnahme.

V.

Das Trinken in Amerika.

Eigentlich ist über das Trinken in Amerika nicht viel zu sagen. Man trinkt: Wasser, Wein, Bier und Schnaps, wie man dies in der alten Welt thut. Die Question ist: wann. Wann trinkt man Wasser, wann geistige Getränke da und dort?

Oft hört man in Europa sagen: ich kann weder Wein noch Bier trinken, wenn ich dazu nicht esse, ich esse aber regelmäßig, folglich trinke ich auch regelmäßig. Wer zum ersten Male in einen Speisesaal eines großen Hôtels tritt, der glaubt eine Versammlung von Abstinenzlern zu betreten. Man trinkt nichts als Wasser, u. zw. eisig kaltes Wasser, Wasser, in welchem Eis schwimmt und immer nachgelegt wird, sobald es schmilzt. Der Amerikaner ißt viel, sehr viel, sehr oft sehr viel, deshalb trinkt er auch oft Eiswasser, wenn auch nicht sehr viel. Er ist der nüchternste Mensch auf der Welt. Man verzeiht ihm schon das Tabakkauen, weil er gar so furchtbar nüchtern ist und weil der, denn doch überaus thätige Mann, seine Nerven aufregen muß.

Gar oft kann man in Europa hören, Speisehäuser könnten nicht bestehen, wenn die Gäste nur Wasser tränken. Das Getränke müsse den Verlust der Küche decken; das Getränke, das durch geschicktes Einschänken im Volumen verdoppelt wird, in der Flasche den Preis verdreifacht. Etwa dasselbe mögen sich die Bierwirthschaften in Amerika denken, welche zum Lunch Würste, Käse, Brot, manchmal auch Stew

3*

gratis abgeben, weil das Glas Lager 7—10 Cents kostet. Ich weiß nicht, wie sich Hôtel und Bar (Trinkstand) abrechnen; indeß das Hôtel braucht gar nicht abzurechnen mit dem Bar, weil es sich für das Zimmer so viel bezahlen läßt, daß man einen Straußmagen haben müßte, wollte man sein Geld heraus= essen. Wer kann drei so copiose Mahlzeiten in einem Tage vertilgen? Wer auch nur aushalten? Wer Frühstück und Lunch nimmt, der verzichtet auf das Dinner, wer das Dinner vorzieht, der läßt den Lunch aus und begnügt sich mit einem Glas Bier, Wein oder Schnaps an dem Bar, wofür er aber zahlt.

Ja dieser Bar!

Hypokrisie, sagte ein alter Europäer und Bewohner Amerikas, der seine Lebensweise beibehalten hat. Hypokrisie der Einzelnen, wie es Hypokrisie Aller ist, Gasthäuser an Sonntagen zu schließen und Branntweinbrennern das Destilliren zu verbieten.

„Wir müssen das thun", bemerkte ein Amerikaner, denn unsere Irländer saufen sich an Sonntagen voll, machen Spectakel, arbeiten Montag und Dienstag nicht, werden stützig, kampflustig und stiften Riot.

Aber wenn sie sich den Whiskey Samstag kaufen, so können sie sich Sonntag auch volltrinken und Montag blau und geräuschvoll machen, was sie auch thun.

Bei den Mahlzeiten also trinkt der Amerikaner nur Wasser, u. zw. Eiswasser; Winter und Sommer Eiswasser.

Der Wasserconsum in allen amerikanischen Städten ist colossal.

Jedes Haus besitzt fließendes Wasser in allen Stockwerken, in allen Schlafzimmern. In keinem Hause fehlt das Bade= zimmer, in vielen hat jedes Schlafzimmer sein Badecabinet, in dem sich die Zinkwanne, ein steinernes Waschbecken und das Closet befinden, alles von fließendem Wasser gespeist, Wanne und Becken durch zwei Pippen mit warmem und kaltem Wasser versehen. In der Küche fließt warmes und kaltes Wasser, alle Straßen besitzen Wasserwechsel und werden ausgiebig bespritzt, öffentliche Brunnen und Bassins zieren die Squares, Gärten und Plätze, jedes Stückchen Rasen kann berieselt werden und wird es. Unter jedem Hause steht der riesige Ofen, aus welchem Heizrohre in alle Räume führen, das ganze Haus, der ganze Stiegenraum und alle Wasser= reservoirs werden erwärmt, welche warmes Wasser spenden sollen. Alle Abflüsse des Ueberflusses gehen direct in die Canäle. Mangel an „Händen" haben zu diesem Systeme geführt, was in Betreff der Kraftersparung gewiß mustergiltig ist, in Betreff der Gesundheit aber gar Vieles zu wünschen übrig läßt, denn die Abflußrohre, welche in die Unrathscanäle hinabführen aus allen Gemächern, führen die Miasmen auch hinauf in alle Räume und jene Aerzte dürften wohl Recht haben, welche auch hierin eine Ursache finden, warum in den versumpften Gegenden der vielen südlichen Riesenströme, z. B. am Mississippi, das gelbe Fieber sich eingenistet hat und von Zeit zu Zeit grausam wüthet.

Bei dieser Construction der Häuser und Wasserleitungen kann es an und für sich kein frisches Trinkwasser geben. Der Wasserbedarf aber bringt es mit sich, daß man Massen von Wasser beschaffe. Man denkt daher in Amerika nicht daran, sich Wasser aus fernen Gebirgen zuzuleiten. Derlei geht nur in sehr warmen Ländern und nicht alle warmen Länder besitzen Gebirge, welche Quellen haben, die im Sommer nicht versiegen. Im kalten Klima aber versiegen die Quellen im Winter und frieren die Leitungen ein. All' das bedenkend, nehmen alle Städte ihr Wasser aus den Flüssen oder, wie Chicago, aus dem Michigansee, in dessen Mitte sie ein Saugwerk stellte, weil die Ufer des Sees zu schmutziges Wasser lieferten. Colossale Wasserwerke besitzen alle großen Städte und da sei nochmals Chicago erwähnt, welches die schmutzigen Wässer des Chicagoflusses, in den sich alle Unrathscanäle ergießen, durch eine Dampfmaschine auspumpt, die 1000 Kubik-Schuh in der Secunde fördert, also so viel, als z. B. der Innfluß in seinem Bette wälzt.

Also amerikanische Wasserleitungen liefern Nutz- und Trinkwasser aus dem Flusse. Der Verbrauch zu Reinigungs- und Berieselungszwecken ist ungleich größer als jener zum Trinken. Bei Ersterem kommt es weder auf den Grad der Reinheit, noch auf die Temperatur an, die für das Trinkwasser von hoher Wichtigkeit sind. Reiner wird das Wasser durch Stehenlassen im großen Kruge, aber nicht frischer. Hieraus erklärt sich vielleicht die Beigabe von Eis in's Trinkglas, die nach und nach zur Gewohnheit, zum Bedürfnisse, zur nationalen Sitte wurde und eine große Industrie schuf, jene der Eis- gewinnung an Süßwasserflüssen, das bis Centralamerika verführt wird, und die Fabrication des künstlichen Eises.

Eiswasser in nüchternem Magen! Auch gut; der Amerikaner gießt an dem Bar etwas Whiskey darauf.

In kalter und heißer Zeit ladet der Bar ja Jedermann ein, ein Glas frisches Bier zu trinken. „Let us get a drink" sagt der Amerikaner; derjenige, welcher die Einladung ergehen läßt, zahlt für alle, wenn ihm nicht ein anderer zuvorkommt. Wer für sich zahlen will, ist ein Philister und kennt die Sitten des Landes nicht. Das Bier ist meist vortrefflich. Der Amerikaner gießt wieder etwas Whiskey darauf „Let us take a Wermuth Cocktail" ein Gemisch von Bitter, Wermuth, Zucker und Eis, das durch Schütteln in geschlossenen Bechern Luft in sich aufnimmt, und durchgeseiht köstlich erfrischend wirkt. Es ist endlich ein verfeinerter Schnaps, wie der Champagne Cocktail und alle jene künstlichen Gebräue, die der nüchterne Amerikaner mit großem Verständnisse erfunden hat und mit ebenso großer Virtuosität und Schnelligkeit genießt und repetirt. Sherry wird nicht verachtet, Bordeaux auch nicht und Champagner schon gar nicht; auch gute Dinners

verſchmäht der Amerikaner nicht und fängt wohl gleich mit
Champagner an, um damit auch aufzuhören oder mit Liqueur
zu ſchließen. Abends nach dem Souper oder zur Whiſtpartie
liebt er den Punſch, und macht ihn mit Citroneneſſenz, Zucker
und Champagner.

Wer aber ſo theuere Sachen nicht trinken kann, der
hält ſich an den Whiskey und zwiſchen den verſchiedenen reichen
Mahlzeiten liebt ihn auch der Wohlhabende.

Whiskey iſt ſehr geſund und in unſerem Klima ſehr
nöthig, ſagt der nüchterne Amerikaner. Wenn der wirklich
nüchterne Chineſe ſagt, Opium iſt ſehr geſund und in dieſem
Klima ſehr nöthig, ſo lacht ihn der Amerikaner aus, miſcht
aber gleichwohl in den Tabak etwas von dieſem Narcoticum,
ja verſucht en cachette vielleicht auch den Genuß des Opium=
rauchens, denn es ſollen in gewiſſen Städten derlei noble
Höhlen beſtehen, wo man ſich an Opium betrinken kann. Dort
werden wohl nicht blos junge Ladies ſelige Träume ſuchen
und träumen!

Die Trunkenheit iſt ein häßliches Laſter. Sie exiſtirt
aber in allen Ländern der Welt, der Genuß geiſtiger Getränke
iſt um ſo nöthiger, je ſchwerer der Kampf um's Daſein wird, je
haſtiger die Arbeit betrieben werden muß und haſtiger wird
nirgends in der Welt gearbeitet, als in Amerika. Warum
ſollte man gerade in Amerika keine Spirituoſen trinken. Man
trinkt ſie auch, ausgiebig und oft bis zum Mißbrauche.

Nur müſſen ſie ſtets etwas à part haben, bis ſie eine
Sitte des alten Europa's annehmen nach der anderen. Denn
nach und nach wandern ſie alle hinüber. Dann wird man vorerſt
Spirituoſen auch zu den Mahlzeiten trinken und ſpäter, wenn
die Arbeit nicht mehr ſo rieſig lohnt, wie jetzt, zwiſchen den
Mahlzeiten, ſozuſagen verſtohlen, nicht mehr zu trinken Urſache
haben.

Dann iſt das Ende der Hypokriſie gekommen.

VI.

Das Office.

Es gibt keine bequemere Sprache als die englische. Das Bureau heißt Office, das Comptoir, oder wie der Norddeutsche schreibt, Contor, heißt auch Office, das Geschäftslocale wie die Amtsstube heißen Office. Der Präsident, der Minister, der Clark, der General, der Postmeister, der Woolsaler und Grocer, der Statebroker, der Arzt und Sugar Resiner hat sein Office und das Hôtel hat auch sein Office. Man kann ganz gut sagen, jeder arbeitende Mann hat sein Office und wer unter Tags einen Geschäftsmann sucht, muß in's Office gehen, wo er mit Ausnahme der Börse= und Lunchzeit sicher zu finden ist. Das Office befindet sich natürlich in der City, d. h. im Geschäftscentrum, wo auch die Exchanges und Restaurants ihre Geschäftshäuser haben, während er selbst weit außerhalb der Stadt sozusagen auf dem Lande in einer Villa wohnt, wo seine Familie ihn Abends zum Dinner erwartet, das in der Regel um 6 Uhr statthat. Dahin fährt er im Buggy, auf einem Ferryboat oder auf der Tramway. Man wohnt z. B. auf Statenisland und hat sein Office in New=York, oder wohnt in Oakland, das Office ist in Frontstreet zu S. Francisco, oder wohnt in Coß, während das Office in Clarkstreet zu Chicago sich befindet.

Jedes Institut hat sein Office; das Spital, die Kirche, die Zeitung, das Taubstummenhaus, die Odd Fellows, die Freimaurer, die Bibliothek, die Schule, die Bank, das Schiff, das Hôtel. Geht man in's Schlachthaus, so frägt man um

das Office; braucht man Karten für den Schlafwagen, Pull=
mann hat sein Office; kommt man in einem Hôtel an, der
erste Gang ist zum Office. Verwaltung heißt Office, Admini=
stration heißt Office, Direction Office, Ordinationszimmer
heißt Office u. s. f. Ist das nicht bequem? Jede Kanzlei
heißt Office und jeder Porter hat sein Office.

Mehr oder weniger sind alle Offices wichtig. Wichtiger
jedoch als das Office des Hôtels scheint mir keines in ganz
Amerika. Es ist so wichtig, daß in großen Hôtels Zeitungs=
reporter förmlich Schildwache stehen beim Office, wohin die
Reisenden aus allen Weltgegenden ihre neuesten Nachrichten,
d. h. solche bringen, welche der Telegraph sorfältig verschweigt,
wohin die Reisenden endlich sich selbst bringen, wie sie in
langen Columnen sogleich publicirt werden, oder noch früher
dem Interviewer Gelegenheit geben, seine Karte dem An=
kömmling in's Zimmer zu schicken und um eine kurze Unter=
redung zu ersuchen. Man will wissen, wer man ist, wohin
man kommt, ob man Familie hat, welches Geschäft man
betreibt, ob man blos Tourist sei und welchen Eindruck Amerika
auf den Fremden mache? Letztere Frage ist von allerhöchster
Importanz; der Fragesteller erwartet zum mindesten die Ant=
wort: einen colossalen, und um den Mann loszuwerden, sagt
man gleich einen riesigen, wenn man auch eben erst aus dem
Schiffe stieg, die Mauthvisitation überstanden hat und für die
Fahrt vom Landungsplatze zum Hôtel durch die holprigen,
kothigen Straßen dem Fiaker die Kleinigkeit von fünf und
einen halben Dollar hat bezahlen müssen.

Man betritt das Hôtel. Eine große Halle empfängt
den Ankömmling, der stracks zum Office eilt, sich des großen
Buches bemächtigt, wo er seinen Namen einzutragen hat und
das Land, die Stadt notirt, woher er kommt. Die dritte
Rubrik enthält die Nummer des zugewiesenen Zimmers. Diese
wird vom Clark ausgefüllt, der der Reihe nach die unleser=

lichen Namen aufruft. In Chicago kommen täglich 200 Personenzüge an. Man kann sich das Gedränge beim Office des Palmerhauses denken, dessen Eigenthümer täglich netto tausend Dollar macht. Man wartet geduldig, bis die Reihe uns trifft. Endlich tritt man vor. „Kein Platz mehr", sagt der Clark. „Aber Sir" sagt man, „der Hôtelwagen hat mich hieher gebracht, just warte ich eine halbe Stunde und es ist spät, wohin soll ich — bitte —" „No more place." So fuhr ich in Buffalo von 1—3 Uhr Nachts bei elf Hôtels vor, bis mich das elfte aufnahm. „Sie haben nicht telegraphirt", sagt der Clark, wenn er sehr zuvorkommend ist; aber auch dazu hat er selten Zeit. Da kommt ein Herr und frägt, ob Mr. N. angekommen sei? Der Clark schlägt das Buch auf. Yes Sir, Nr. 372. Der Besucher geht zum Elevator und läßt sich zu Nr. 372 liften. No Sir! Der Besucher geht fort. Yes Sir, not at home! Hier ist meine Karte. Der Clark empfängt sie und schiebt sie in das Fach des Schlüssels, der ein langes, breites Stück Eisen oder Bronze oder einen Stern mit scharfen Kanten oder eine ganze Sonne von spitzigen Strahlen angehängt hat, damit der Gast die Schlüssel nicht einstecke und dieser nicht verloren gehe. Wo ist das Office des Mr. Young, der real Statebroker ist? Der Clark schiebt das große Registerbuch vor, in dem die Adressen stehen und bittet den Frager, sich den Mann selbst zu suchen. Das Buch hängt an einer netten Kette, es darf nicht verschleppt werden. Senden Sie diesen Zettel 19. Straße Nr. 1883; der Clark druckt an dem Knopfe; ein Laufbursche erscheint, nimmt den Brief und geht. Der Clark notirt 372, fünfundsiebenzig Cents und schiebt den Zettel dem Purser zu, welcher den Conto der Nummer 372 mit 1 fl. 50 kr. Gold belastet. Ein Kaufmann schickt den Pelz, welchen die Dame 45 gekauft hat. Der Clark drückt wieder, ein Junge übernimmt das Packet und fährt im Elevator in den ersten Stock; die Dame harrt schon. Jetzt erscheint ein

Herr. Er trägt Nr. 590 und frägt: Wie belasten Sie mich
per Tag. Six dollars a day. Der Herr, ein Fremder, ist
verblüfft; er wohnt im 5. Stock. „Sir", beginnt er, „ich
brauche keine Kost — no meal!" „Wir geben nur mit Kost",
ist die kurze Antwort. „Aber im 5. Stock", flüstert der Mann
und überdenkt die 24 Mark täglich im Geiste. „O Sir", be=
merkt der first Clark des Office, „Sie mögen ein anderes
Hôtel vielleicht vorziehen." Gewiß, denkt sich der Fremde, aber
wie hinkommen, der zweite Elevator hat schon die Koffer hinauf=
geschafft, er hat schon ausgepackt, er geht sinnend, man könnte
sagen desappointirt fort und überdenkt sich seine Lage. Er ist
aber ein Fremder, ein Europäer, der die Lage nicht kennt, in
welcher sich der „Unterkommensuchende" gegenüber dem ameri=
kanischen Hôtel befindet. Wäre er Amerikaner, er spräche kein
Wort. Er ließe sich chargen, wie es dem Clark beliebt; er
ließe sich abweisen, ohne zu murren, er beträte den Elevator
mit vollstem Gleichmuthe, ob er ihn nun in den sechsten Stock
heben oder im zweiten absetzen will. Er weiß, daß er gegen=
über dem Hôtel machtlos ist; er ergibt sich von vorneherein.
Er ergibt sich in die Speisestunden. Von 8—11 ist Frühstück=
zeit; von 12—2 Uhr ist Zeit des Lunch; von 6—9 ist dinner=
time. Außer dieser Zeit ist der Speisesaal geschlossen. Will
er etwas essen außer der Zeit, so kann er zum Restaurant
gehen. Der Reisende steht oft zeitlich auf, reist oft früh
Morgens fort — das Hôtel hat nichts für ihn; der Europäer
ist entrüstet, der Amerikaner findet das ganz natürlich. Der
Hôtelier ist Herr der Situation. Der Städte gibt es ver=
hältnißmäßig so wenige im weiten Lande, die Landbewohner
sind so sehr an die Stadt gewiesen, aus der sie alle ihre Be=
dürfnisse an Kleidung, Einrichtung und Werkzeugen beziehen,
in deren Banken, Leih= und Sparhäusern sie stets zu thun
haben; der Ertrag der Arbeit ist ein verhältnißmäßig so großer,
daß sie sich um die Höhe der „Charge" und „Floor" wenig

scheren. Daß ihn der maître d'hôtel sogar zu dem Tisch führt und ihm den Platz, wo er servirt werden wird, anweist, keine Wahl läßt, ob er mit dem Gesichte oder Rücken gegen die Sonne sitzen will, die in's Zimmer scheint oder vom gegenüberliegenden Hause zurückgeworfen wird, beirrt ihn so wenig, als daß der Pullmanconducteur ihm den Platz im Car vorschreibt, der im Office auf dem Ticket notirt wurde.

Man sollte glauben, der Amerikaner habe keinen Willen, so kindlich unterthänig ist der Mann Allen gegenüber, was sozusagen Ausfluß amerikanischer Civilisation ist.

Derselbe Mann, der mit dem Revolver reist, der jenen Verbrecher hängen hilft, welchen der Richter, d. h. die Jury frei spricht, ist fromm wie ein Lamm im Hôtel. Das Office und seine Dictate imponiren ihm; er macht keine Einsprüche gegen seine Vorschriften; er mäkelt nicht um den Preis; er geht nur in die Stadt, wenn er den Sack voll Geldes hat oder ihn in der Stadt zu füllen im Stande ist.

„Was kostet dieser Hut?" „Eight Dollars, Sir", sagt der Hutterer aus dem Office heraus.

Nur auf Mississippi-Dampfern feilscht der Deckpassagier, der arme Neger, um die Zahlung, der nichts kennt als Louisiana und dort nur die Plantage seines Parish, nun aber mit Kind und Kegel nach Tennessee auswandert. Er will von Vicksburg nach Columbia, Staat Tennessee; man macht ihm 50 Cents per Kopf; der Mann ist selig; er hat von 75 auf 50 Cents herabgehandelt; er springt und tanzt und singt vor Freude. Aber schon 124 Meiles höher schifft man ihn aus, in Columbia, im Staate Arkansas! Er jammert, weint — nichts zu machen; für Tennessee gibt es keine Station Columbia. Der Dampfer fährt weiter. So groß ist die Macht des Office.

VII.

Der Spittoon.

Der Spucknapf gehört keinenfalls zu den geschmackvollsten Stücken der Zimmereinrichtung. Mag sein, daß er ein nothwendiges Uebel ist, vielleicht unentbehrlich in speciell dem Rauchgeschäfte gewidmeten Räumen. In unseren Ländern spielt er aber keine erste Rolle. In unseren Sälen gar keine. Ich erinnere mich nicht, ihn z. B. im großen Saale der Akademie der Wissenschaften gesehen zu haben. Gewiß standen dort keine Spucknäpfe in der Mitte des Saales, auch nicht graciös vertheilt in einer Reihe längs des Durchmessers, wie in den Sälen des Capitols zu Washington. Die Absonderung des Speichels aus den Drüsen ist eine ganz natürliche und sicher sehr wohlthätige Function unseres Körpers, in dem gar Alles so wunderbar zweckmäßig eingerichtet ist. In Europa aber sondern die Speicheldrüsen entschieden weniger Feuchtigkeit ab, als in Amerika. In Hafenplätzen sind die Drüsen zwar thätiger, als im Binnenlande; aber dort fehlt wieder der Spittoon. Auch in jenen Ländern, wo man Tabak aus ganz kurzen Pfeifen raucht und letztere nie putzt, reizt man die Drüsen zur Entleerung; aber auch hier ist es meist die Mutter Erde, welche die Flüssigkeit aufnimmt und ihre Spuren schnell verwischt, der Orientale, welcher für den größten Raucher gilt, ist es längst nicht mehr. Er ist durch andere Nationen weit überflügelt; dagegen verdient er den Beinamen des reinlichsten Rauchers ganz unbedingt.

Der amerikanische Spittoon ist ein nationales Gebilde. Eine ganz niedere, bauchige Vase mit weiter Mundöffnung, aus Thon, Gußeisen oder blankem Metalle, erscheint er überall. Wie seine Form, so ist auch sein Platz wesentlich national. Er steht dort, wo man ihn braucht, man braucht ihn aber überall, folglich steht er überall und wo er nicht steht, dorthin bringt ihn ein Stoß mit dem Fuße.

Die untere Hälfte der, mehr als 100 Fuß langen Salons im Missisippisteamer, dort, wo das Clavier nicht steht, gehört den Herren. Das Souper ist vorüber. Der große Füllofen speit Feuer. Neben ihm, dicht daran, sitzen die Herren um den Spittoon, sie rauchen und benützen das gemeinsame Gefäß, zielen meist gut, öfters auch schlecht, der Spittoon ist geräumig, er thut seine Schuldigkeit so weit er kann.

Im zweiten Stockwerke auf der Gallerie sitzen Damen und beschauen sich im rothen Lichte der untergehenden Sonne die weite Landschaft, den breiten Riesenstrom, dessen Wässer spiegelglatt sind und sich nicht zu bewegen scheinen, in denen die roth beleuchten Riesenwälder nach abwärts stehen; Ruhe überall, so weit das Auge reicht Ruhe, selbst die Räder des Dampfers hört man nicht, sie sind zu weit rückwärts. Zwei Herren sitzen bei den Damen und schwärmen mit ihnen; sie rauchen nicht, aber jeder hat seinen Spittoon bei sich, zwischen den Füßen und von Zeit zu Zeit entleeren sie ihre Drüsen des braunen Saftes, der dem Kindermeth ähnlich, ja gleich ist, sie müssen es thun, weil sie ihn doch nicht schlucken können und es unschicklich ist zu rauchen, wo Damen weilen.

Es gibt keine Damencoupés auf den Bahnen. Ganze Rauchwägen gibt es, die etwa der dritten Waggonclasse europäischer Bahnen gleich sind. Auch solche nicht überall. Der berühmte Pullmancar hat Rauchrooms! Das sind ganz kleine Compartiments, wenn zwei Menschen dort rauchen, so erstickt man. Der Spittoon aber fehlt nie. Er fehlt aber auch neben keinem Sitze im Car selbst und ist oft genug braun bekleckt; obwohl man nicht raucht, nicht rauchen darf. Aepfelschalen, Orangenrinden geben keinen braunen Saft. Woher kommt er?

Man hält auf Reinlichkeit. Wie soll man auch zugeben, daß die schönen Majolika-Fußböden des Capitols besudelt werden. Wie ein Advertisement steht der Spittoon symmetrisch in den wirklich schönen, noblen Räumen voll großer Bilder, in denen die kurze Geschichte der Unite states lang gemalt ist. Der Spittoon hat in diesen Prachtsälen den hervorragendsten Platz. Er ist aufdringlich postirt. Man kann ihn nicht über-sehen; man darf ihn aber auch nicht übersehen, sonst stolpert man über ihn und macht sich lächerlich, denn stets sind Besucher da, die aus den „States" kommen und sich das Parlaments-haus und das weiße Haus besehen, wie die Provinzbewohner sich Hansen's Griechentempel und die Burg des Kaisers be-schauen, ohne daß da ein Spittoon stünde, ja ohne daß man diesen auch nur vermißte.

Unsere großen Städte sorgen auch für die Menschheit. In allen Formen und Gestalten erfand und errichtete man Anstalten für gewisse Reinlichkeitsbedürfnisse, an welche amerikanische Städte gar nicht denken. Mag sein, daß es solche Anstalten im Innern gewisser Häuser gibt. Auf den Straßen fehlen sie ganz. Ein Zeichen, daß man ohne sie leben kann, auch wenn eine Million Menschen zusammengedrängt im Geschäfte halb auf der Gasse lebt.

Ist nicht der Spittoon auch nur eine üble Gewohnheit?

Die Damen kauen in Amerika gerne Zuckerln. Viele Männer kauen Zahnstocher. Man sieht selten einen Neger bei der Arbeit, der nicht einen Holzsplitter im Maul hat und kaut. Nach Tisch nimmt sich jeder Reisende einen Zahnstocher mit, steckt ihn zwischen die Zähne und spielt so lange er es aushält mit ihm. Oft stehen im Office des Restaurants ganze

Boxes von diesen Hölzchen; aus ihnen versorgt sich der Gast mit Kauzeug.

„Wir sind eine nervöse Nation", sagt der Amerikaner gerne. Nirgends hört man so oft das Wort „überarbeitet" aussprechen, als in Amerika. Wie viele Amerikaner reisen nur deshalb nach Europa, weil sie überarbeitet und nervös sind. Was heißt überarbeitet? Was ist nervös? Arbeitet man in Europa weniger schwer? Ich leugne das kurzweg. Man arbeitet in Europa ebenso schwer mit Kopf und Geist, Tag und Nacht, nur mit weniger Profit, weil sich dieser unter viel mehr Menschen vertheilt. Es gibt auch Betelkauer und Opiumesser. Jeder soll thun, was er mag. Die amerikanische Nation ist eine tabakkauende Nation. Man kann nicht sagen: die niedere Classe gehört zu den Tabakkauern. Wäre dem so, so brauchte man im Capitol keinen Spittoon. Jeder kaut, der nicht rauchen kann und der, der nicht rauchen darf; der Conducteur des Pullmoncar darf nicht rauchen, es ist ihm verboten. Er kaut und spuckt den dicken braunen Geifer in den Spittoon der traveling society. Der Congreßman kaut, der Mann, der zu discret ist, um in Gegenwart seiner Gattin zu rauchen, kaut und spuckt.

Er soll kauen, er soll spucken, gar kein Anstand. Aber er soll vom Chinesen lernen, daß seine noch viel unreinlichere Beschäftigung in die stillste Zurückgezogenheit des socialen Lebens gehört, in seine Box, in seine einschichtige Box.

Der Spittoon in dieser Verwendung und Ausdehnung ist eine üble Gewohnheit, ein häßlicher, aber läßlicher Gebrauch, den man abschaffen soll und hiezu sollen die hochmächtig ge=stellten Ladies den Befehl geben.

No spittoon — no Chew in my presence.

VIII.

Das amerikanische Wohnhaus.

In der erſten Zeit der Union dachten ſich dieſe Repu=
blikaner gleich den alten Griechen; die gold'ne Zeit des
claſſiſchen Alterthums ſchien den Gründern der neuen Republik
wieder erſtanden und das neue freie Staatsweſen liebte es an
dieſe Zeit zu mahnen, wo immer eine Mahnung möglich war.

Der griechiſche Tempel erhob ſich als Symbol der
Republik, als Symbol der Freiheit, als Symbol einer idealen
Zeit, für die jeder ſchwärmt in ſeiner Jugend. Nach ungeheueren
Stürmen, in denen der jugendliche Enthuſiasmus den Sieg
davongetragen, verwirklichten ſich dieſe Ideale der Jugend.

Der Lauf der Zeit, die Bedürfniſſe des Lebens, eine
andere Weltanſchauung hat zum größten Theile dieſe Zeugniſſe
und Zeugen der Kindheit weggeweht, nur hie und da ſtehen
noch jene kleinen Wohnhäuſer, deren vordere Front die griechiſche
Säulenhalle bildet mit dem Architrav und den aufſteigenden
Stufen.

Alles war Holz, Stiege, Säule, Haus. Ich glaube nicht,
daß Private auch heute noch griechiſche Tempel für ſich bauen,
wenn auch das Holz Hauptbaumaterial blieb.

Aber die öffentlichen Gebäude behielten den griechiſchen
Styl bei, nahmen prächtigen Stein zum Baue und coloſſale
Paläſte dieſer Art entſtanden, den Tempeln möglichſt getreu
nachgebildet, wie z. B. die Treaſury in Waſhington; oder
man verband den Tempel der Griechen mit der Kuppel, wie

das Capitol, oder man lehnte sich an egyptische Formen an, wie das Costumhouse in New-Orleans. Viele Cityhalls (Rathhäuser) sind griechische Bauten, natürlich verbunden mit dem Wohnhause moderner Zeit, das viele Fenster braucht, denn die moderne Zeit ob monarchisch oder republikanisch braucht viele Schreiber und diese brauchen viel Licht. Washington allein besitzt 12.000 Clarks, die weiter keinen Titel haben, als Clark, d. h. Schreiber; sie sitzen alle in mehr oder weniger griechischen Häusern, brauchen alle Tische für ihr Geschäft, denn ihr Geschäft ist: schreiben. Man kann sich die Zahl der Fenster denken, welche diese Tempel haben müssen, um hinlängliches Licht durch die Säulenreihen hindurch aufzufangen und auf das Pult zu leiten!

Die öffentlichen Gebäude sind durchaus Steinbauten. Viele sind erst im Baue, wie die Cityhall in Philadelphia, das Courthouse in Chicago, die z. B. sich vom Griechenthum ganz emancipirt haben und theils an die Renaissance anschließen, mit freier Benützung gothischer Motive, oder altmexikanische Bauten ihren Plänen unterlegten, den Styl nach Belieben aus- und umbildend; wie manche Paläste der Eisenbahnkönige oder Clubhäuser. Andere Architekten hielten sich wieder an den romanischen Kirchenbau und fügten Schiffe, Apsiden, Streber, Thürme, die kreuz und quer zu ungeheueren Gebäuden aus rothen Ziegeln aneinander, die oft sehr zweckmäßig eingetheilt, prächtige Museumshallen bieten, wie z. B. das Smithsonian-Institut in Washington, oft ganze Schlösser darstellen, wie Palmerhouse im Lincolnpark zu Chicago, dem noch überdies aztekische Einfahrtsthore beigegeben sind, um das Fremdartige des Gesammteindruckes zu erhöhen. Noch andere Meister gehören gar keiner Schule an, sie gründen ihre eigene Schule, nehmen von jeder was ihnen behagt und erzielen ganz gefällige, wenn auch nicht stets begründete Gesammteffecte, wie die prächtige, kostspielige Cotton-Exchange in New-Orleans.

Ob der streng geschulte europäische Architekt nicht oft die Hände über den Kopf zusammenschlagen würde, das will ich nicht berühren. Mit exclusiv europäischen Anschauungen darf man überhaupt nicht nach Amerika kommen. Hier ist Alles jung, Alles übermüthig, Vieles toll, weil jung und übermüthig. Amerika strotzt von Gesundheit und seine Arbeit ist so sehr lohnend, daß es versuchen mag, was es will, denn gelingt es nicht, so gestaltet man es um oder reißt es ein und baut neu.

Was würden, an amerikanische Verhältnisse nicht gewöhnte europäische Baumeister über Brücken sagen, die, gleich der großen Potomakbrücke, Marschen, Strom und Marschen, eine Meile lang, für Fuhrwerk und Eisenbahn mit Holz überbrücken, um, nachdem diese Brücke, in der ganze Wälder stecken, fertig wurde, den Strom in sein Bett einzuengen und über die entsumpften Moräste Dämme zu bauen und sie durch eine Eisenbrücke zu verbinden. Der Europäer hätte das gleich gründlich angepackt, zuerst die Regulirung durchgeführt und dann die Brücke geschlagen. Hier jedoch rentirt jedes Provisorium; Holz ist da im Ueberfluß, in etlichen Jahren hat sich durch den großen Verkehr das Provisorium gezahlt und deshalb ist es auch gerechtfertigt.

„In 20 Jahren ist unser Wohnhaus alt", sagte ein S. Franciscoer Bürger, „wir reißen es nieder und bauen uns ein neues; das alte ist amortisirt."

Diesen Ausspruch möchten wir der Schilderung des amerikanischen Wohnhauses vorausenden und bitten unsere Leser zu abstrahiren von den Häusern der östlichen Städte, die oft genug stabil aus Stein und Ziegeln gebaut sind. Das eigentliche amerikanische Wohnhaus ist ein Frame — ein Holzhaus, das mit oder ohne steinernem Unterbau, mit oder ohne Fachwerk construirt ist, einen Steinanstrich erhält, oder mit feinem Sande angeworfen und dann angestrichen wird,

4*

so, daß man es für ein Steinhaus, für einen soliden Palast halten kann, wie z. B. die Paläste auf den Hügeln S. Franciscos, welche den dortigen Eisenbahnkönigen gehören.

Ob aber das bürgerliche Wohnhaus aus Ziegeln oder aus Holz gebaut ist, die Grundform bleibt stets dieselbe. Wir wollen das einfache Haus schildern und dann das doppelte, dreifache, vielfache anführen und die Ausnahmen schildern, welche entstanden theils durch Bedürfnisse des Klima's, theils durch den Geschmack des Besitzers oder jenen des Baumeisters. Das einfache Haus zeigt auf die Straße hinaus die Eingangs- thür und das Bowwindow, das Bogenfenster, oder wie Europäer sagen würden: den Erker. An die Stelle der Haus- thüre tritt im ersten und zweiten Stockwerke das Fenster; der Erker repetirt sich im ersten Stockwerke stets, im zweiten manchmal; ein drittes Stockwerk existirt selten, aber das Dach ist oft Mansarde und enthält Zimmer für das Gesinde. Unter dem Erker liegt ein Zimmer mit Oberlicht, hinter diesem die Küche und Vorrathskammer. Tritt man durch die schmale Hausthüre, welche selbst Glasfenster und Oberlicht besitzt, in das Haus ein, so kommt man in die „Halle", ein nichts weniger als hallenartig construirter Raum, der zugleich Stiegenhaus ist. Rechts tritt man in das Parlour, den Salon, d. i. ein verhältnißmäßig kleines Gemach mit Erker. Der Erker ist aus drei, manchmal aus fünf Schiebfenstern gebildet. Hinter dem Parlour findet sich ein finsteres Zimmer, von dem nur ein Fenster in den etwa 5 Fuß breiten Lichthof geht; hinter diesem liegt das Speisezimmer mit zwei Fenstern in denselben Lichthof und hinter diesem ein Servirraum, wo Tafelgeschirr, Glas 2c. verwahrt sind und wohin der Aufzug aus der Küche die Speisen bringt. Aus der Halle, besser dem gangartigen Stiegenhause, führt eine Thüre im Fond in das Speisezimmer. Die Stiege selbst, aus Holz gemacht, endet im ersten Stock- werke auf einem Gang, aus dem Thüren in die oberen

Schlafräume gehen. Das Erkerzimmer hat eine Alcove, die über der Hausthüre steht und hinter dem einfenstrigen Gemache hat das Closet und Badezimmer seinen Platz. Dahinter steigt die Dienertreppe hinab und geleitet in die zweite Floor und weiter unter Dach. Diese zweite Treppe ist auch durch das Speisezimmer erreichbar und verbindet mit der Küche.

Unter dem Küchenraum ist der große Heizofen, aus dem Röhren in alle Räume und in die Halle die Wärme leiten, so daß das ganze Haus durch den Centralofen erhitzt wird. Erhitzt ist der richtige Ausbruck, denn wenn der Ofen geheizt ist, so sind $+20°$ R. nicht zu vermeiden.

Im Badezimmer und in der Küche sind jedenfalls Leitungen für kaltes und warmes Wasser, oft auch in dem Schlafzimmer zu dem Waschbecken. Der Abfluß geht direct in den Canal.

Keller haben wenig Häuser; gewölbte nie.

Alle Wohnräume, sowie Halle und Stiegen sind mit Teppichen belegt, im wärmeren Süden mit Matten. Parqueten sind nicht gebräuchlich; der Fußboden gleicht den europäischen Schiffsverdecken.

Denke man sich links ein zweites Zimmer mit einem Bowwindow, in welches eine Thüre aus der Halle führt, so hat man das doppelte Haus, und noch ein Bowwindow rechts oder links mit dem Aufbau in den ersten und zweiten Stock oder ohne solchen, so entsteht das drei- oder vierfache Haus, welches hin und wieder durchaus ebenerdig gemacht ist und in einem Garten steht.

So sieht das Haus im Innern aus. Um jedoch zur Hausthür zu gelangen, passirt man entweder durch einen Vorgarten oder ersteigt eine Stiege von 5—8 Treppen, die auf eine kleine Terrasse führt, welche wieder Garten oder doch Wasen trägt, und von hier leiten wieder 5—10 Treppenstufen zum Eingange. Alle diese Stufen erspart der Architekt im Innern des Hauses, gibt jedoch die Bewohner dem Regen, Schnee und Glatteis preis, was sehr unangenehm ist, da die Trottoire gewöhnlich sehr breit sind, mit Asphalt gepflastert werden und daher glatt sind, wie die besten Eisplätze der Schlittschuhläufer in Europa. Man hat daher vom Wagen bis in's Haus eine kleine und durchaus nicht bequeme Reise zurückzulegen. Diese Unbequemlichkeit bringt es in neuester Zeit dahin, daß Leute, die in eigenen Häusern wohnen, sich Zufahrten bauen, welche irgend ein Dach als Schutz für die Aussteigenden und Einsteigenden besitzen. Solche Häuser bilden die Ausnahme. Ausnahme sind auch Häuser mit Veranda und offenen Erkern; sie gehören vorzüglich dem Süden an, finden sich auch in Californien und sporadisch auch im Osten. Auch das französische Schlößchen erscheint und jetzt mehrfach das alte schottische Haus, eine Art gothischen Rohbaues, der Bauherren und Architekten freiesten Spielraum gestattet und einen Fortschritt im Bau des Wohnhauses bedeutet.

Aber Regel bleibt Regel. Wie die Grenadiere stehen sie da, diese Bowwindows, Eines wie das Andere. Alle Häuser sind gleich, nur die Hausnummer auf der matten Glastafel in der Hausthüroberlichte unterscheiden sie.

Dieselbe charakteristische Monotonie, die in der schachbrettartigen Anlage der Städte liegt, liegt im Bau der Häuser. Man könnte sie aber ebensogut monotone Charakterlosigkeit nennen. Nur die Baumpflanzungen und der Rasen und die Squares versöhnen halb mit dieser Anlage, und der Straßencar, der auf Schienen läuft, macht den Verkehr möglich.

Man würde sehr irren, wenn man dächte, daß die Leute in Amerika durchwegs in ihren eigenen Häusern wohnen. Die Wenigsten wohnen in eigenen, die Meisten in gemietheten Häusern. Man miethet aber ein ganzes Haus. Solche Miethhäuser füllen ganze Straßen, sind nach demselben Plane von demselben Unternehmer für ganze Straßen gebaut und solche Straßen sind eben die Wohnstraßen im Gegensatze zur Geschäftsstraße, wo Store und Office alle Häuser besetzt halten und der Wohnraum verschwindet, jedenfalls nicht unter die fashionablen zählt. Daraus folgt, daß es wieder gewisse vornehme Straßen gibt, in denen nur reiche Leute wohnen und kein Magazin, kein Gewölbe zu sehen ist.

Nun noch zwei Worte über Vor= und Nachtheile des amerikanischen Hauses.

My house is my castle; dieses Princip hat der Amerikaner vom Engländer geerbt. Wie sehr sich auch diese zwei Nationen auseinandergelebt haben, wie sehr sie sich in ihren Anschauungen und Wesen heute unterscheiden, die Art zu leben ist englisch geblieben. Der hohe Vortheil, in einem Hause allein zu sein, wird zwar in Europa sehr richtig erkannt, aber erreichbar ist er nicht, weil das Leben, die Arbeit hiezu nicht genug rentabel ist. Dies ist der Hauptgrund. Der zweite liegt in der Gewohnheit. Man steigt in Europa lieber hoch hinauf, als das man weit fährt oder geht, um seine „Schlafstelle" zu erreichen. Office und Schlafstelle liegen in Amerika oft weit von einander weg. City und Stadt sind zweierlei; in Europa (ausschließlich England) fällt der Begriff beider zusammen. Der weitere Vortheil ist das ganz durch=wärmte Haus. Diese kalten Stiegen und Stiegenhäuser sind sehr uncomfortabel in Europa. Der Hausschlüssel ist ein weiterer Vortheil. Er ist zugleich das, was in Wien der Hausmeister ist, der stark kritisirte und doch bis zu einem gewissen Punkte sehr wohlthätige. Wasser, Gas hat man in Europa auch; aber das Bad ist schon selten in Europa, in Amerika allgemein und der Ablauf des Spülwassers aus jedem Lavoir gleich dem Heizsystem erfunden, um Dienstleute zu ersparen, die ebenso theuer als unbequem sind in der neuen Welt. Dafür leidet man in keinem amerikanischen Hause durch Küchengeruch! Die Nachtheile! Zum Theile sind sie schon berührt. Straßen,

bahn und Ferryboot müssen die großen Entfernungen aufheben
oder doch mildern; an das Auf= und Ablaufen der Stiegen
gewöhnt man sich — Frau und Kinder mögen sich nur etwas
plagen; der Herr luncht im Club und das Diner ist zu
ebener Erde. Fataler ist die Heizung. Will man weder braten
noch erfrieren, so muß man den Röhrenverschluß der Luftheizung
in den Zimmern stets in der Hand haben; die Dienstleute
kümmern sich weder um die äußere Temperatur der Atmosphäre,
noch um die innere der Zimmerluft. Man braucht allerdings
nicht selbst Holz und Kohlen aufzuwerfen, aber das Klappern
der eisernen Thürchen hat kein Ende, da bald das Aufschließen,
bald das Zuschließen vergessen wurde.

Noch ernstlicher ist die Unbequemlichkeit des Eingangs.
Man baut bei „Receptions", d. h. Gesellschaften, Leinwand-
tunnels von der Straße bis zum Eingange des Hauses. Sie
schützen aber nur wenig, kosten viel Leihgeld und sind ein
Gerümpel, das der Sturm umwirft, der Regen durchweicht!
Jetzt aber zeigt sich der Nachtheil der „Hall" oder des
Mangels an einem Vorzimmer. Man legt seine Ueberkleider
in den Schlafzimmern ab. Die Schlafzimmer sind im ersten
Stockwerke und auf der schmalen Stiege drängen sich die Auf=
und Absteigenden, man kann es nicht vermeiden mit dem
nassen Ueberrock die Prachttoiletten der Damen zu beschädigen
und auf deren lange Schleppe zu treten. Hier findet auch die
Gefahr der hölzernen Stiege ihren guten Platz, denn brennt
das Haus — so brennt auch die Stiege; brennen die
Stiegen, so ist man verloren. An solche Dinge denken wir
Europäer. Der Amerikaner hat aber mit seinen Wasserleitungen
selbst schon bittere Erfahrungen gemacht. Die Röhren führen
nämlich nicht nur aus Bädern und Waschzimmern in die
Canäle, sondern aus diesen auch herauf in die Zimmer.
Förmliche Vergiftungen sind schon vorgekommen und die
Malaria wird sozusagen künstlich erzeugt. Man bricht daher

in intelligenten Kreisen schon mit diesem Systeme und läßt das Wasser in ganz spießbürgerlicher Weise tragen.

Alles wohl abgewogen, bleibt die amerikanische Art zu wohnen, doch dem Zinshause weit vorzuziehen. Man ist zwar nicht gefeit gegen penetranten Gesang= oder Clavierunterricht im Nachbarhause, weil die Wände nur sehr dünn sind; aber man kann nicht controlirt werden, leidet nicht durch die Unreinlichkeit oder Geselligkeit Anderer, man hält die Vorhänge geschlossen und Dienstbotencollisionen verschiedener „Parteien" sind ausgeschlossen. Mit etwas Phantasie hat man sein Castle, wie klein auch das Haus ist. Man fühlt sich, deshalb baut man sich auch sein Castle, sobald es das rückgelegte Capital gestattet oder eine Bank auf Annuitäten Geld herleiht.

IX.

Die Post in Amerika.

„**Man** ersucht auf Briefe nach Europa nicht zu notiren „via Liverpool" oder „via Bremen". Wir garantiren, daß die Briefe stets mit dem ersten nach Europa gehenden Schnellfahrer dahin befördert werden."

Diese Kundmachung stand in allen Zeitungen und der Correspondent ist der Mühe enthoben, selbst die Route zu wählen und die Abfahrtszeit der Dampfer zu controliren und zu registriren.

Im Grunde ist diese Einrichtung keine heroische That. Die Post merkt sich nämlich die Abfahrtstage und alle Veränderungen an, schreibt sie auf große Tafeln leserlich und jeder Clark wirft Briefe für Europa in das betreffende Schiffsfach. Das ist Alles. Was aber ist die Folge davon? Die Folge ist, daß amerikanische Briefe in Europa regelmäßig und in kürzester Zeit ankommen, wenn nicht Schiffsunfälle eintreten. Dagegen treffen Briefe aus Europa in Amerika äußerst unregelmäßig ein. Sie brauchen, ohne Schiffsunfälle, 12—24 Tage. Darf man daraus einen Schluß auf die europäische Manipulation der überseeischen Post ziehen?

Der Kaufmann merkt sich die Hauptrouten vor, schreibt z. B. in Wien am Mittwoch und signirt „via Liverpool", oder er gibt den Brief Dienstag zur Post und signirt „via Bremen", dann erhält ihn der amerikanische Correspondent in New-York nach 10—11 Tagen. Derjenige, welcher keine

Vormerkungen führt, kann sicher sein, daß sein Brief im europäischen Briefkasten liegen bleibt, bis Liverpool oder Bremen fällig wird.

Die amerikanische Post ist vorzüglich eingerichtet. Das will etwas sagen bei einem Territorium von nahezu 4 Millionen ☐ Miles. Deutschland hat nur 212.000 und England gar nur 121.000 ☐ Miles. Da ist der Postdienst leichter zu organisiren! Die Unites States haben 48.049 Postämter. Die Totaleinnahme pro 1883 aus dem Postdienste beträgt 45,508.692·61 Dollars, die Totalausgabe 44,507.410·78 Dollars, es blieb also ein Surplus von 1,001.281·83 Dollars (das fiscalische Jahr 1883 schließt in Amerika mit 30. Juni). Die Einnahmen waren 8·6% höher als 1882 (in früheren Jahren erfolgte das Steigen um ca. 11%). Seit 1. October 1883, also im Fiscaljahre 1884, wurde der einfache Brief auf zwei Cents von drei Cents herabgesetzt. Im Ganzen sind 69.020 Postangestellte in allen Zweigen des Dienstes verwendet, wovon auf das Centrale 558 entfallen. Also eine ganze Armee! 1513 Eisenbahnrouten werden benützt, die 129,198.641 Miles mit Briefen zurücklegen. Auf 115 Routen, mit 16.093 Miles, besorgen den Postdienst die Dampfer. Erstere erhalten per Meile 10·75 Cents, letztere 14·96 Cents. Der Starservice, d. h. die Fahrpost, läuft auf 11.327 Routen und legt 77,998.878 Miles im Jahre zurück auf einer Strecke von 226.865 Miles, 4944 Contractors (Unternehmer) besorgen den Fahrdienst. Im Fiscaljahre 1883 waren 5927 Postgeldanweisungsämter in Activität, welche 117,329.406·31 Dollars, also fl. 234,658.812·64 ö. W. in Gold auf amerikanische Orders auszahlten; auf gleiche heimische Ordre auszahlten und zurückerhielten 117,344.281·78 Dollars, d. i. in ö. W. und Gold fl. 234,688.563·56; auf internationale Ordre wurden gezahlt 7,717.832·11 Dollars, d. i. fl. 15,435.664·22 ö. W. und durchlaufend behandelt 3,063.187·05 Dollars oder fl. 6,126.374·10 ö. W. Gold. Bruttoeinnahme lieferte dieser Dienst von 1,272.060·60 Dollars, Nettoeinahmen von 159.104·34 Dollars. Es wurden 1883 1.861,689.669 Postmarken im Werthe von 42,920.319·58 Dollars verkauft.

Unbestellbare Postsendungen blieben im Office 4,440.822 Dollars und 1454 Geldbriefe mit 2880 Dollars. Bei den Postämtern warteten auf Disposition 1325 Baargeldbriefe mit 2870 Dollars und 969 Briefe mit Checks und Anweisungen im Betrage von 160.897 Dollars. 15.301 Briefe wurden 1883 eröffnet, um sie dem Absender zurückzuschicken, sie enthielten 32.647 Dollars baar und 18.095 Briefe mit Anweisungen per 1,381.991 Dollars.

96.808 Briefe enthielten Waarenmuster, Bücher ꝛc., 66.137 Poststempel, 40.215 Empfangsbestätigungen u. dgl., 35.160 aber enthielten Photographien! Für 7782·16 Dollars konnten auch die Absender nicht eruirt werden und wurde das Geld separat in den Staatsschatz deponirt, wo aus früheren Jahren noch 1040·30 Dollars nicht mehr cursirenden Geldes (convertirt in gangbare Fonds) erliegen.

Poste restante Briefe werden durch Briefträger, wo möglich avisirt, was die besten Folgen hatte und seit 1. Juli 1883 allgemein eingeführt ist.

Die Zahl der recipisirten Briefe belief sich 1883 auf 10,594.716, wofür 926.549·70 Dollars eingingen.

In's Ausland gingen 29,913.504, aus dem Auslande kamen 27,659.769 Briefe; in's Ausland gingen 29,559.338, aus dem Auslande kamen 19,269.632 Packete.

Es ist ein ungeheuerer Stoff, der da in anerkennenswerthester Weise behandelt wird. Ein ungeheuer großes Land hat sich in ungeheuer kurzen Zeit außerordentlich gut organisirt. Ein Vergleich mit den Posteinrichtungen der alten Welt mag die Ausdehnung des Dienstes illustriren. Die United States haben 48.049 Postämter, danach kommt England mit 14.918, dann der Reihe nach Deutschland 11.088, Frankreich 6158, Japan 5094, Br. Indien 4522, Rußland 4521 (auf 8,930.000 ☐ Miles), Oesterreich 4033, Italien 3420, Schweiz 2874, Spanien 2655, Ungarn 2414, Schweden 1800, Niederlande 1300, Norwegen 938, Portugal 903, Belgien 852, Dänemark 563. Gibt man Oesterreich und Ungarn zusammen, so rangirt das Reich mit 6447 Postämtern gleich nach Deutschland und vor Frankreich.

In Beziehung auf die Bevölkerungszahl hat die Schweiz den ersten Rang; auf 985 Bewohner kommt ein Postamt. Gleich nach der Schweiz rangiren die United States mit 1126 Bewohnern. England kommt erst nach Norwegen und Rußland ist der vorletzte Staat vor Indien. Es hat ein Postamt für 21.013 Bewohner, Indien gar erst für 49.200.

Was die Zahl der Briefkästen anbelangt, so führt den Reigen Deutschland mit 59.791 Kästen. Dann kommt Frankreich, dann England, dann Amerika und Portugal schließt mit 1511 Boxes.

Die größte Zahl von Briefen befördert England 1.229,354.800, nach ihm Amerika. Frankreich befördert etwa halb so viel, Oesterreich-Ungarn zusammen etwa die Hälfte von Frankreich, die Schweiz das Fünftel Oesterreichs und Portugal als der schließende Staat in Europa, das Zwanzigstel des österreichisch-ungarischen Staates.

In Postkarten steht wieder Amerika auf dem ersten Platze mit 324,556.440, dann kommt Deutschland mit 153,992.200 und dann England mit 135, Oesterreich mit 38, Ungarn mit 14 Millionen und Dänemark ist der letzte Staat mit 211.805.

Was die Zahl der Brief- und Kartencorrespondenz in Beziehung auf die Volkszahl anbelangt, so kommt auf den Kopf in England 38·7, in den Vereinigten Staaten 27·3, in Rußland nur mehr 1, in Indien nur 0·63.

In Versendung der Zeitungen steht Amerika obenan.
852,180.792 Sendungen gehen durch Posthände (und überall
besteht Straßenverkauf). Nächst ihm steht Deutschland mit
439 Millionen, dann Frankreich mit 320, England mit 140,
Italien mit 99, Rußland mit 92, Oesterreich mit 75, Belgien
mit 74, Schweiz mit 51, Niederlande mit 36, Ungarn mit
29, Dänemark mit 26, Schweden mit 25, Japan mit 22,
Norwegen mit 11 Millionen.

In der Länge des Weges, den Postsendungen im Inlande,
abgesehen von den Eisenbahnen, zurücklegen, steht natürlich
Amerika mit 272.252 Kilometer obenan, nächst ihm kommt
Rußland mit 125.215 Kilometer und zuletzt die Schweiz mit
4 Kilometer.

In Beziehung auf Eisenbahnpostdienst und jährliche
Meilenzahl auf den Bahnen steht Amerika selbstverständlich ganz
oben. Was das Bruttoeinkommen vom Postdienste betrifft, so
führt Deutschland mit 205 Millionen Francs, dann kommt
aber gleich Amerika mit 194 und zuletzt ist Rumänien mit
2 Millionen Francs.

Im Reinerträgnisse steht am höchsten England, das
68½ Millionen aus dem Postgefälle bezieht und die United
States rechnen sich ein Deficit von 14 Millionen heraus, weil
sie den einfachen Brief von 3 auf 2 Cents herabgesetzt haben.
Auch Rußland ist passiv mit 6 Millionen Francs.

Von New-York brachten nicht amerikanische Steamer
die Post nach Europa in 385 Fahrten, also täglich eine Fahrt
und in 20 Tagen je zwei Fahrten, die sich freilich nicht so
vertheilten.

Von S. Francisco nach Japan und China 32 Fahrten
amerikanischer und fremder Schiffe und nach Haway, New-
Zealand und Australien 14 Fahrten amerikanischer Schiffe.

Von New-York aus mit der Post für Aspinwall, Mexico
und die Westküste von Amerika 38 Fahrten amerikanischer Schiffe.

Von New-York via Habana nach Veracruz 46 Fahrten mit amerikanischen Schiffen. Von New-York und New-Port nach Brasilien 37 Fahrten von amerikanischen, d. h. Schiffen der Vereinigten Staaten.

Das Totale der Postprävaricationen belief sich auf 47.736 Fälle.

Für das Gewicht ist in Amerika die Einheit $\frac{1}{2}$ Unze und dafür entfällt die Taxe von 2 Cents. Ebenso ist es in Oesterreich-Ungarn, Belgien, Deutschland, Niederlande, Norwegen und der Schweiz. Dänemark erhebt $1^3/_5$ Cents für jede Sendung unter 9 Unzen, Frankreich, Spanien und Portugal erheben 3 Cents, Schweden $2^2/_5$ per halbe Unze, Italien belegt die halbe Unze mit 4 Cents, Rußland mit 5 Cents, Großbritannien allein erhebt 2 Cents per Unze.

Für Zeitungen und periodische Schriften wird 1 Cent per 2 Unzen erhoben.

All' dieses und noch viel mehr liest man aus dem Jahresrapport des Generalpostmeisters der Vereinigten Staaten. Ist es nicht schön zu sehen, wie gewissenhaft da Statistik betrieben wird; wirft diese Statistik nicht ein helles Licht auf das amerikanische Geschäftsleben sowohl, als auf die gute Einrichtung des Dienstes? 35.000 Photographien waren nicht an die Adresse gelangt. Man frägt sich unwillkürlich, wie viele dann an die Adresse gelangt sein mögen? 66.000 enthielten Postmarken, da denken die Europäer an Markensammler. Es sind auch solche Sammler in den United States; aber der größte Theil oder vielleicht Alles betrifft Marken, die anstatt Baargeld geschickt wurden, weil Briefmarken leicht verwendbar sind und leicht im Briefe untergebracht werden. Sendungen von Lotterielosen, Promessen ꝛc. werden nicht als Baargeld behandelt und sind verboten! Aber das Volk spielt im Süden doch und es gibt auch da Privilegien, wie in der ganzen Welt.

Ganz besonders lobenswerth jedoch erscheinen Publica=
tionen, wie die Eingangs erwähnte. „Plagt Euch nicht", steht
darin, „wir werden das für Euch auf das Beste besorgen."

In anderen Worten heißt das aber auch: Laßt Ihr,
die Ihr Briefe über die See schicket, den Plunder von Route
weg. Ihr versteht das nicht und wir halten uns ohnehin nicht
daran. Diese Version klingt schon amerikanischer. Wenn jedoch
das Postwesen so gut geleitet wird, dann darf man sich wohl
etwas darauf zu Gute thun und de haut en bas reden,
zumal, wenn es so artig geschieht.

Freilich, Alles ist nicht Gold und der Fahrdienst mit
Pferden wird in den fernen Bergen und Prairien nicht nur
von den Posthaltern häßlich ausgebeutet, sondern die Besetzung
solcher Postmeisterstellen soll ganz nette Geschichtchen zu Tage
fördern. Indeß, sie kommen zu Tage, Niemand ist unabsetzbar,
endlich wird auch der Posthalter gepackt und vor Allem ein
so junges, frisches, gesundes Gemeinwesen, das, wie eben jetzt
von „Ueberschüssen" in der Centralcasse so geplagt wird, daß
die Legislatoren aus einem Munde rufen: weg mit dem
Ueberschusse! — das kann Hunderte und Tausende von Dollars
darein gehen lassen — wenn nur das Ganze und jeder
Einzelne prosperirt!

Interessant aber ist es für Europa zu hören, daß es
nicht nur schwer ist Deficite los zu werden, sondern daß es
fast ebenso schwer wird den „Ueberschuß" los zu bringen. O!
die United States werden noch lange an diesem negativen
Krebsschaden zu leiden haben.

X.

Die Schwarzen in Amerika.

Man hat das schwarze Volk durch eine große Acte emancipirt,-man hat die Sclaverei abgeschafft. Mit Einem Schlage abgeschafft. War die Sclaverei vor dem Kriege verboten? Nein!

Was war die erste Folge dieser großmüthigen Action? Die Sclaven wurden frei. Sie hörten auf das Eigenthum ihres Herrn zu sein. Gesetzt, es wäre Jemanden eingefallen nach dem Kriege die sämmtlichen Maulthiere der Wirthschaften aller südlichen Staaten frei zu erklären, das heißt: sie aus dem Eigenthum der südlichen Wirthschaften zu heben, es den Maulthieren überlassend, sich ihr Futter oder einen neuen Herrn nach Belieben, also frei zu suchen. Wie hätte man diesen Act genannt? Expropriation ohne Entschädigung, also Raub. Es gab nicht Viele, aber doch Südländer, die nicht Pflanzer waren, keine Sclaven hielten, doch gegen den Norden dienten und von ihren Renten lebten. Warum hat man nicht auch ihr Vermögen confiscirt? Weil man es nicht fand. Gut. Man gibt aber jetzt das confiscirte Besitzthum feindlicher hoher Officiere den Familien zurück, die höchsten Gerichte sprechen Letzteren das Recht der Succession zu? Warum nicht Allen, deren Vermögen confiscirt wurde?

Was waren die Neger in der südlichen Wirthschaft? Ein theueres Inventar. Das theuerste Inventar. Ein Neger war mindestens 1000 Dollar werth. Warum diesen Werth confisciren? Hervorragende Rebellen — sagt man. Das klingt schlecht im Munde des amerikanischen Republikaners. Der Norden hat seine Sache siegreich verfochten, der Süden hat tapfer gefochten und ist ehrenvoll unterlegen, die Union war gerettet, sie war organisirt — ob die Südländer im Sacke die Faust ballten, geht die nordischen Detectivs, nicht aber die siegreichen Staatsmänner an.

Welch' colossalen Schaden hat sich das Staatswesen durch diesen unüberlegten Gewaltact, durch diesen Act der Rache zugefügt?

Humanität! Nicht Rache! Die Humanität hat mit diesem Acte gar nichts zu thun. Man konnte die Sclaverei abschaffen, ohne die Sclavenhälter zu ruiniren. Man konnte es durch eine Sclavenablösung von Staatswegen; man konnte es durch Loskauf, wie auf Cuba in gewisser Zeit.

Tausende von anständigen, wohlerzogenen Familien wären nicht zu Grunde gegangen, nicht verschwunden von der Erde, Millionen von Werthen wären producirt worden, die verloren gingen als damnum emergens und als lucrum cessans und für die Schwarzen wäre eine sachtere Procedur ein Segen gewesen, um den ihn die weisen Humanisten gebracht haben.

Es ist ein ganzes, großes Volk dieses schwarze Volk, diese Kinder des Stanley'schen dunklen Continents, das auf dem Congo-Square in New-Orleans den Pflanzern verkauft wurde und auch sonst wo.

Dieses Volk, das heute weder Negro noch black people, sondern coloured people heißt, fand eine fertige Civilisation, eine fertige Sprache vor, war der Mühe, seine eigene Sprache auszubilden, sich eine eigene Civilisation zu schaffen, gänzlich überhoben; ja der größte Theil der jetzt lebenden Coloured sind in Sitte und Sprache der neuen, lichten Welt erzogen, groß geworden und ohne Uebertreibung darf man sagen: Es gibt nicht Einen Neger, nicht einen dunkelfärbigen Mann, nicht eine dunkle Frau, die rein englisch oder französisch

sprächen oder civilisirt wären. Erst wenn viel weißes Blut
ins schwarze hinüber fusionirt wurde, aber sehr viel, erst
dann beginnt nach dem Grade der Mischung der Grad der
Civilisation.

In Armuth, in Fetzen und Lumpen wandelt das Gros
derselben, in schwarzen Fracks und weißen Cravatten das
Corps der Hôtel- und Privatdiener, als der Feingebildeten;
Jene, die höher hinaus wollten, sind Carricaturen, lustige,
spaßige — aber traurige Carricaturen und ich fürchte unglückliche Menschen, unglücklich schon wegen der Farbe, denn der
humane Yankee schließt sie aus seiner Gesellschaft aus, ja ver-
abscheut selbst den schwarzen Diener, wenn er einen Weißen
zahlen kann, und behandelt ihn als Sclaven, vielleicht schlechter,
denn Ersterer war Geld, war Capital, Letzterer ist nur eine
fressende Rente.

Amerikanische Antropologen sagen positiv: der Neger ist
von einer nicht bildungsfähigen Race. Wenn man die künstlichen Neger, die Minstrells kennt, sieht wie sie das ganze
Negerleben in Leid und Freud, komisch und ernst wiedergeben,
so gibt man dem Antropologen ebenso recht, als wenn man
sieht, wie diese Kerle den Mississippisteamer bedienen, kein
gutes Kleidungsstück am Leibe, Alles zerrissen und verdorben,
und für einen Trip von 20 Tagen 15 Dollars ernten, für
die sie sich Handschuhe zu drei Dollars oder ein rothes Seiden-
tuch zu fünf Dollars um den Hals kaufen, um den Rest,
die Handschuhe und das Halstuch in Whisky zu vertrinken
und lachend und singend, bei —10° R., ohne Decke auf
schmierigem offenen Decke einzuschlafen, wo jeder Hund erfrieren
müßte.

Es gibt eine Menge Clarks aber keinen Staatsmann
dieser gefärbten Race. Es gibt Viele, die kleine Geschäfte
halten, aber Kaufmann gibt es keinen. Sie haben coloured
Weiber in schönen Pelzen und großen Rembrandt Hüten mit

5*

bunten Federn — sie haben schlanke Töchter, die ganz das
Wesen weißer Damen und Dämchen imitiren — aber weiße
Frauen und weiße Kinder haben sie nicht und bei den Weibern
schlägt der Gorilla, der Schimpanse noch weit mehr vor, als
bei den Männern. Ihre Buben bevölkern die Straßen, kein
Spielzeug ist den großen Jungens zu dumm, keine Hose zu
zerrissen, kein Stiefel ungeputzt genug. Nur der Knabe, der
Läufer im Hôtel oder Thürsteher im Privathause ist, trägt
ganze Kleider.

Da steht am Ende der East Capitol-Straße zu Washington
das Bild Lincoln's — des Humanisten! Die Inschrift belehrt
uns, daß diese Standsäule die Aufhebung der Sclaverei bedeute.
Auf der Rückseite ist angemerkt, daß eine Schwarze den ersten
Verdienst als freie Arbeiterin im Betrage von fünf Dollars
für diese Standsäule des humanistischen Präsidenten, der so
traurig endete, gewidmet habe!

Niemand verfehlt, so er nach Washington kommt, dieses
Denkmal der Humanität und Großmuth aufzusuchen und
mancher empfindsamen Seele treten die Thränen in die Augen.
Der erste Verdienst dieser edlen Negerin ward nicht zu Whisky,
sondern zu Gußeisen und der große Lincoln lacht dazu ernsthaft, es freut ihn, daß die Schwarzen ihn verhimmeln — die
Weißen auch!!

Was wäre aus der Wirthschaft jener Länder geworden,
welche die Reste der Leibeigenschaft, die Robbot, erst vor
wenigen Decennien abgeschafft haben, wenn dies ohne Entschädigung geschehen wäre?

Facta infecta fieri nequeunt.

Die Völker des Congo haben auch eine Civilisation.
Wir kennen diese Völker nur aus Relationen und zumeist
nur aus Relationen eines Amerikaners. Der Amerikaner ist
in der Regel sehr stolz auf seine Civilisation, die sich in
manchen Punkten stark von jener des alten Continents unter-

scheidet. Z. B.: Wöchentlich 400 Visiten zu machen ist in Europa nicht Sitte. Man denke sich, daß in Wien jeder der gesellschaftlichen Männer und jede gesellschaftliche Frau wöchentlich 400 Visiten zu machen hätte! Welch' Jubel für die Fiaker! Welche Desperation für die Insassen dieser Fiaker oder Comfortables?

Aber am Congo ißt man gebratene Menschen. Weder in Europa noch in den United States ist das Sitte. In letzteren Ländern ißt man nur gebratene Thiere. Lebendig brät man weder im dunklen Continente noch in den lichten die fleischtragenden Wesen. Man ißt nur Leichen da und dort. Die französische Küche brät die Leichen der Thiere durch; die englische, welche jetzt von Franzosen und Deutschen stark nachgeahmt wird, brät sie blutig; Aerzte ordiniren sogar rohes Fleisch, Beefsteaks von rohen Thierleichen. Kehrt die Civilisation zu den Gewohnheiten der Aasgeier zurück? Ist lebende Austern durch Kauen zu tödten weniger grausam, als frisch ausgegrabene Regenwürmer zu verschlucken? Besitzen die Chinesen unserer Zeit deshalb keine Civilisation, weil sie zu ihrem Talar einen Zopf tragen, oder sind die Japaner deshalb schon europäisirt, weil sie zum gestickten Talar den Cylinderhut adoptirten?

Wir Weißen messen den Grad fremder Civilisation nach zwei Gradmessern. Der Eine, der gängige, ist unsere Civilisation. Wer unsere Civilisation besitzt, ist civilisirt. Der Zweite besteht in der Zahl der Gehirnwindungen; wer nicht so viele hat, als die weiße Race, der ist nicht civilisirt. Wem fehlen diese Windungen? Dem Affen, dem Schafe, dem Ochsen, dem Esel ꝛc. und dem Papua und dem — Schwarzen. Der Schwarze mag immerhin die Civilisation der Congoneger besitzen, ganz rohes, blutig gebratenes oder verdorrtes Fleisch essen, der Antropologe sagt: ihm fehlen die Gehirnwindungen und wir Nichtgelehrte zählen ihn nicht zu uns.

Am 21. Jänner 1884 wurde im Congreſſe der höchſt denkwürdige Beſchluß gefaßt, daß der Extra=Eid der ſüdlichen Congreßmänner abgeſchafft werde. Die Südlichen mußten alſo bis 21. Jänner 1884 einen beſonderen Eid ſchwören. Sie mußten ſchwören, daß ſie nie die Waffen gegen die Union geführt hatten! Wer hatte die Waffen gegen die Union nicht geführt? Wer zu jung dazu war, wer zu alt dazu war und wer zu dumm dazu war. Alſo reife Männer trugen ſie und dieſe durften nicht in den Congreß. Iſt das nicht merkwürdig und lehrreich? Der Congreß ſchafft die Sclaverei der Neger ab und führt eine Art Sclaverei der Weißen ein! Die Ge= ſellſchaft aber, im Gegenſatze zur Legislative, ſchließt den eman= cipirten Neger aus ſich förmlich aus, und flüſtert ſich zu: die Südländer waren und ſind unſere geſcheidteſten und feinſten Köpfe! Die Sitte des Landes, das nicht geſchriebene Geſetz, ſtehen im Gegenſatze zum geſchriebenen, codificirten Rechte! Mit großen Cheers wurde der Beſchluß begrüßt, die Süd= länder vom demüthigenden Eide zu emancipiren; „erſt jetzt 1884“, heißt es, „iſt die Revolution geſchloſſen“. Iſt die Frage des Coloured nun auch ſchon entſchieden? Iſt die wirth= ſchaftliche Frage dieſes Volkes settled? Auf weſſen Koſten? Iſt dieſe Frage auch nur vor dem Congreß gebracht?

Noli me tangere!

Da heiratet am 24. Jännerr 1884 der Recorder of Deeds des Diſtrictes Columbia, M. Douglas, ein Färbiger, das Fräulein Helene Pitts, eine Weiße, die bei ihm Clark war. Die Trauung fand um 6 Uhr Abends in der Congre= gationalkirche ſtatt. Zwei Zeugen waren gegenwärtig. Der Vorgang iſt ganz legal. Die Ehe giltig. Mr. M. Douglas iſt Witwer und 65 Jahre alt, Miß Helene Jungfrau und zählt 35 Jahre. Beide ſind daher reif genug, um zu über= legen, was ſie thun. Aber weder er noch ſie informiren von ihrer Abſicht ihre Familie und Bekannten. Nur die zwei

Zeugen und der Priester erfahren die Hochzeit. Man kann daher sagen: Beide heirateten so geheim, als es innerhalb des Gesetzes möglich war. Nach dem Lärmen, den diese Ehe hervorrief, kann man nur billigen, wie sie vorgingen, wenn sie überhaupt ein Ehepaar werden wollten oder mußten. Die färbigen Leute, welche Herrn Douglas als Führer betrachteten, da er als Notarius publicus doch social zu ihren „Höchsten" zählte, sind empört, daß er seiner Race untreu wurde und die Weißen sind noch mehr empört, daß eine weiße Frau einen Mann heiratet, dessen Race so tief unter der kaukasischen steht! Interviews folgen Interviews, ganze Spalten bringt die Washingtoner „Post" über diese Staatsaffaire. Mr. Douglas nennt Lincoln und Sherman „Führer" des schwarzen Volkes und nimmt sein Recht in Anspruch, nach Geschmack zu wählen. Die verschiedenen Staatsmänner, deren Meinung eingeholt worden, antworten „naturrechtlich", wie man in Europa zur Zeit, als dieses Naturrecht in vollster Herrschaft war, nur antworten konnte, oder reißen Witze und Einer citirt sogar des älteren Dumas Worte, der, von einem Yankee über die Abstammung gefragt, sagte: Mein Vater war ein Neger, mein Großvater ein Affe — meine Vorfahren begannen da, wo Ihr endet!

Und gar so Unrecht hatte dieser alte Dumas nicht — aber wenn auch — das neuvermählte Paar wird wohl allein fortleben müssen, weil das sociale Recht diese Ehe perhorrescirt. Wie kindisch, wird man in Europa sagen, wo ein gebildeter Neger an der Höteltafel etwa noch Gegenstand besonderer Auszeichnung ist, während er in Amerika davon ausgeschlossen oder nur als Kellner geduldet ist!

Wenn man jedoch erwägt, welche Mühe die Gesetzgebung in vielen Theilen Europas hat, die Ehe zwischen Juden und Christen einzuführen, zu welchen Anomalien man greifen mußte, um gesetzlich durchzusetzen, was das Leben ablehnte,

so darf man sich über die Vorurtheile Amerika's umsoweniger
wundern, als ja in Europa das Vorurtheil noch weit größer
ist, da es weiße Menschen von weißen Menschen scheidet,
Menschen, die von ihrem Darwin'schen Urvater gleich weit
entfernt stehen, während dies von den collidirenden zwei Racen
Amerikas nicht behauptet werden kann.

Nun gibt es allerdings noch andere Fälle, in denen
schwarze Männer weiße Frauen geheiratet haben; aber die
Zahl dieser Fälle kann keine sehr große sein, sonst hätten die
Vertheidiger der „Naturrechte" diese Fälle in größerer Zahl
citirt, als sie es thaten. Unter allen Umständen ist die Zahl
der legalen Ehen dieser Art nicht groß genug, um alle Farben-
nuancen zu erklären, die bei den Sprößlingen aus Ver-
bindungen Weißer mit Schwarzen auftreten. Ehen schwarzer
Frauen mit weißen Männern werden gar nicht citirt. Es
gibt deren wohl auch und wir sahen in Habana die Gattin
eines reichen Spaniers. Sie hatte nicht nur das richtige
Mulattengesicht, sondern auch das richtige Wollenhaar der
Negerin, was vielleicht als untrüglichstes Zeichen reiner Abkunft
gelten darf, während ja die Hautfarbe vieler Negerstämme
eher olivengelb als schwarz ist.

Woher kommen aber die glatthaarigen Neger? Woher die
kraushaarigen mit kaukasischem Gesichtsschnitte?

Im Ganzen und Großen sind es Kinder weißer Männer
mit Negerinnen aus temporären Ehen. Diese temporären Ehen
sind nicht besser und schlechter als die Zeitehen der Japaner,
welche contractmäßig geschlossen werden. Wahre Civilehen. Der
Vertrag lautet auf eine gewisse Zeit. Nach Ablauf derselben
hört er auf. Natürlich existiren solche Ehecontracte auf Zeit
in Amerika nicht. Es können ihnen Geschäftscontracte substituirt sein, die gerichtlich klagbar sind; meist ist aber auch
dies nicht der Fall, sondern diese Ehen sind entweder still-
schweigende Uebereinkommen oder Abmachungen à la minute.

Und gerade aus diesen Ehen entspringt jene neue Race, welche als Uebergang von der schwarzen zur weißen Race gelten kann. Wir möchten diesen Verlauf den Veredlungsproceß der schwarzen Race nennen und würden demselben, so langwierig er auch ist, das Wort reden, wenn nicht zwei große Reactionen gegen diesen Proceß auftreten würden. Die Erste liegt in der Moral des weißen, die Zweite im Racenstolz der schwarzen Menschen. Je weiter die Civilisation des Negervolkes im Wege der Schulen fortschreitet, desto fühlbarer wird für den Neger die Inferiorität seiner socialen Lage. Er bleibt auf sich selbst angewiesen und haßt den Weißen um so intensiver, je intensiver ihm die Schule das Christenthum eröffnet, je mehr der Begriff Gottes, der Unsterblichkeit, des Lohnes im Himmel für all das Elend, das er auf Erden aussteht, mit dem Begriffe des „großen Geistes" verschmilzt, den die ersten Missionäre den Indianern beibrachten, um sie zu zähmen und zu bändigen. Die auf sich Angewiesenen sehen ein, daß sie zusammenhalten müssen, weil sie mit den Weißen nicht halten können; sie fühlen sich als Geschöpfe Gottes, als gleichberechtigt mit allen Geschöpfen Gottes, welcher Farbe sie auch sein mögen; wollen nicht blos Spielzeug oder Diener der Weißen sein, wollen nicht, daß ihre Töchter lediglich Maitressen weißer Männer und Mütter schwarzer Kinder ohne Väter werden; sie wollen diese Kinder nicht in ihren Hütteln haben und auf diesem Wege erhalten sie instinctiv und überlegt ihre Race rein und scheiden das schwarze Volk vom weißen.

Immer weiter hinauf wandert der Neger und geräth in die Regionen neuer Ansiedlungen, wo der Yankee in voller Arbeit der Rodung und Ausbeutung begriffen ist. Das ist schwere Arbeit. Starke Hände und große Kräfte fordert diese Arbeit, der häusliche Herd ist noch nicht geschaffen. Knechte und Taglöhner sind nicht verheiratet. Da entstehen die Bastarde der schwarzen und weißen Race. Da und überall, wo die

Zahl der unverheirateten Männer weißer Race in Negerländern überwiegt, wo die Zahl weißer Mädchen nicht ausreicht, um die Ehewünsche weißer Arbeiter zu befriedigen, oder die Besiedlung nicht stabil genug ist, um einen festen häuslichen Herd zu gründen. Aber die Verhältnisse consolidiren sich täglich. Die Einwanderung aus Europa bringt dem Lande nicht nur arbeitende Hände, nicht nur vierzig Millionen Dollars Capital jährlich, sondern Familien mit Kindern beiderlei Geschlechtes und die Mädels werden schnell reif, · heiraten früh und die Männer ziehen die legale Ehe mit weißen Töchtern ordentlicher Leute dem Concubinate mit schwarzen Frauen vor, die nun ihrer Race zurückgegeben werden. Also auch hier führt die fortschreitende Civilisation zur Reaction und diese zur reinen Racenzüchtung zurück. Innerhalb einer verhältnißmäßig kurzen Zeit, denn mit Hilfe der Einwanderung geht die Entwickelung äußerst rasch vor sich, wird daher das „schwarze Volk" wirklich als Volk dastehen im Lande und die „Frage des schwarzen Volkes" wird ungeachtet der Emancipation wieder auftauchen und brennend werden; diese Frage aber kann weder gleich der „Chinesenfrage" behandelt, noch gleich der „Indianerfrage" entschieden werden. Letztere sind auf den Aussterbe-Etat gesetzt. Ihre Buffalogründe sind verschwunden, nur mehr zwei Heerden existiren in Montana. Ohne Jagdgründe aber gibt es keine Indianer. Entweder sie verhungern oder sie werden Ackerbauern. In „Reservations" eingeengt, auf „Territorien" beschränkt, haben sie ihre Kraft und Elasticität verloren. Täglich arbeitet der Yankee durch Arbeit an ihrer Ausrottung. Nur Jahre können noch vergehen bis diese Arbeit gethan ist.

Die Chinesen dürfen nicht mehr nach Amerika eingelassen werden. Ob das Gesetz ausführbar ist oder nicht, ob es klug war, diese Arbeiter auszuschließen, soll hier nicht besprochen werden. So viel jedoch ist gewiß, daß die United States nicht fürchten dürfen neue Ansiedler schwarzer Farbe vom Congo zu erhalten, wenn auch ein Amerikaner eben an ihrer Bildung und Erziehung persönlichen Antheil hat. Die hiesigen Neger, amerikanische Bürger, obzwar ohne Votum — aber doch Bürger! — auszuweisen, daran denkt auch der größte Chauvinist nicht und Stanley würde sich bedanken, wenn man sein Werk durch Abschiebung von 6½ Millionen Negern aus Amerika stören wollte. Es unterliegt daher keinem Zweifel, daß die schwarze Frage auf amerikanischem Boden ausgetragen werden muß.

Das wissen auch alle leitenden Männer weißer Farbe, im Centrum sowohl der Regierung, als in den einzelnen Staaten, zumal in jenen, wo die Neger einst als Sclaven lebten, jetzt — sozusagen vegetiren.

„Unterricht!" rufen sie. „Unterricht!" hallt es wieder! „Unterricht" fordert das schwarze Volk selbst und ergreift mit Feuereifer die Gelegenheit zur Schule zu gehen.

„Die besteingerichtete Schule New-Orleans", sagte ein Baptistischer Priester, „ist die Schule der schwarzen Kinder in New-Orleans." Wir glauben es gerne, aber von den 6½ Millionen Schwarzen konnten 1880, zur Zeit der letzten Volkszählung, doch nur 30 Percent schreiben, während von den 43½ Millionen Weißen nur 9 Percent des Schreibens unkundig sind.

Endlich hängt es doch von dem Resultate der Arbeit ab, ob die Arbeit gerechtfertigt ist. Wir glauben fest, daß es den Yankees sehr ernst damit ist, die coloured Landsleute durch die Schule zu heben und zu tauglichen Bürgern des großen Gemeinwesens zu machen. Der Erfolg aber dieser Bemühung ist nicht viel versprechend.

Es gehen 4½ Millionen weiße Knaben und ebenso viele Mädchen, also im Ganzen 23 Percent der weißen Bevölkerung zur Schule, von der färbigen Bevölkerung gehen aber nur 9 Percent in die Schule!

Unter den 220.273 Lehrern der weißen Kinder sind 60 Percent Lehrerinnen; unter den 15.834 farbigen Lehrern findet man nur 30 Percent weibliche Schulmeister, was doch sicher beweiset, daß es mit der Literatur der Färbigen nicht gut steht.

Die Zahl der Neger hat in der Dekade von 1870 bis 1880 um 271.620 Köpfe zugenommen, also nahezu um 5 Percent. Dies ist ein natürlicher Zuwachs, da keine Importation mehr statthatte und unter für die Schwarzen ungünstigen Umständen, weil sie die Freiheit erhielten, ohne für sie vorbereitet gewesen zu sein. Man darf annehmen, daß sich die Verhältnisse für sie im Allgemeinen gebessert haben, daß die Zunahme künftig ein größeres Percent nachweisen werde; man muß aber nothwendig schließen, daß bei steigender Volkszahl das Verhalten dieses Volkes ebenfalls von steigender Wichtigkeit für die United States werden müsse.

Man hat keinen anderen Weg, als Bildung. Diese besteht aus Erziehung und Unterricht. Mehr als die Eltern und der Lehrer selbst besitzen, können sie auch den Kindern nicht geben. Bei wachsendem Wohlstande und zunehmendem Bildungsgrade der Eltern und Lehrer wird die Bildung allerdings auch bei diesen zunehmen. Aber was geschieht bis dahin?

Die allgemeine Civilisation geht an dem schwarzen Volke, wie gesagt, fast spurlos vorüber. Die Bildung des weißen Elementes reißt sie nicht fort; das weiße Element saugt das schwarze nicht auf, wie etwa Eroberer es thun; im Gegentheile die Schwarzen werden abgestoßen und auf sich selber angewiesen. Die Schwarzen haben keinen Umgang mit den Weißen, der Verkehr dieser zwei Racen ist auf das Verhältniß des weißen Herrn zum schwarzen Diener beschränkt und da lernt der Diener höchstens sich sauber zu kleiden, gut zu leben und die Herrschaft zu übervortheilen, wie es Köche, Kutscher ꝛc. thatsächlich thun. Das Dienstverhältniß ist keine gute Lebens=

schule, wo das Verhältniß der Eltern zu den Kindern so früh
aufhört autoritativ zu sein und zur Freundschaft, zum unbe=
dingten Vertrauen und zur vorzeitigen Selbständigkeit der
Kinder wird. Alle niederen Dienste, wie Kohlen führen, Oefen
heizen, Proviant abliefern, Gassen kehren, Wäsche waschen ꝛc.
erheischen keine literarische Bildung, und Dienstleute schwarzer
Race hätten keine Ursache sich mit Lernen zu beschäftigen,
selbst wenn sie Zeit hätten, weil sie aus ihrer Classe doch
nicht herausfinden und in keine höhere Classe aufsteigen könnten,
selbst wenn sie wüßten, wie ihr Geld zu verwenden. Aber
auch das muß der Neger und die Negerin erst lernen, die
gleich Kindern sich mit farbigen Fetzen aller Art behängen
und sich dann schön dünken.

Die Spiele der Minstrells sind sehr lehrreich neben
dem, daß sie sehr unterhaltend sind. Welch' lustige Bilder
geben sie durch die Negerhochzeiten! Der alte Negerpriester
mit dem ehrwürdig weißen Barte und dem zerquetschten alten
Cylinder! Feierlich segnet er das Paar ein, trinkt Whisky mit
den Gästen, ja zankt sich mit ihnen, zieht den Rock aus und
rauft ganz ernsthaft den Strauß aus, den er begonnen, um
dann Aldomás zu trinken in neuem Whisky! Wenn man
auf der Gasse dem Priester der Neger begegnet, in schwarze
Fetzen gehüllt, den alten, abgeschabten, fetten Cylinderhut
schief auf den krausen Kopf gedrückt, das schmutzige weiße
Halstuch lose um den Nacken gebunden — wer denkt da nicht
an die Minstrells? Wenn der Negerkutscher, vor Kälte zitternd,
seinem Mistkarren nachläuft, daß der lange quadrillirte
Sommerpaletot, den irgend ein Herr vorlängst auf Reisen
abgetragen hat, im Winde flattert, [wer denkt nicht an die
Minstrells!

Aber nichts in dieser Welt währt ewig. Der Zustand
wird sich ändern, sobald die Bildung fortgeschritten sein wird.
So sagt man.

Zweierlei jedoch, will uns scheinen, sei zu bedenken. Gesetzt, was bisher nicht bewiesen wurde, die schwarze Race, im Ganzen und Großen genommen, wäre ebenso bildungsfähig, wie die weiße; gesetzt, der Gegensatz zwischen Weiß und Schwarz gleiche sich durch Umgestaltung der schwarzen Race (nicht durch Verschlechterung der Weißen) aus — wozu sehr lange Zeiträume erforderlich wären, längere als historische Staaten sie aufzuweisen vermöchten — dies vorausgesetzt, was geschieht in der Zwischenzeit, in der Zeit der Halbbildung, die wir ja ziemlich lebhaft in unserer Arbeiterbevölkerung der alten und neuen Welt vor Augen haben?

Wenn die Schwarzen so weit gebracht sind, daß auch von ihnen 70 Percent lesen und schreiben können, Liebe für die Zeitungen bekommen und ihre freien Stunden nicht mehr mit kindisch-kindlichen Spielen, mit Gesang und Bälgen, sondern im Studium der socialistischen Blätter hinbringen, dadurch für die Einflüsse des Socialismus und Nihilismus empfänglicher werden, als sie jetzt schon sind! Was dann? Oder wird dieses Stadium etwa nicht eintreten? Oder konnte es bei der weißen Race eliminirt werden? Ist es nicht auch bei dieser erst in den ersten Anfängen?

Das Leben in Amerika wird nicht immer so leicht bleiben als jetzt. 76 Millionen Dollars verwenden der Staat, die Staaten, die Städte auf öffentlichen Unterricht und 21 Millionen Dollars fließen aus Stiftungen ꝛc. für gleiche Zwecke. Das gibt ein Unterrichtsbudget von 200 Millionen Gulden ö. W. bei einem Ueberschusse von wieder 200 Millionen Gulden ö. W. Wird das immer so fortgehen? Auch das hat seine Grenze und mit jedem Grade, den das Leben schwerer, das Volk von schwarzen Kindern aber unterrichteter wird, müssen auch die socialistischen Tendenzen zunehmen. Es ist dies der Lauf der Welt, von der Geschichte des heiligen Berges zu Rom bis zur Geschichte der Commune in Paris.

Das gesunde amerikanische Leben, das schneidige Volk der Yankees, zu dem auch die Einwanderer, welche Geld bringen, bald zählen, hat schon große Krisen überstanden und wird sich selbst helfen, wie im Bürgerkriege — aber diesen zu vermeiden, wäre Aufgabe der Regierung, nicht aber ihn herbeizuführen! Auch das après nous le déluge — darf der praktische Amerikaner nicht zur Geltung kommen lassen und diesem déluge treibt die Sache entgegen. Entweder muß man jedes schwarze Kind an die Hand nehmen und in die Schule führen, in der weiße Lehrer und Lehrerinnen zu lehren haben, oder man muß die öffentliche Hand vom Schulwesen über= haupt zurückziehen und dem Grundsatze Geltung verschaffen, daß die Schule keine Staatsinstitution sei, sondern auf die wirth= schaftliche Basis zurückgeführt werden müsse, das heißt: daß jene, welche eine Schule haben wollen, sie gründen und bezahlen sollen. Wollen die Schwarzen Schulen, so sollen sie vorerst arbeiten, damit sie die Kosten selbst verdienen. Alle Neger sind Kinder, nicht blos jene bis zu 12 Jahren. Will man die ganze schwarze Nation der Kinder über das gefährliche Stadium hinüberbringen, so muß man auch die alten Kinder unterrichten und was noch mehr ist: erziehen.

Kann man das? Etwa durch öffentliche Anstellung aller Männer? Wer wird Cotton sammeln? Wer Zuckerrohr bauen? Wer Stiefel putzen? Dies ist die Eine Seite. Nun kommt die zweite, vielleicht noch wichtigere. Man gehe in eine Methodisten= oder Baptisten=Kirche der Neger und besehe sich die Extase der Neger. Ist da ein Gottbegriff? Liegt in der Verzückung und dem Lärmen der Weinenden und Augenver= drehenden Gottesdienst? Was sind da die tanzenden Derwische dagegen? Was kann der schwarze Priester seinem Volke geben? Was ist er ihm? Nur keine Selbsttäuschung. Das Christen= thum der Neger unterscheidet sich vom Fetischdienste in nichts und von den Lehren des Erlösers pickt der Neger höchstens die Liebe auf, die sein weißer Nächster zu ihm haben soll, der weiße Nächste, der ihn haßt und verachtet, den er fürchtet, haßt und verachtet.

Ist der Neger im Sinne der weißen Race bildungs= fähig? Ja und Nein stehen sich ganz unvermittelt gegenüber. Die Neinsager haben zwanzig= und mehrjährige Erfahrung für sich, sie haben auch die Gelehrten für sich. Die Jasager sind edle Humanisten. Aber, gesetzt den Fall, die Neinsager hätten Recht. Was dann?

Käme man nicht zu dem gleichen Schlusse wie früher? Nach unserer Ansicht unbedingt ja. Der erste Begriff, der im geordneten Staatswesen zum Ausdrucke gelangt, ist der Begriff des Eigenthums. Deshalb packt der Socialist auch vorerst diesen Begriff und nennt ihn Diebstahl. Die Lehre, daß Arbeit die Basis des Lebens sei, leugnet er und diese Erkenntniß ist Jedem, der nichts hat und dem die Arbeit lästig ist, sym= pathisch. Der Neger hat nichts und arbeitet nicht gerne. Er ist Socialist von Geburt aus, seiner Race nach. Er ist ein geborener Verschwender, ohne Erkenntniß des Geldwerthes, aber habsüchtig durch und durch. So ist er am Congo, so ist er in Amerika geblieben und so ist er auf Cuba.

Man bilde sie, rasch, mit allen Mitteln des Surplus der Staatscasse, man bilde sie Alle, Großvater, Vater und Mutter und Kinder, Alle, Alle! Man lehre sie die Sprache des Landes, man lehre sie die gute Sitte, man lehre sie Be= scheidenheit und Mäßigkeit und Arbeit und man — aber das wird nicht gehen. — Wir sahen wie Negerburschen und Neger= mädchen auf einer Plantage des Abends spielten. Die Spie= lenden standen im Alter von 15 bis etwa 30 Jahren. Da kam eine alte Negerfrau daher gegangen, sie trug einen Topf auf dem Kopfe, den sie geschickt balancirte, denn der Topf machte die schwankende Bewegung der sehr corpulenten Dame mit. Kaum erblickten sie die Burschen, so umringten sie die

Alte, neckten und foppten fie, bis der Topf das Gleichgewicht verlor und fiel. Einer der Kerle fing ihn auf, das Papier, mit dem der Topf gedeckt war, zerfprang und eine Wolke von weißem Staube entlud fich aus dem Topfe. Jetzt gabs Jubel. Jeder der Burfche nahm fich eine Hand voll Mehl und nun gings über die Mäbels her. Die Gefichter, die Arme, der Nacken, der Bufen wurde ihnen eingefeift und „white people" fchrieen die Burfche, „look at this white people" und die Mädchen rannten unter Jubel davon und die Burfche liefen nach und immer neu fchmückten fie ihre fchwarzen Schönen.

Die Alte ftand verdutzt da. „Auf meine Koften", fchrie fie, — „Devils — on my costs!" Sie lachte mit.

Ja wenn man fie fo leicht weiß machen könnte! Wenn es überhaupt ginge! Und auf fremde Koften! Wie fchön wäre das?

So beiläufig fteht die Negerfrage. Sie exiftirt heute noch gar nicht.

Wir Europäer dürfen begierig fein zu hören, was die praktifchen Yankees mit und aus diefer Frage machen werden?

XI.

Washington.

Die Union besteht aus 38 Staaten und 8 Territorien. Das Territorium unterscheidet sich dadurch vom Staate, daß es im Senate und Congresse keinen Vertreter mit Botum, sondern nur einen Delegirten ohne Botum sitzen hat, und daß die Executive in die Hände eines vom Präsidenten der Union unter Zustimmung des Senates ernannten Governors gelegt ist, dem ein „Legislative Council" und das Repräsentantenhaus zur Seite steht, welche zusammen in localen Angelegenheiten alle Rechte besitzen, welche „Staaten" genießen, mit Ausnahme des Justizwesens, über welches dem Territorium jede Controle fehlt.

Ein Territorium ist daher ein in die Union einverleibtes und von der Union regiertes Gebiet, dem auf die mächtige Unions-Regierung kein Einfluß gestattet ist.

Ein solches Gebiet ist das Territorium Washington; die anderen sieben heißen: Utah, New-Mexico, Montana, Idaho, Dakota, Arizona und Wyoming.

Das Territorium Washington, mit Ausschluß der Stadt, besaß 1860 noch 11.594 Einwohner, 1870 schon 23.955 und 1880 zur Zeit des letzten Census 75.116 Einwohner, die Stadt selbst hat 150.000 Bewohner, d. h. zur Zeit des Congresses sehr viele, im Sommer sehr wenige und vor 10 Jahren hatte es nur 100.000 Einwohner.

Die Congreßmänner versammeln sich im December jeden Jahres. Viele bringen ihre Frauen und Töchter mit, das sociale Leben geräth in höchsten Schwung, zieht auch andere Bürger und Bürgerinnen des großen Landes an, dem Neujahrsempfange beim Präsidenten folgen die Receptions der Senatoren, der Minister des Inlandes und Auslandes, der ganzen fashionablen Welt, die nach Schluß des Congresses wieder fortzieht, in die Heimat, in die Bäder am Ocean oder zu den Heilquellen Amerikas und Europas. Ihnen folgen die Staatssecretäre, diesen die Chief-Clarks und diesen die Clarks, welche Urlaub kriegen und der Präsident bezieht seine Sommer-residenz in Soldiers Home oder New-Port oder Saratoga oder sonst wo.

Die Hauptstadt leert sich im Frühjahre und füllt sich im Winter. Zur stabilen Bevölkerung zählen 39.703 Männer und 17.559 Frauen. Wie viele Kinder sie haben, ist in der Populations-Statistik nicht angegeben. Dagegen ersieht man, daß von den Professionsleuten und solchen, die von persönlichen Dienstleistungen leben, 34.931 dem männlichen und 20.363 dem weiblichen Geschlechte angehören. In diesen Zahlen stecken auch die Beamten, hier Clarks genannt, etwa 12.000 an der Zahl, zumeist Männer, aber auch Frauen sind Clarks und Mädchen, Gattinnen oder Töchter ausgezeichneter Männer oder Frauen, oder doch wenigstens ausgezeichneter Protection werth. Barbiere und Friseure gibt es 326 männliche und 26 weibliche. Sowohl Herren als Frauen halten viel auf elegante, fitting und modernste Toiletten, daher auch auf dazu passende Frisuren. Der Amerikaner ist im Ganzen und Großen netter gekleidet als der Europäer, sorgfältiger, vielleicht auch gesuchter. Der neueste Pariser oder Londoner Schnitt ist unvermeidlich. Alte Kleider liebt er nicht und neue wirft er weg, sobald sie von der Mode überholt sind. Die Damen beziehen ihre Toiletten von den ersten Kleiderkünstlern

6*

Europas oder doch von Schneidern, die solche Originalmuster nachzuahmen verstehen. Die Nothwendigkeit liegt auf der Hand. Sehr reiche Leute — und deren gibt es genug — machen es so und deshalb müssen es auch Reiche thun und weil diese, auch Nichtreiche. Theater, Akademien, Bälle, vor Allem aber Receptions und Visiten fordern schöne Toiletten und weil viele solche Festlichkeiten und Receptions gegeben werden, so braucht man viele schöne, werthvolle, theuere und moderne Toiletten mit und ohne Hüte, folglich auch viele und vielerlei Coiffuren. Die Herren aber haben auch Vielerlei scheeren und stutzen zu lassen. Da gibt es Männer der alten Schule, ganz rasirte; dann solche, die ihrer englischen Herkunft getreu, sich Kinn und Oberlippe glatt=scheeren lassen; dann wieder Männer holländischer Abkunft, welche sich entweder blos den Schnurbart wegnehmen lassen oder auch die Wangen bis zu den Mundwinkeln glatt machen lassen und endlich die junge Generation, welche meist kurze Backenbärtchen bis zu den Ohrläppchen nebst dem Schnur=barte stehen lassen oder den Vollbart tragen, diesen kurz und nett gestutzt, türkisch oder arabisch, je nachdem rund oder spitzig gehalten. Der Barbier, der nun auch den Scheitel herzu=stellen, die Haare in schönen Fall oder Löckchen zu brennen und den Kopf und das Gesicht mit wohlriechenden Wässern zu behandeln hat, ist daher vollauf beschäftigt und nach der Tour besteigt man den hohen Drehstuhl, legt den Kopf zurück, als wäre man beim Zahnarzt, streckt die Füße horizontal zum Kopfe aus und läßt sich nun 45 Minuten von dem Schwarzen bearbeiten. So behaglich ließen sich nur die alten Römer zur Zeit Augustus dressiren. Auch diese waren reich! Und so erklärt sich die große Zahl von Barbieren, besonders wenn man bedenkt, daß die Zahl der Congreßmänner 300 beträgt. In dieser Weise und mit Rücksicht auf die bedeutende Zahl von Clarks in der Beamtenstadt wird man es auch natürlich finden, daß 1435 Männer und 1217 Frauen dem Hôtel- und Restaurationsdienste gewidmet sind. Die Hôtels sind durchwegs amerikanisch eingerichtet. Mr. Chamberlain hat ein so theueres und gutes Speisehaus wie Delmonico in New-York, der von seinen drei Restaurationen ein reines Einkommen von einer halben Million jährlich bezog, selbst so gut lebte und so viel genoß, daß er irrsinnig wurde und vor Kurzem auf einem Spaziergange erfror. Weiters besitzt Washington 1726 männliche und 8849 weibliche Dienstboten. Beide gehören fast ausschließlich dem coloured people an und geben Zeugniß vom Wohlstande der Bewohner.

Für Aufrechthaltung der Gesundheit sorgen 360 männliche und 20 weibliche Doctoren, sowie 70 männliche Zahnärzte. Die amerikanische Mutter weiß, daß nicht im Herzen, sondern im Magen das gute Blut bereitet werde, sie sorgt daher für den Magen vor Allem und da die amerikanische Küche mehr für Quantität als für Qualität der Nahrung Verständniß besitzt, so haben auch die Aerzte viel mit Magenübeln zu kämpfen. Nebstbei erzeugen die Potomak-Sümpfe Malaria, wie sie das ewige Rom nicht besser erzeugt, wer flüchten kann, der flüchtet — wer nicht kann, kämpft allein oder durch den Arzt mit dem Fieber, das selbst Eiswasser nicht bewältigt, obwohl das Wasser des Stromes durch Filtergefäße geleitet wird; dagegen ruinirt dieses ewige Eistrinken und Zuckeressen die Zähne, so daß auch die Zahnärzte vollauf zu thun haben. Wenige echte Gebisse der Amerikaner und Amerikanerinnen glänzen nicht von Goldplomben und jene, welche nicht von Gold glänzen, sind täuschend gut nachgemacht. Die Amerikaner haben übrigens sehr Recht, wenn sie ihr Gebiß alle Monate oder Wochen vom Zahnarzte nachbessern lassen, wie man in Europa in gewissen längeren oder kürzeren Perioden sich die Haare und Hühneraugen schneiden läßt, der Zahn ist ein gar wichtiges Organ!

Für das geistige Wohl sorgen 189 Priester, 851 männliche und 3 weibliche Advocaten, 350 männliche und 33 weibliche Schreiber und Copisten, 168 männliche und 19 weibliche Journalisten, sowie 134 männliche und 365 weibliche Schullehrer, endlich 142 männliche und 88 weibliche Musiklehrer.

Wäscher sind 21 da und Wäscherinnen 2583, Lohnkutscher (Livery-stable Keepers) 219 und Taglöhner männlichen Geschlechtes 7315, weibliche aber 92.

Die große Zahl der Advocaten erklärt sich durch die Masse von Angelegenheiten, welche Congreß und Senat passiren müssen und dadurch, daß jeder Excongreßmann und Exsenator geborner Lobbist ist. Lobby heißt das Vorzimmer; im Sitzungssaale hinter den Sitzen der Congreßmänner ist ein freier Raum, der auch Lobby heißt. Dort dürfen sich nur Diplomaten und Lobbisten aufhalten. Der große Vortheil liegt auf der Hand, denn jenen Congreßmann, welcher das Interesse einer Partei zu seiner gemacht hat, zu unterstützen und zu informiren, etwas auch zu überwachen ist ja eine würdige Aufgabe des Advocaten, welcher als Mittelmann dient, um überhaupt Interesse einzuflößen.

Die Equipagen gehören zu Auffahrten, Visiten und Receptions, sie sind wieder Ursache, daß der Fiaker, das heißt der Lohnkutscher, welcher auf dem Platze steht, nicht aufkommen kann, wozu auch der Street car, die Tramway, welche die Stadt nach allen Richtungen durchschneidet, das ihrige beiträgt und die Wäscherin ist eine Hauptperson, denn nicht nur äußerlich hält der Amerikaner auf größte Reinlichkeit, sondern auch innerlich, er badet täglich und würde nicht begreifen, wie es möglich wäre ein Stück Wäsche zwei Tage am Leibe zu haben.

Mit dem Handel beschäftigen sich nur 7973 Männer und 623 Frauen, eine wahre Misère gegen andere, nicht gouvernementale Städte und 10.909 Männer und 2369 Frauen gehören der Branche der Manufactur und Industrie an.

Ganz in der Nähe von Washington liegt Arlington und an der Mündung des Potomak Vermont. Beide Besitzungen gehörten dem Gründer der Republik, George Washington, in Vermontpark liegt er auch begraben. Vielleicht war dieser Umstand maßgebend, diesen Fleck Erde zum Centrum der Legislative und Administration des großen Gesammtstaates der Union zu machen! Zunächst, belehrt man uns, wurde dieser Platz gewählt, um den Congreß dem Getriebe der großen Stadt und den Oscillationen seiner Bevölkerung zu entziehen. Aber, je größer die Union geworden ist, je bedeutender die Bevölkerung zunahm, je inhaltsreicher das ganze sociale und materielle Leben des colossalen Reiches sich gestaltete, desto sicherer war es zu erwarten, daß die Hauptstadt jener starke Magnet werden würde, welcher die Kräfte der Peripherie anzieht und von ihnen umwickelt, selbst erstarkt und Kraft und Stoff, Menschen und Geld in ihr accumulirt, Die Centralisation ist unwiderstehlich.

Das sehen die heutigen Washingtoner auch schon ein. Sie legten die Stadt nicht nur im größten Maßstabe an, sondern Alles, was gethan wird, zielt auf die „Hauptstadt" hin. Das gewöhnliche amerikanische Stadtschachbrett trägt bereits ein charakteristisches Unterscheidungsmoment. Alle geraden Straßen sind von durchlaufenden Querstraßen schief durchschnitten; das Schachbrett enthält Diagonallinien. Diese Diagonalstraßen heißen Avenuen und durch die Avenuen kommt man in alle von Nord nach Süd und von Ost nach West führenden Straßen. Zu Folge dieser Eintheilung ist es unmöglich irgend eine Straße zu verbarricadiren. Vorsicht ist die Mutter der Weisheit. Heutzutage ist zwar diese Vorsicht nicht nöthig; aber es kann eine Zeit kommen, wo sie nöthig sein wird. Es gibt in Amerika unter den europäischen Flüchtlingen

genug Socialisten und Nihilisten; für Amerika aber haben
sie keine große Bedeutung; ihre Thätigkeit ist auch mehr auf
Europa gemünzt, wohin ihre Brandschriften gelangen und
wahrscheinlich bei Gleichgesinnten den Eindruck machen, als
hätten diese Petroleurs in Amerika großen Einfluß. Diesen
haben sie nur auf arbeitsscheues Gesindel, dem Meetings
lieber sind als Werkstätten. Die Zahl dieser Leute ist aber
nicht groß, denn die Arbeit lohnt sich und wer Arbeit finden
will, der findet sie auch.

Alle amerikanischen Städte werden, wie gesagt, nach
demselben Plane angelegt. Die Straßen werden rechtwinklig
ausgesteckt, hiedurch entstehen viereckige Bauräume, die Blocks
heißen und innerhalb der Blocks werden die Baugründe (Lots)
abgegrenzt. Nun mag sich Jeder das Lot kaufen, das ihm
am besten convenirt. Ganz neu angelegte Städte bestehen
aus Hütten auf solchen Lots. Die Hütten oder Holzbaracken
drängen sich um das Eisenbahnstationsgebäude (Depôt) näher
zusammen und ragen je weiter davon entfernt, desto einsamer
aus ihren Lots und Blocks hervor. Die Straßenherstellung
folgt erst nach und nach, dagegen wird der Platz zunächst
dem Depôt sehr häufig gleich elektrisch beleuchtet, denn nur
dort gibt es Verkehr.

Washington ging da einen etwas anderen Weg und
auch darin zeigt sich schon die Hauptstadt. Ohne den Verkauf
der Lots abzuwarten, wurden sämmtliche Straßen fast aus=
nahmslos mit einer Mischung von Asphalt und Cement vor=
züglich gepflastert, mit Bäumen bepflanzt, hinter denen breite,
theils durch Asphalt, theils durch Klinker gangbar gemachte
Trottoirs sich hinziehen.

Ob nun dieses Gemenge von Asphalt und Kalk den
Druck schwerer Lasten aushält, ist eine Frage an die Zeit.
Vorerst hat aber die Stadt keinen solchen großen Lasten=
verkehr und so muß man sagen, daß Washington dermalen

die bestgepflasterte Stadt der Welt ist. Nie stürzt ein Pferd. Die Wägen rollen wie auf Kautschuk; man hört nur den Tritt der Pferde; die Reinhaltung ist leicht, man bürstet die Straßen ab, zu welchem Behufe große mit vier Pferden bespannte, schwere Besenwägen die Straßen durchfahren. Man sieht auch nirgends mehr Velocipèdes als hier. Bicicles und Threecicles bewegen sich rasch und sicher in Mitte der Wägen, gleich Reitern, nur brauchen sie ihre Rosse nicht anzubinden, wenn sie Besuche machen, oder Commissionen verrichten, sie lehnen ihr Pferd an die Wand, Niemand stiehlt es und es geht auch nicht durch.

Die Kreuzungspunkte der Avenuen und Straßen bilden „Circles", welche vorzüglich tauglich sind, um Monumente aufzunehmen. Und solche Statuen gibt es schon in Menge. Die Generäle Jackson, Greene, Scott, Thomas, Farragut, Du Port, Mac Pherson, Rowlins sitzen zu Pferde, theils den dreieckigen Hut oder den Calabreser auf dem Kopfe, theils in der Hand, grüßend oder dankend, theils auf ruhigem, theils sich bäumendem Rosse, lauter berühmte Soldaten oder Staatsmänner, oder Beides und sind von sechs Straßen aus sichtbar, wie jene gewisse Statue im Schönbrunner Park durch ein halbes Dutzend verschnittener Alleen immer wieder erscheint. Daß Washington drei Statuen in seiner Stadt besitzt, ist nicht mehr als billig, zwei stehen in solchen Kreuzungspunkten von Avenuen und Straßen, die dritte und bedeutungsvollste sitzt, als Jupiter im römischen Imperatorenkleide, auf dem großen Platze vor dem Capitol, dieses sein Werk betrachtend und gut findend.

Und es ist auch ein gutes Werk. Es ist noch mehr. Es ist ein großes Werk diese Union, das durch das Capitol gekrönt wird und das Capitol, das die Union und die Stadt krönt und von einer eisernen Kuppel gekrönt wird, weil ihm eine steinerne zu schwer gewesen wäre.

genug Socialisten und Nihilisten; für Amerika aber haben
sie keine große Bedeutung; ihre Thätigkeit ist auch mehr auf
Europa gemünzt, wohin ihre Brandschriften gelangen und
wahrscheinlich bei Gleichgesinnten den Eindruck machen, als
hätten diese Petroleurs in Amerika großen Einfluß. Diesen
haben sie nur auf arbeitsscheues Gesindel, dem Meetings
lieber sind als Werkstätten. Die Zahl dieser Leute ist aber
nicht groß, denn die Arbeit lohnt sich und wer Arbeit finden
will, der findet sie auch.

Alle amerikanischen Städte werden, wie gesagt, nach
demselben Plane angelegt. Die Straßen werden rechtwinklig
ausgesteckt, hiedurch entstehen viereckige Bauräume, die Blocks
heißen und innerhalb der Blocks werden die Baugründe (Lots)
abgegrenzt. Nun mag sich Jeder das Lot kaufen, das ihm
am besten convenirt. Ganz neu angelegte Städte bestehen
aus Hütten auf solchen Lots. Die Hütten oder Holzbaracken
drängen sich um das Eisenbahnstationsgebäude (Depôt) näher
zusammen und ragen je weiter davon entfernt, desto einsamer
aus ihren Lots und Blocks hervor. Die Straßenherstellung
folgt erst nach und nach, dagegen wird der Platz zunächst
dem Depôt sehr häufig gleich elektrisch beleuchtet, denn nur
dort gibt es Verkehr.

Washington ging da einen etwas anderen Weg und
auch darin zeigt sich schon die Hauptstadt. Ohne den Verkauf
der Lots abzuwarten, wurden sämmtliche Straßen fast ausnahmslos mit einer Mischung von Asphalt und Cement vorzüglich gepflastert, mit Bäumen bepflanzt, hinter denen breiten-
theils durch Asphalt, theils durch Klinker gangbar gemacht
Trottoirs sich hinziehen.

Ob nun dieses Gemenge von Asphalt und Kalk den
Druck schwerer Lasten aushält, ist eine Frage an die Zu...
Vorerst hat aber die Stadt keinen solchen großen Lasten-
verkehr und so muß man sagen, daß Washington der...

die beſtgepflaſterte Stadt der Welt iſt. Nie ſtürzt ein Pferd. Die Wägen rollen wie auf Kautſchuk; man hört nur den Tritt der Pferde; die Reinhaltung iſt leicht, man bürſtet die Straßen ab, zu welchem Behufe große mit vier Pferden bespannte, ſchwere Beſenwägen die Straßen durchfahren. Man ſieht auch nirgends mehr Belociptedes als hier. Bicicles und Threeciles bewegen ſich raſch und ſicher in Mitte der Wägen, auch Reitern, nur brauchen ſie ihre Roſſe nicht anzubinden, wenn ſie Beſuche machen, oder Commiſſionen verrichten, ſie lehnen ihr Pferd an die Wand. Niemand ſtiehlt es und es geht auch nicht durch.

Die Kreuzungspunkte der Avenuen und Straßen bilden circles, welche vorzüglich tauglich ſind, um Monumente aufzunehmen. Und ſolche Statuen war es über in Menge. Generäle Jackſon, Greene, Scott, Thomas, Farragut, Scott, Mac Pherson, Kanzler Bath, Greene, theils mit geſchwenktem Hut oder den Capanien mit der Wache, theils der Hand, ſtützend oder deutend, theils zu ſtägem, die bei erbrechendem Roſſe in den Tod .... oder ....männer oder Frauen .... die Straßen aus .... wie wie zwei Seiten .... Stadt einen Park .... ſeines Lugens .... wieder .... Das Schönſten .... Stadt .... ſei nicht mehr in .... ordentlichungs .... von Avenuen und Straßen .... und .... Fenſter in .... auf .... großen .... dieſes Werk .... und zur ....

Und es iſt auch ein .... nehr. .... ein großer Werk .... tritol .... wird und die .... die Stadt .... ihm

Es ist ein colossales Werk, das George Washington geschaffen hat, ein Werk, nicht gebaut auf Leidenschaftslosigkeit und himmlische Tugend seiner republikanischen Bürger, sondern auf „Friction" aller geistigen und materiellen Kräfte, der Jugendkräfte einer jungen Nation, der Jugendkräfte einer jungen Erde.

Auf den Columbiahills steht das Capitol. Am 18. September 1793 legte Washington selbst den Grundstein und vollendet wurde es nach 74 Jahren im Jahre 1867. Die Länge des ganzen Palastes beträgt 751 Fuß 4 Zoll. Die größte Tiefe 324 Fuß und die Area, welche es einnimmt, 153.112 Quadratfuß. Der Dom ist gekrönt mit der Statue der Freiheit, welche aus Bronze gegossen ist und 14.985 Pfund wiegt. Die Höhe des Domes ist 287 Fuß 11 Zoll. Die Rotunde mißt 95 Fuß und 6 Zoll im Diameter und ist 180 Fuß 3 Zoll hoch.

Der ganze Dom, ursprünglich von Holz (abgebrochen 1856) wurde 1865 aus Eisen vollendet und wiegt 8,909.200 Pfund.

Es enthält 142 mehr oder weniger als Säle projectirte große Gemächer und Hallen.

Ein griechischer Bau mit prachtvollen, breiten Treppen, Alles Marmor und Granit, nur die römische Kuppel Eisen, welche aber weiß angestrichen ist.

Die Front des Hauses geht nach Südost. Vor ihr ist ein großer freier Platz, umgeben von weiten Gärten, die nichts vom Anblicke des Hauses verdecken und hier, sollte man sich denken und dachte sich Washington selbst, würde die Hauptstadt erbaut werden. Dem ist jedoch nicht so. Der Stadt selbst kehrt das Capitol den Rücken, der immerhin groß und imposant genug, aber doch nur der Rücken ist.

Washington hat einen guten Platz für sein Staatshaus gewählt. Es steht auf den Columbia-Hügeln, offenbar dem alten Steilrande des Potomak, die sich im Halbkreise um die Stadt ziehen, durchwegs besiedelt sind und herrliche Gärten und Villen tragen. Ganz am Rande des Absturzes steht der Palast. Der Hügel ist gegen die Stadt terrassirt und zu Gartenanlagen verwendet, durch welche die Stiegen und Fahrwege hinaufführen. Am Fuße steht ein sehr schönes Marmor-Monument, das die Marine ihren im Secessionskriege gefallenen Kameraden setzte und hier beginnt die Pensylvania-Avenue, welche bis zu dem prachtvollen Gebäude der Treasury — dem Finanzministerium — führt, an das sich der weite öffentliche Park schließt, in dem das white house, die Amtswohnung des Präsidenten steht (welche an das Fürst Mensdorf-Dietrichstein'sche Palais in der Währingerstraße lebhaft erinnert) und hieran stoßt wieder das riesige Palais des State-Departements, d. h. des Ministerpräsidiums und zugleich Ministeriums der äußeren Angelegenheiten. Hinter diesen Staatsgebäuden erhebt sich der berühmte Obelisk aus Marmor, welcher der höchste Thurm der Welt werden soll. Dermalen hat er nur 500 Fuß Höhe und der Gipfel wird noch 50 Fuß zugeben. Hinter diesem fließt der breite Potomak, dessen eine Brücke eine Meile lang ist und gleich der zweiten nach Virginien führt, wo der Tabak für die beliebten Virginia-cigarren wächst, die man in Amerika nur dem Namen nach kennt.

Drüben liegen die Hügel von Arlington, gegenüber jene von Columbia.

All' das übersieht man, wenn man dem Rücken des Capitols den Rücken kehrt und auf die groß, breit, weit und grün angelegte Stadt hinabschaut.

Man sagt, die Eigenthümer der Gründe auf den Hügeln des Capitols, welche sich einbildeten, die Stadt müsse oben erbaut werden, hätten so hohe Preise für ihre Bauplätze gefordert, daß die Bauluftigen förmlich abgeschreckt wurden.

Es scheint jedoch, daß die Sache viel natürlicher zu erklären ist. Die Hügelreihe schützt gegen den Nordwind, der auf den Höhen gar eisig fegt. Gegen diesen schützen sich die Häuser in der Tiefe doch einigermaßen; dann ist man dem Flusse näher, der die Kohlen bringt und das Wasch= und Trink= wasser liefern muß, letzteres eine große Schattenseite des schönen Washington.

Nicht nur alle Straßen sind reich mit Baumreihen bepflanzt, sondern viele Kreuzungspunkte und ganze Blocks sind zu Gärten gemacht, in denen die Cottonbäume (Pappeln) der alten Potomakau majestätisch stehen. Große Parks zieren die Stadt und werden wieder durch Denkmäler geziert. So der Park des Whitehouse, der Park von Soldiershome, eine ganze Grafschaft, der Park von Arlington &c.

Man kann sich eine brillantere Stadtanlage kaum denken. Natürlich war die Stadt nicht im Stande alle diese theueren Anlagen und Herstellungen zu leisten, der Staat mußte zu Hilfe kommen und kam auch, wie billig, zu Hilfe.

Nach und nach wuchs die Massa der Administration und mit Zunahme der Entwicklung das Bedürfniß sich ein Centrum zu schaffen, das nicht nur durch Reichthum, durch verschwendenden Reichthum zu glänzen in der Lage ist, wie New=York, sondern durch persönliches Ansehen, durch persönliche Geltung.

Das amerikanische Volk aristokratisirt sich sichtlich und wer nicht durch Hunderttausende von Dollars seine hohe gesellschaftliche Stellung beweisen kann, wer seinen Zusammen= hang mit der Legislative, mit der Verwaltung zur Schau tragen will, der kommt zur Congreßzeit nach Washington, baut oder miethet sich ein Haus, ein Schloß und lebt high life, höchstes amerikanisches Leben, ohne Millionär zu sein.

In dieser Weise besiedelte sich die Stadt. Viele Lots stehen noch leer, ganze Blocks warten auf Verkauf; zahllose

Agenten von Land handeln mit Baugründen, jedem Neger ist seine Holzhütte feil und rapid schreitet die Besiedelung vorwärts. Wie rasch sie aber auch fortschreitet, die Physiognomie der Stadt ist doch einzig in ihrer Art. Nur Eine Hauptader ist dem Geschäfte gewidmet, senkrecht auf diese, die Pensylvania=Avenue, stehen noch etliche Straßen mit Läden — alle anderen Straßen sind nur aus verschlossenen Wohnhäusern gebildet, deren Anlage anderswo geschildert ist. Natürlich sind diese Wohnstraßen zur Zeit, wo keine Visiten gemacht werden, leer. Schwarze Schulkinder laufen hin und her, der Fournisseur bringt zu Wagen, was Küche und Haus braucht; manchmal ein Dienstmädchen, das einen Brief zur Post trägt und zweimal des Tages der Briefträger. Das ist aber auch Alles. Erst gegen 4 Uhr Nachmittags beleben sich diese Straßen. Es ist dies die Zeit, wo Visiten anfangen und Receptionen gehalten werden.

Jede Dame hat ihren Receptionstag in der Woche. Die Reception spielt eine Hauptrolle im social life. Der Empfang findet entweder, wie gesagt, Nachmittags oder spät Abends nach 10 Uhr statt. Ball und Reception letzterer Art unterscheiden sich nur dadurch, daß bei Bällen getanzt wird, bei Receptionen nicht. Die wenigsten Häuser sind groß genug für Bälle, vielleicht heißen deshalb diese Abendgesellschaften Receptions. Jeder Gentleman führt Buch über die Tage und Stunden der Receptions. Um theilhaftig der Ehre zu werden, muß man Visiten machen. Im Winter von 1883 auf 1884 ungefähr 400. Ebensogroß ist die Zahl der Receptions. Um die besagte Stunde nun fahren die Equipagen an den notirten Häusern vor, die liebenswürdige Dame des Hauses empfängt an der Pforte ihres Salons die Gäste und ihre schönen Töchter machen die Honneurs am Buffet und Theetische; hat sie keine Töchter, so geht der Besucher bescheiden in's Diningroom, denn der Salon ist schon voll! crowded! —

und crowded muß die Reception sein, soll sie Werth haben.
Wie die Minister und Secretäre des Staates, so empfangen
auch die Gesandten, welche das Glück haben verheiratet zu
sein und auch ihre Secretäre empfangen, wenn sie so glücklich
sind Frauen zu haben und jene, welche so glücklich sind, keine
zu haben, machen nur Visiten, gehen zu Receptionen, empfangen Karten der Herren und bisweilen auch der Damen,
geben aber keine Gelegenheit zu Flirtation und small talk,
wie es in der Kunstsprache der Society heißt. Da sind die
todten Straßen voll Leben; die schwarzen Kutscher stecken in
Pelzkrägen bis über die Ohren, schlagen Wolfsdecken um ihre
Füße und halten die Leitseile ihrer Pferde und Gäule in
dicken, großen Fäustlingen, denn diese Schwarzen sind sehr
empfindlich und der gute Ton erheischt es, sie warm zu halten.

Man bleibt von fünf Minuten bis zu einer Stunde
und wenn das Interesse hoch steigt, auch länger; dann fährt
man heim und leer und öde sind wieder diese Straßen bis
zur nächsten Reception.

Die Receptions-Toilette für vier Uhr Nachmittags ist der
elegante Straßenanzug; jene für Abends der Ballanzug mit
Blumen und Bouquets, welche die Herren der Schöpfung
beistellen.

Am höchsten steigen die Wogen zu Neujahr. Da hält
der Präsident seine Reception.

Bevor wir dieses Fest beschreiben, wollen wir noch
einer Sitzung im Capitol beiwohnen und die wissenschaftlichen
und Kunstinstitute der Hauptstadt kurz berühren.

Um den vollen Eindruck zu haben, steigt man die große
Treppe zum Hauptportale hinauf und gelangt zur ersten
Plattform. Rechts und links stehen schöne Marmorgruppen,
deren Bedeutung leicht zu verstehen ist. Rechts nämlich
bändigt ein heroischer Seemann einen riesigen Indianer, ungeachtet seines geschwungenen Tomahawks; neben diesem kauert

eine schöne Squaw, neben dem Engländer bellt ein großer Hund. Links hält ein Mann in theatralischer Stellung einen Reichsapfel in der hoch hinaufgestreckten Hand; neben ihm kniet eine schöne Frau, nackt, offenbar eine Indianerin. Diese Gruppe bedeutet die Besitzergreifung Amerikas durch Colombus oder Amerigo Vespucci und jener scheint Ferdinand Cortes nicht zu sein. Nun tritt man durch das prachtvolle Bronzethor, welches die Geschichte Columbus bis zur Entdeckung Amerika's in Relief zeigt (wir denken Münchener Arbeit und nach= gemacht dem Baptisterium zu Florenz) in die Rotunde, welche schöne Bilder aus der Geschichte der Union enthält und große Spittoons für Chewing Gentlemen und gelangt durch allerlei kleine Offices, die in den Corridoren ihre Geschäfte führen, in den Sitzungsaal.

Dieser ist sehr einfach und unterscheidet sich wenig von älteren Parlamentshäusern Europa's, ja er ist sogar auch schlecht akustisch. Viele Pagen laufen umher, um den Congreßmännern die Bills und Unterstützungen der Bills abzunehmen, um ihnen Briefe zu bringen, oder solche von ihnen zu holen, kurz jene Dienste zu leisten, welche jene durch Klatschen mit den Händen erheischen. Der Speaker muß stets mit seinem Hammer arbeiten, um nur halbwegs Ruhe herzu= stellen, und wenigstens selbst verstanden zu werden.

Auffallend für den Europäer ist der gänzliche Mangel an Ministern. Nicht einmal ihre Stellvertreter haben im Parlamente zu thun. Die Secretäre empfehlen dem Con= gresse irgend welchen Antrag schriftlich; dieser Antrag hat im Congresse Freunde, sie empfehlen ihn, oder Anträge der Legislatoren, warm, oder nicht warm. Die Minister müssen das Schicksal der künftigen Bill dem Congresse und Senate überlassen. Es ist selbstverständlich, daß Anträge, welche von Vertretern ausgehen, nicht gestellt werden, ohne von Partei= männern des Antragstellers unterstützt zu werden.

Ebenso natürlich ist es, daß die Staatssecretäre für ihre
Wünsche die Theilnahme von Volksvertretern gewinnen müssen,
wollen sie auf Erfolg hoffen. Die Bill selbst auszufechten, ist
aber Sache der Parteien. Geht sie durch, so braucht sie zum
Gesetze die Sanction des Präsidenten, der sie ertheilt, oder
unter Angabe der Gründe verweigert. Diese Gründe sind
wieder Substrat der Debatten und müssen für sich sprechen und
Vertheidiger finden. Ist dies nicht der Fall und geht der
Antrag ein zweites Mal durch, so ist er so ipso Gesetz.

Die Stellung der Minister ist daher in Amerika viel
bequemer als in Europa, aber auch viel inferiorer. Dies
weiter zu entwickeln oder aber zu zeigen, wodurch die Macht
der Minister wieder gehoben wird, kann nicht im Plane dieser
Skizze liegen.

Die Herren Volksvertreter sehen sehr distinguirt aus
und Alles was man in Europa von Gewalt und Roheit
erzählt, ist nichts als Gefasel.

Im Capitol hält auch der Supreme Court seine Ge-
richtssitzungen. Die Richter sind im Amtskleide, dem weiten,
schwarzen Talar — aber ohne Perücke. Ort und Verfahren
zeigen die höchste Würde und machen tiefen Eindruck. Auch
der Strafgerichtshof erster Instanz, der sein eigenes Haus
hat, amtirt würdevoll, obwohl die Jury offenbar den niederen
Ständen angehört und man sich erst daran gewöhnen muß,
daß die Geschwornen Tabak kauen und in Folge dessen sehr
viel spucken. Bei diesem Gerichte sind stets viele schwarze
Zuhörer und Zuhörerinnen, sowie auch viele Schwarze vor
ihm stehen.

Noch ein zweites Bronzethor führt zum Senate. Es
bringt die Hauptschlachten gegen England und schließt mit der
Grundsteinlegung zum Capitol, dem Symbole der Union.
Es wurde 1868 aufgestellt und soll ganz amerikanische Arbeit
sein!!(?) Noch muß man die prachtvolle Nationalhalle der

Statuen erwähnen, wo die berühmtesten Männer der „Staaten" ihren Platz finden und noch finden werden. Viele schöne historische Bilder sind in den Sälen und in den Stiegenhäusern angebracht, die stets voll von Besuchern sind, denn ganze Vergnügungszüge bringen Bürger aus allen Weltgegenden, welche wallfahrten nach dem Capitol der Capitale des riesigen Staates.

Das Corcoran-Institut ist eine Gemälde-Galerie, welche ein reicher Bürger — Corcoran — dem Staate geschenkt hat. Es enthält zu ebener Erde Abgüsse großer antiker Bildhauerwerke, schöne japanische Vasen und Bronze, aber nur wenige amerikanische Sculpturen. Dagegen sind im ersten Stocke, gut aufgestellt und excellent beleuchtet, desto mehr amerikanische Bilder. Die große Mehrzahl derselben würden jeder Privatgalerie zur Ehre gereichen und zieren auch hier die Wände. Es scheint, daß die Amerikaner erst jetzt anfangen, Bilder guter Meister zu kaufen. Sie kaufen dieselben aber vorerst für sich. Wenn diese Liebhaber sodann gleich Corcoran bei Lebzeiten, oder wenn sie testamentarisch ihre Schätze dem Staate überlassen, dann wird freilich manches Porträt, manche grüne Landschaft, manche zu realistisch gedachte und zu wenig perspectivische ausgeführte Gegend wieder von den Wänden verschwinden müssen! Am meisten aber dürfte der nationalen Kunst genützt sein, wenn der hohe Einfuhrzoll für Bilder und Statuen aufgehoben oder doch wesentlich herabgesetzt wird, wie eben in Verhandlung ist; denn die Kunst unterscheidet sich von der Industrie dadurch, daß erstere das rohe Materiale für den Gebrauch umgestaltet, die Kunst aber den Geist des Menschen umgestalten muß, damit er nicht blos das „Nützliche", sondern das „Schöne" erkenne und producire.

Auch das Smithsonian Institut entstand durch eine Privatstiftung, steht aber unter Staatscontrole. Es besteht aus zwei getrennten Hallen. Die Eine ist geordnet und ent-

hält die größte antropologische Sammlung der Welt. An ihrer
Spitze steht ein Achtundvierziger, Professor Carl Rau, der auch
in Europa bekannt ist und als Fachmann und Ordner den
höchsten Ruf genießt. Die zweite Halle enthält ethnologische
und naturhistorische Sammlungen, die größtentheils noch unge=
ordnet, viel Interesse, aber wenig Ueberblick gewähren. Rau
hat auch die Ordnung in diesem Departement unter sich; aber
der Verwaltungsrath steht über ihm und versteht natürlich diese
Abtheilung besser! Sie wird jedoch auch in Ordnung kommen.

Das Patentamt ist deshalb merkwürdig, weil Amerika
eben das Land der Patente ist und Tausende von Modellen
darin aufgestellt sind. Vielleicht findet sich einst, in ferner
Zukunft, wenn die Arbeit in dem jungen Continente nicht
mehr so lohnend sein wird, als sie jetzt ist, ein Mann, der die
Geschichte der Patent=Erfindungen schreibt. Aber ein Menschen=
alter wird es doch brauchen, um diesen Stoff nur verarbeitbar
zu gestalten.

Eben kommt uns ein Bädecker für Washington 1884
zu. Er ist roth gebunden und heißt Keim. Seine Dicke beträgt
250 Seiten! 250 Seiten Einer Stadt gewidmet! Fährt Herr
Keim so fort, dann wird sein Guidebook in 25 weiteren
Jahren schon wenigstens 500 Seiten haben. Aber Eines haben
wir aus ihm ersehen: Die Gruppe rechts von der Hauptstiege
des Capitols bedeutet: „Die Besiedelung Amerikas!" Wir
behalten daher Recht, es war nicht Amerigo Vespucci.

Die Reception beim Präsidenten der Republik findet
Vormittags am 1. Jänner jeden Jahres statt. Um 11 Uhr
wird das diplomatische Corps empfangen und nach diesen
kommen die großen Verwaltungs=Corporationen, die Armee,
Navy, die Ministerien u. f. w.

Vierzig Damen der höchsten Gesellschaft sind Damen
des Empfanges, sie führen den Präsidenten in den Saal und
machen den Ankömmlingen und ihren Frauen die Honneurs.

Man erscheint in Abendtoilette, die Diplomatie in vollen Uniformen mit allen Ordensbändern und Sternen geschmückt, die Navy in Parade, die Damen in Pariser Gewändern, meist Sammt und zurückgreifend in die Moden von Hunderten von Jahren.

Alle Fenster sind verhängt, alle Luster beleuchtet. Der Tag wurde zur Nacht.

Hunderte von Equipagen fahren an und machen Queue. Endlich ist der eigene Wagen zum Portale gelangt.

Ein Major domus empfängt den Gast und führt ihn in die „Hall". Es ist dies eine wirkliche Halle, groß genug, um neben dem Troß der Diener, welche mit Pelzen und Mänteln warten, die ganze Musikbande der „Navy" in ihren rothen Uniformen aufzunehmen. Sie sitzt vor ihren Pulten, den Czako schief auf dem Haupte, und spielt heitere Weisen, oder intonirt, falls sie just Gelegenheit dazu hat, fremd= ländische Nationalhymnen.

Man verläßt die Halle und gelangt in einen mäßig großen Saal, an dessen Eingange zwei Polizeimänner, große schöne Leute gleich Garden stehen. Sie tragen lange blaue Röcke, Calabreserhüte, um den Leib haben sie den Ledergürtel, an dem der Live preserver, die einzige Waffe, welche der Policist in Amerika trägt, hängt.

Hier wartet die ganze Diplomatie mit Frauen und Töchtern. Das Gemach ist gesteckt voll. Man wünscht sich happy good year und erwartet den Hausherrn und Chef der Republik.

Bald kommen seine Ehrendamen paarweise; freundlich grüßend, da und dort die Hand drückend, schwenken sie links ab in das kleine runde Gemach, wo der Präsident selbst empfangen soll.

Es dauert nicht lange und er erscheint, begleitet vom Premierminister, dem Secretary of State, dem Staats=

7*

secretär. Er ist von schönen und reich toilettirten Damen
escortirt. Auch er geht in den runden Saal und stellt sich
in dessen Mitte. Er trägt den schwarzen Frack, die weiße
Cravatte und den taubengrauen Handschuh, jedoch nur an
der rechten Hand. Hinter ihm stehen die Empfangsdamen
und hinter diesen die Garde in Gestalt zweier Policemen,
rechts und links vom großen Spiegel.

Nun tritt die Diplomatie einzeln, wahrscheinlich der
Anciennität nach, ein in den runden Saal; jeder Diplomat,
der Frau oder Tochter hat, führt sie mit sich und wer von
ihnen Landsleute vorstellen muß, nimmt sie auch mit. Happy
good year — Ms. N., Mr. N. — Hierauf folgt das
Shakehand mit der rechten Hand; shakehand des Präsi=
denten mit den Herren und den Damen und den Fremden.
Das muß schnell gehen, denn schon wartet der nächste Minister
auf dieses Shakehand und Damen warten und Alle warten
— also vorwärts.

Wer den Präsidenten geshakhandet hat, rückt nun hinter
ihn, ist er ein alter Bekannter, oder doch Gekannter, so shaked
er hands mit den Ehrendamen, ist er's nicht, so läßt er
sich vorstellen. Der kleine Raum ist crowded, man geht,
wie Leute, die zwischen Eiern tanzen, denn der Teppich
liegt voll von kostbaren Schleppen. Es nützt nichts, daß ihn
die Damen wie einen Schnecken eindrehen, man steigt doch
darauf, denn endlich muß man doch wieder hinaus aus dieser
süßen Gefangenschaft, weil immer neue Händedrücker kommen,
um happy new year zu bringen und Hände zu drücken.
Man schlüpft glücklich hinaus und kommt in den großen
blauen Saal, dem eigentlichen Receptionssaal des Präsidenten.
Etwa eine Stunde vergeht, bis alle Mitglieder dieser hohen
Corporation in vollster entente cordiale „ihm" und sich die
Hände gedrückt haben und in den blauen Saal gelangten. —
Und jetzt erfolgt der Rückzug.

Aber der Präsident steht noch viele Stunden da und läßt all' sein hohes souveränes Amtsvolk da defiliren, jedem einen warmen Handschuhdruck gebend — wenn er nicht etwa pausiren muß, um sich zu stärken oder abzuwarten, bis der Krampf vorüber ist!

So hat sich die Sitte herausgebildet. Aus der Sitte, sich zum Neujahr zu begrüßen, entstand die Pflicht des Präsidenten jedem Besucher die Hand zu drücken; es entstand aber auch das Recht der Besucher dem Präsidenten die Hand zu geben. Will er nicht kommen — so kann er ausbleiben.

Sie bleiben auch aus! Aber Diplomaten, Beamte und Soldaten nie! Wer bleibt also aus?

Man löse das Räthsel! Wie werden sich diese Sitten umgestalten im Laufe der Zeit und bei den hocharistokratischen Neigungen dieses vortrefflichen Volkes? Wie werden sie sich umgestalten, wenn einmal Washington jene große Landeshaupt= stadt geworden sein wird, die zu werden sie so große Eile hat? Wachsen nicht alle Regierungssitze in der ganzen Welt ungeheuerlich an? Drängt sich dahin nicht ein großer Theil des Ueberschusses der Bevölkerung? Thut man nicht in Washington und anderswo Alles, um die Hauptstädte zu ver= größern, zu verschönern? Wird dahin nicht ein großer Theil des Nationalvermögens investirt?

Wird Washington denselben Weg gehen? Wird sich Regierungssitz und Hauptstadt decken, ungeachtet George Washington's Absicht, die Legislative und Executive unab= hängig von der Volksmasse zu erhalten?

Oder war dies gar nicht George Washington's Absicht?

Die Stadt liegt, wie gesagt, in den Marschen des Potomak und besitzt vor der Hand noch kein trinkbares Wasser. Sie leidet daher an effectiver Malaria. Mit kommendem Früh= jahre flüchtet die Bevölkerung, selbst die Hôtels werden geschlossen.

Hätte sich die Stadt auf das Plateau des Capitols gebaut, so wäre ihr diese Plage erspart geblieben. Dort aber hielten die Besitzer den Preis der Gründe zu hoch — die Leute konnten und mochten nicht so viel zahlen 2c.

Wer waren die Eigenthümer der Gründe?

Neuerlich aufgefundene Briefe beweisen, daß George Washington und seine nächsten Freunde diese Gründe auf= gekauft hatten. George Washington speculirte in Lots. Er war ein echter Yankee. In Baugründen — in Lots — zu speculiren ist eine wahre Leidenschaft in Amerika.

Er hat sich verspeculirt. Daß er aber in Lots speculirte, beweist, daß er selbst darauf rechnete, seine Stadt werde Reichshaupt= und Residenzstadt werden.

Zum Schlusse wollen wir den Fehler erwähnen, welchen alle amerikanischen Städte mit einander gemein haben, an dem auch Washington leidet, wie Newyork dadurch sehr ver= häßlicht wird.

Wir meinen die hohen, ungezimmerten, bucklichten, alle Krümmungen bizarrer Bäume wiedergebenden Telegraphen= stangen. Lange wußten wir nicht, was die Straßen gar so roh, so unsoignirt aussehen mache.

Angenehm sind die überirdischen Telegraphen und Tele= phone nirgends in der Welt; aber so windschiefe, entrindete, laub= und astlose Baumstämme, an denen noch bis zu hundert Drähten zerren, die angebunden, gestützt, verankert werden müssen — sind doch gar zu entstellend in einer großen und immerhin prätentiösen Stadt, wie dies Washington und Newyork sind!

XII.

Die Tariffrage.

Der Tarif gleicht einem Etui. Paßt der Gegenstand, für den es gemacht ist, hinein, so erhält er sich vortrefflich. Ist er zu groß, wird er verdrückt, wenn zu klein, dann hat derselbe keinen festen Halt und bricht. Ist der zu verwahrende Gegenstand aber von Kautschuk, so wird er sich auch in ein schlecht passendes Etui hineinschmiegen, und wenn von Eisen, dann wird er die Hülle sprengen.

Das wirthschaftliche Leben hat die meiste Aehnlichkeit mit Kautschuk. Es schmiegt sich dem jeweiligen Tarife an, oft nicht ohne Schädigung, aber solche Schäden lassen sich ausbessern. Manchmal freilich ist es hart und spröde, da geht das Tarif = Etui in Trümmer, wenn man es mit Gewalt schließt, oder das wirthschaftliche Leben wird zerstört.

Es ist ein alter Satz, daß der größte Theil der Landes= producte im Lande selbst verzehrt wird. Es kommt also nur der kleinste auf fremden Markt. Wir werden dies bezüglich der United States durch Ziffern beweisen. Ungeachtet dessen kann dieses Surplus über den eigenen Bedarf die fremde Wirthschaft stören und ihre Tarifpolitik sprengen.

Wird das Schwein in Amerika so billig erzeugt, daß der europäische Züchter es um den gleichen Preis nicht her=

zustellen im Stande ist, dann muß dieser diese Zucht auf-
aufgeben oder der Tarif, das Etui, muß geändert werden.
Die Differenz der Productionskosten bildet den Tarif, den
Schutzzoll.

Die Einfuhr des Schweines wurde in Deutschland
verboten. Trichinen gelten als Ursache. Unsere Leute werden
krank, sagt der Staat; wir können sie nicht zwingen, das
Fleisch zu sieden, und so die Trichinen zu tödten, also nicht
mehr Tarif-, sondern Sanitätspolitik, Staatspolizei. Nun
sterben aber in Amerika die Bewohner nicht am Trichinen-
tode, obwohl 95 Percent dieses Fleisches in Amerika verzehrt
werden und daselbst weder ein Gesetz besteht, das anordnet,
man müsse Speck und Fleisch sieden, bevor man sie verzehrt,
noch der Amerikaner sich selbst freiwillig vom Essen rohen
und geselchten Fleisches enthält. —

Man sagt daher ganz öffentlich in Amerika, es müsse
ein anderer Grund, als blos der allgemeine humanitäre sein,
welcher die deutsche Regierung bewogen habe, die Einfuhr
amerikanischen Schweinefleisches zu verbieten, und dieser Grund
liege nahe genug, um ihn zu errathen: die Differenz der
Productionskosten sei der Grund; Amerika schütze seine Industrie durch Zölle gegen die Concurrenz der deutschen Producte, deshalb schütze sich auch Deutschland gegen die über-
legene amerikanische Production.

Da jedoch der kleine Mann die Tariffrage nicht versteht, sondern wohlfeiles Fleisch für sich, dem bei weitem
größten Consumenten amerikanischen Schweinefleisches, verlangt, so müsse ihm die Sache dadurch plausibel gemacht
werden, daß man ihm beibringt, die Regierung habe weiter
keine andere Absicht, als ihn, den kleinen Mann, vor der
Trichinenvergiftung zu schützen. Anstatt sich zu beklagen,
sei er nun zur Dankbarkeit verpflichtet, und der deutsche
Schweinezüchter, der Maisbauer, der Gutsherr könne wieder

mit Vortheil Schweinezucht treiben und sein Product theuer an Mann bringen.

So sagen die amerikanischen Legislatoren und Politiker und bereiten sich vor für Retorsion. Nach ihrer Ansicht ist die deutsche Maßregel Retorsion, gegen welche es endlich kein weiteres Mittel gibt, als wieder Retorsion. Ihr laßt kein Schweinefleisch hinein, gut, wir werden Euere Rheinweine ausschließen, dadurch Euere Producenten schädigen, aber unseren californischen Weinen zugleich nützen.

In der alten Zeit schützte sich jedes Staatswesen, ja jedes Stadtwesen, durch Zölle. Die Zöllner sind so alt als die Geschichte. Zölle waren Einnahmsquellen und an die Rückwirkung der Zölle auf die Gesammtproduction dachte man in jenen Zeiten gar nicht. Erst nach und nach, mit der Entwicklung der Staatswissenschaft, kam der Begriff des Schutzzolles zur Geltung.

Heute zählen zu den Schutzzollstaaten folgende:

Die argentinische Republik, Oesterreich-Ungarn, Belgien, Chili, China, Canada, Dänemark, Frankreich, Deutschland, Guatemala, Japan, Mexico, Norwegen, Portugal, Rußland, Spanien, Schweden, Schweiz, die Türkei, Griechenland, australische Colonien und die United States.

Sogenannten Freihandel haben nur England und Niederlande. Letztere sind lediglich Commissionshändler und ihr Tarif beträgt 5—20 % ad valorem.

Nehmen wir nun die Hauptindustriezweige der United States und vergleichen wir dieselben mit der gleichen Industrie der großen Staaten Europas, so bekommen wir folgendes Bild:

Zucker zahlt in den Ver.. Staaten 2·47 Dollars, England frei, Deutschland 2—3·75 Dollars, Frankreich 4·75 bis 5·56 Dollars, Niederlande 3·75—5 Dollars, Belgien 4·50 bis 5 Dollars, Italien 5—6 Dollars, Spanien 0·08 — 10 Dollars, Rußland 5—8 Dollars, Oesterreich 3—10 Dollars.

Wolle, Wollstoffe und Garn zahlen in den Ver. Staaten 60 %, England frei, Deutschland 0·50—50 Dollars, Frankreich 7·50—100 Dollars, Niederlande 5 %, Belgien 5—10 %, Italien 8—90 Dollars, Spanien 10—50, Rußland 4·50—200 Dollars, Oesterreich 7·50—100 Dollars.

Eisen= und Stahlartikel zahlen in den Ver. Staaten 3·50 Dollars, England frei, Deutschland 0·12—7·50 Dollars, Frankreich 0·20—2 Dollars, Niederlande 5%, Belgien 10%. Italien 0·30—2·50 Dollars, Spanien 0·25—50 Dollars, Rußland 0·96—60 Dollars, Oesterreich 0·50—25 Dollars.

Seidengespinnste und Stoffe zahlen in den Ver. Staaten 59 %, Englasd frei, Deutschland 1·20—70 Dollars, Frankreich 19—150 Dollars, Niederlande 5 %, Belgien 5 %, Italien 25—150 Dollars, Spanien 15—250 Dollars, Rußland 90—250 Dollars, Oesterreich 10—200 Dollars.

Cotton und Garne zahlen in den Ver. Staaten 39 %, England frei, Deutschland 0·17—30 Dollars, Frankreich 1—100 Dollars, Niederlande 5 %, Belgien 3 — 85 Dollars, Italien 250 — 300 Dollars, Spanien 10 — 150 Dollars, Rußland 4·50—200 Dollars, Oesterreich 2·50 bis 100 Dollars.

Flachs, Hanf, Leinen und Garne zahlen in den Ver. Staaten 27 %, England frei, Deutschland 0·30 bis 70 Dollars, Frankreich 0·60—100 Dollars, Niederlande 5%, Belgien 5 — 10 %, Italien 0·30 — 150 Dollars, Spanien 10 — 125 Dollars, Rußland 0·90—60 Dollars, Oesterreich 0·75—100 Dollars.

Tabak in Blättern und Manufacten zahlt in den Ver. Staaten 56 Dollars, England 100 Dollars, Deutsch=

land 10—35 Dollars, Frankreich 140—300 Dollars, Nieberlande 0·25—10 Dollars, Belgien 0·65—15 Dollars, Italien 200 Dollars, Spanien verboten, Rußland 15—75 Dollars, Oesterreich 3·50 bis 25 Dollars.

Wir sehen, daß mit Ausnahme von England jeder Staat in Europa seine Production schützt. Staaten, welche eine tausend Jahre alte Civilisation und Entwicklung hinter sich haben, schützen sich nach Maßgabe ihrer Productionsfähigkeit und die Differenz in den Zöllen ist nicht einmal sehr groß. Nur England macht eine Ausnahme, nimmt aber von den Ausnahmen den Tabak aus, der ihm ein willkommener Steuerartikel ist.

Hören wir, was der englische Staatsmann Sir Edward Sullivan über sein Vaterland 1882 sagt:

„Dreißig Jahre zurück", sagt er, „hatte England schon ein Monopol in der ganzen Welt durch seine Industrie. Es producirte Alles im Uebermaße und mehr als es consumiren konnte. Andere Nationen producirten verhältnißmäßig nichts. Die Welt war genöthigt, von England zu kaufen, weil sie nirgends anders kaufen konnte. Die Entdeckung von Gold einerseits und die Erfindung der Dampfmaschine anderseits erhöhten die Nachfrage und Kauflust der Welt und in Folge dessen die Nachfrage in England. Der Wohlstand Englands stieg wild. England war berauscht durch den Erfolg. Mit seinem ungeheuerlich aufgehäuften Reichthume, seiner Maschinenkraft, seinen Kohlen, seinem Eisen, geschützt durch die insulare Lage, fühlte es sich unbesiegbar. England lachte, wenn von der Möglichkeit einer fremden Concurrenz die Rede war. Es trug den Kampf der ganzen Welt an und war bereit, sich noch die rechte Hand auf den Rücken binden zu lassen. Es sagte zur Welt: Ich will Alles, was Du schicken kannst, ohne Zoll bei mir aufnehmen, und fügte den Ausdruck der Hoffnung bei, daß die Welt dafür englische Güter

werde entgegen nehmen. Gewiß, antwortete die Welt, wir
wollen Dir Alles senden, was wir haben, aber unglücklicher
Weise haben wir nichts; wir können unseren eigenen Bedarf
nicht decken; wenn wir aber Euere Maschinen und Arbeiter,
wenn wir einmal Capital haben werden, so hoffen wir auch
Ueberschuß zu erzeugen, den wir nach England schicken werden.
Das war vor dreißig Jahren. Jetzt haben Frankreich, Amerika
und Belgien unsere Maschinen, unsere Arbeitsleute und
großes Capital und jetzt schicken sie ein jährlich wachsendes
Surplus nach England, das Englands eigene Producte von
Englands eigenen Märkten vertreibt und jedes Jahr schließt
die Welt ihre Märkte fester ab gegen englische Producte."

In diesen wenigen Worten erzählt Sullivan die ganze
Entwicklungsgeschichte Englands und der Welt, und wirklich
war England bis 1844, theilweise sogar bis 1859, ein
Schutzzollland, und wirklich zeigen uns die heutigen Tarife
und alle diese Welt= und Rayonsausstellungen in der ganzen
Welt, daß alle Staaten der Welt nahezu industriell unab=
hängig von einander leben könnten, wenn sie müßten.

Klarer als irgend ein politisch=historisches Werk erklärt
sich jetzt die ganze Orientpolitik Englands, das genöthigt ist,
für seine Ueberproduction sich Märkte zu suchen und zu sichern,
denn heute ist es für England zu spät, englische Tarifpolitik
zu treiben; seine heimische Wirthschaft ist auf die Ueberpro=
duction gegründet; die heimische Consumtion kann die heimi=
schen Producte nicht aufsaugen. Das Surplus wäre ohne
fremden Markt werthlos, das Werthlose würde nicht mehr
erzeugt, die Spindel würde ruhen, die Dampfmaschine stehen
bleiben, die Arbeiter müßten verhungern oder auswandern,
denn alle civilisirten Länder sind concurrenzfähig geworden —
nur der Orient nicht.

Auch darin hat Sullivan Recht. Die Welt wird ihr
Surplus der Production auch los werden wollen, wenn die

Welt einmal competenzfähig sein wird. Jede Fabrication hat das Bestreben, sich auszudehnen; denn billig und wohlfeil kann ein Artikel nur dann hergestellt werden, wenn er in Masse producirt wird.

Die stabilen Kosten der Production, d. i. Verwaltung, Maschine, Gebäude 2c. bleiben sich gleich bei großer und kleiner Production; ihr Procent aber wird klein bei großer und groß bei kleiner Production. Jeder Fabrikant muß daher, um billig zu produciren, viel produciren und um wohlfeil zu verkaufen, das heißt wieder, den Markt zu beherrschen, billig produciren. Er arbeitet daher auf Vorrath ohne genaue Kenntniß des Weltbedarfes und bereitet so unbewußt die ökonomischen Krisen vor, welche, periodisch erscheinend, die moderne Wirthschaft charakterisiren.

Gehen wir nun einen Schritt weiter in Vergleichung der Verhältnisse der großen Staaten zu einander.

Nehmen wir vorerst Area, Bevölkerungszahl und Alter der Staaten.

	☐-Miles	Volkszahl	Alter
1. Amerika	3,604.000	50,152.000	100 Jahre
2. England	121.000	34,505.000	800 „
3. Frankreich	205.000	37,166.000	1100 „
4. Deutschland	212.000	45,367.600	1100 „
5. Rußland	8,139.000	82,400.000	350 „
6. Oesterreich	241.000	39,175.000	1100 „

Die ganze Welt producirt etwa für 5000 Millionen an lebenden Thieren und für 5600 Millionen an Korn. Von ersteren consumirt die Welt 3600 Millionen, von letzterem 4800 Millionen an Werth, Alles in Dollars berechnet.

Sehen wir nun, wie sich Landwirth, Production, Consumtion und Bevölkerungsdichtigkeit bei obigen Staaten vertheilt.

	Landwerth in Dollars	Production		Consumtion		Dichtigkeit der Bevölkerung per ☐Meile
		Fleisch	Korn	Fleisch	Korn	
Vereinigte Staaten	18.000,000,000	1.800,000,000	2.100,000,000	950,000,000	1.600,000,000	14
Großbritannien ..	9.000,000,000	1.200,000,000	250,000,000	450,000,000	450,000,000	285
Frankreich	13.000,000,000	1.000,000,000	500,000,000	280,000,000	560,000,000	181
Deutschland	800,000,000	1.100,000,000	550,000,000	350,000,000	550,000,000	214
Oesterreich	6.500,000,000	1.000,000,000	350,000,000	260,000,000	350,000,000	162
Rußland	5.500,000,000	1.500,000,000	1.000,000,000	600,000,000	950,000,000	10

Von der Gesammt = Fleischproduction erzeugt Amerika 33 %, also ⅓, und consumirt 28 %, also mehr als ¼ der ganzen übrigen Consumtion. Von der gesammten Kornproduction fällt auf Amerika gleichfalls der dritte Theil und 33⅓ % der Kornconsumtion der ganzen Welt fällt auf Amerika, wobei ihm noch eine riesige Masse erübrigt, um die alte Welt damit zu versehen.

Der Arbeitslohn steht in den United States mehr als nochmal so hoch als in Belgien, dreimal so hoch als in Dänemark, Frankreich und Deutschland und mehr als dreimal so hoch, als in Italien und Spanien.

Dagegen stehen die Preise für alle Bedürfnisse des Arbeiters tiefer in Amerika als in einem der oben angeführten Länder, d. h. der europäische Arbeiter kann sich daheim die Lebensbedürfnisse, welche ein amerikanischer Arbeiter hat, nicht zu so niederen Preisen verschaffen, wie der Amerikaner zu Hause; wohl aber könnte Letzterer in Europa so gut leben, als irgend ein europäischer Arbeiter leben kann.

	Monatslohn	Monatskosten des Lebens	Monatskosten der Kleidung
1. Ver. Staaten	12/12	8/12	9/12
2. England	6/12	12/12	4/12
3. Frankreich	4/12	10/12	4/12
4. Deutschland	4/12	9/12	3/12
5. Italien	3¾/12	8/12	2¾/12

United States als Basis genommen. ¹²/₁₂ bedeutet den höchsten Lohn, die beste Kost und beste Kleidung.

Auch im Wohlstande steht Amerika am höchsten, Italien am tiefsten und 5 Millionen Dollars schicken die Immigranten jährlich an ihre Verwandten nach Hause, während Großbritannien nur ¾ Millionen, Frankreich nur eine, Deutschland nur zwei und Italien nur ¾ Millionen Dollars ins Ausland remittiren.

Um die Vortheile und Nachtheile für den Manufacturisten richtig zu beurtheilen, ist es nöthig, die Bedingungen zu kennen, unter denen Capital zu haben ist.

In England steht der Zinsfuß auf $3^3/_{10}$ %; in Frankreich auf $4^1/_7$ %, in Deutschland $4^3/_7$ %. In Amerika beträgt er in den östlichen Staaten $5^4/_5$ %, in den südlichen 8 %, in den westlichen Staaten 12 % und in den pacifischen 25 %.

Eine Million Dollars trägt daher jährlich:

in England	39.000 Dollars
„ Frankreich	41.285 „
„ Deutschland . . .	44.285 „
„ Amerika: im Osten . .	58.000 „
„ Süden . .	80.000 „
„ Westen . .	120.000 „
„ Pacific-St. .	250.000 „

Die Bedingungen sind daher sehr verschieden und daß man mit der Formel: „was nicht lebensfähig ist, soll zu Grunde gehen", nicht auslangt, das hat Sullivans kurze Kritik schon bewiesen, soll aber doch nochmals bewiesen werden.

Dasjenige Land, aus welchem Amerika sein Capital fast ausschließlich bezieht und früher entschieden bezogen hat, ist England.

Von dort kam der Fond zur Versicherung der Gebäude und Producte aller Art, zu Eisenbahnen 2c., und England hat die gesammte Schifffahrt, also den Transport zwischen Amerika und den anderen Welttheilen längst durch sein billiges Capital an sich gebracht. Es bezieht für seine Capitalien in Amerika 8 %, anstatt $3^3/_{10}$ % zu Hause. Die Jahres-Rimesse an England beläuft sich auf 160 Millionen Dollars im Jahre.

Nun wollen wir einen Blick auf die Statistik der Entwicklung von Ackerbau und Industrie Amerikas unter dem

System des Schutzzolles werfen und sehen, wie viel von den Producten zu Hause verzehrt, wie viel ausgeführt wird.

Die Agricultur-Statistik reicht erst 14 Jahre zurück.

1870 wurden Producte im Werthe von 2.448,000.000 Dollars producirt. 1882 steigt ihr Werth schon auf 7¹/₂ Milliarden, also um 300 %.

Manufacturen:

1850: 1.019,000.000 Dollars
1860: 1.886,000.000 „ , gestiegen um 85 %
1870: 4.232,000.000 „ , „ „ 123 „
1882: 8.000,000.000 „ , „ „ 90 „

Von den Industrie = Erzeugnissen werden 98¹/₄ % in Amerika, d. h. in den United States, verbraucht. Von den Agricultur-Producten genau 92 %.

Wir werden bald zu dem Satze kommen: der Landwerth steigt im geraden Verhältnisse zur Zunahme der Industrie und im geraden Verhältnisse zur Abnahme der exclusiven Farmerwirthschaft, das heißt der reinen Rohproductenwirthschaft. Hier nur die Frage: Was würde aus den Farmern geworden sein, wenn ihr Hauptconsument, die Industrie, nicht entstanden oder zerstört worden wäre.

Wir wollen nun eine Tabelle zusammenstellen über die Bedingungen der Industrie in den verschiedenen großen Staaten.

	Manufacturen	Agriculturen	Handel (nach Außen)	Bankwesen	Bergbau	Totale
			In Millionen Dollars.			
Verein. Staaten	8000	7500	1500	3300	700	21.000
England	4000	1200	3800	4000	400	13.400
Frankreich	2500	2000	1800	2000	70	8.370
Deutschland	2200	1800	2000	1500	100	7.600
Rußland	1300	2000	1000	750	60	5.110
Oesterreich	1000	1500	700	900	40	4.140

Nur Rußland und Oesterreich stehen im Handel hinter Amerika zurück; von England, Frankreich und Deutschland wird das große Amerika geschlagen und dieser Außenhandel ist zumeist in englischen Händen, und so steht es auch mit dem Bankwesen, wie wir gezeigt haben.

Die Gesammtproduction zu kennen ist aber deshalb sehr nützlich, weil man nur nach ihr die Größe der Besteuerung messen kann, von der wir sogleich ein kleines Bild entwerfen wollen.

Die Frage, wie viele Steuer auferlegt werden dürfe, ist längst müßig geworden. Jeder Staat muß so viele Steuern aufbringen, als er braucht, oder Schulden machen. Umgedreht läßt sich auch sagen: jeder Staat treibt so viele Steuern ein, als er aufbringen kann und deckt das, was er nicht zu decken vermag, durch Anlehen. Seit Jahrzehnten mühen sich die europäischen Parlamente ab, Ersparungen im Staatshaushalte zu erreichen. Die Budgets jedoch steigen und höchstens reducirte man hie und da die Zinsen der Staatsschuld. Die Minoritäten rufen stets nach Ersparungen, sobald sie aber Majoritäten werden, greifen sie zu Steuererhöhungen aller Art. Wie die Dinge heute stehen, bleibt den Finanzpolitikern nichts übrig, als sich in zwei große Gruppen zu scheiden, nämlich in jene, welche das Hauptgewicht auf directe, und in jene, welche es auf die indirecte Besteuerung legen. Auf Seite der Letzteren werden die Schutzzöllner stehen, weil sie durch den Zoll die heimische Industrie, also damit auch die directe Steuer heben; auf Seite der Männer der directen Besteuerung stehen die Freihändler, weil für sie der Zoll keine Einnahmsquelle sein kann; denn die subtile Unterscheidung von Finanzzoll und Schutzzoll existirt nur theoretisch, weil der Zoll, der nicht schützt, eine directe Steuer ist, die allerdings den Preis der Ware afficirt, d. h. erhöht, aber doch die Höhe der heimischen Productionskosten außer Berechnung läßt.

Gestatten Sie uns nun, eine kleine Tabelle zu bringen, welche das Totaleinkommen der schon öfters angeführten Staaten darstellt und zeigt, wie viel durch Zölle für Einfuhr, wie viel durch Besteuerung im Inlande selbst und per Kopf aufgebracht wird.

	Einfuhrzölle		Inlandssteuer		Totale	
	Mill. Doll.	per Kopf Doll.	Mill. Doll.	per Kopf Doll.	Mill. Doll.	per Kopf Doll.
Ver. Staaten	220	4.20	146	2.92	366	7.12
England	96	2.74	260	7.43	356	10.17
Frankreich	65	1.75	430	11.62	495	13.37
Deutschland	50	1.10	95	2.10	145	3.20
Rußland	100	1.20	350	4.25	450	5.45
Oesterreich	50	1.30	285	7.30	335	8.60

Ohne den höchsten Tarif zu haben, bezieht Amerika den größten Theil seiner Staatsrevenuen aus dem Einfuhrzoll in Folge der größten Einfuhr. Man ist daher im Irrthum, wenn man die amerikanischen Taxen Prohibitivtaxen nennt. Alles wird eingeführt und kein Volk zahlt so viel an Einfuhrzoll, als das amerikanische. Dagegen zahlt kein Volk eine kleinere Inlandsteuer als Amerika; denn der niedere Satz per Kopf für Deutschland kommt daher, daß die Inlandsteuer den einzelnen Staaten zu Gute kommt, aus denen Deutschland besteht.

Aus obiger Tabelle ist das ganze ökonomische System der Staaten zu ersehen. Ohne uns in die Frage einzulassen welches System das bessere ist, müssen wir nur constatiren daß den Legislatoren der alten Welt nur eine Wahl offen steht, nämlich ihr System zu behalten oder zu ändern. Nur Amerika ist in einer anderen Lage.

In der alten Welt steht daher die Steuerfrage als „Steuer-Reform", in der neuen als „Steuer-Reduction" auf der Tagesordnung. In der alten Welt ist an Letztere im

8*

Großen und Ganzen gar nicht zu denken, sondern jede Reform läuft auf Erhöhung des Staatseinkommens hinaus, um das Deficit los zu werden. Nur in Amerika will man das Staats= Surplus eindämmen und findet hiezu den Schlüssel nicht, so wenig, als man ihn in Europa gegen die Deficite findet.

In welches Wirrsal die Reform der Realsteuern führt, zeigt Europa recht klar. Jede alte Steuer ist eine gerechte geworden; sie wird es durch Capitalisirung der Steuer. Mit jeder Generation wechselt der Besitz und die Steuer kauft Niemand; es erbt sie auch Niemand; die Capitalsumme, welche eine Rente gleich der Jahressteuer bringt, wird vom Werthe des Besitzes abgezogen. Jede Reduction einer alten Realsteuer ist daher ein Geschenk an die neue Generation im Capital. Derlei beabsichtigt keine Steuerreform. Umgekehrt ist jede Steuererhöhung eine Reduction des Capitalwerthes und auch das beabsichtigt keine Steuerreform.

Mit einem Steuersystem ganz zu brechen, wagt kein Staat, schon aus dem Grunde nicht, weil die Uebergangs= jahre nothwendig die Staats=Revenuen compromitiren und jeden festen Calcul ausschließen. Deshalb sehen wir auch in Europa durchwegs lange Perioden successiver Reformen, stets gestört durch Kriege und Revolutionen und endlich einen prä= cipitirten Abschluß ohne die geringste Befriedigung.

Man kann für Amerika und den praktischen Sinn seiner Legislatoren mit großer Sicherheit voraussagen, daß es um= geachtet der freihändlerischen Agitation mit seinem Wirthschafts= system nicht brechen werde und am allerwenigsten deshalb brechen werde, weil der Jahresüberschuß in den Staats= Revenuen weggebracht werden müsse. Man wird vielleicht den Zoll auf einzelne Artikel reduciren; dann aber ist es möglich, ja sogar wahrscheinlich, daß das Staatseinkommen steigt, an= statt zu fallen, denn die Consumtionsfähigkeit ist ungleich größer in Amerika als jene in Europa; man ißt mehr, kleidet sich sorgfältiger und verwendet auf Erholung viel mehr als in den alten Staaten. Werden aber heimische Industriezweige geschädigt, so darf man sicher sein, daß der Zustand nicht lange dauern werde; der Congreß kann und darf sie nicht zu Grunde gehen lassen, sonst kommt die Besiedelung seiner ungeheueren, der Cultur harrenden Länderstrecken an North= und South=Pacific=Bahnen in's Stocken, die Immigration von „Händen" und „Capital" wird gestört und hiemit die ganze Entwicklung.

Jedes Steuersystem, in welches sich ein Volk eingelebt hat, ist ein das Volk conservirendes passendes Etui, wie wir Eingangs sagten; jedes Neue kann passen, muß aber nicht passen, und paßt in der Regel erst dann, wenn Generationen in's Grab gestiegen sind und neue sich in das Procrustesbett des neuen Systems hineingepaßt haben.

Wir wollen nun die rein finanziellen Lebensbedingungen obiger Staaten etwas in's Auge fassen.

	In Millionen				Percentverhältniß der Schulden zum Wohlstande
	Wohlstand	Schulden	Revenuen	Ausgaben	
Vereinigte Staaten	55.000	1800	403	237	$03\frac{1}{2}$
England	45.000	3800	427	415	$08\frac{1}{2}$
Frankreich	40.000	4000	650	650	$11\frac{1}{4}$
Deutschland	25.000	90	160	150	05
Rußland	15.000	2000	500	600	$13\frac{3}{4}$
Oesterreich	14.000	2000	350	600	$10\frac{3}{4}$

Man kann nicht sagen, daß Amerika sein Wirthschafts= system schlecht bekommen habe. Ungeachtet der kurzen Zeit der Entwicklung wurde es die reichste Nation der Welt und weist das kleinste Procent der Schuld im Verhältnisse zum Wohl= stande nach. Ja noch mehr, es ist in der Lage, jährlich hundert Millionen der öffentlichen Schuld zu tilgen, wodurch wenig= stens fünf Millionen Zinsen jährlich erspart werden. Ja die

Verwaltung darf im Bestande der jetzigen Legislation gar nichts anderes mit dem Ueberschusse machen, und deshalb kommt die Frage des Surplus in den Congreß, welcher nicht nur dafür sorgen soll, daß das Surplus schwinde, sondern auch dafür, daß Staatsobligationen genug übrig bleiben, um den Bürgern Gelegenheit zu geben, ihre Ersparnisse nicht nur in Sparcassen und Actien und Land und Industrie zu verwerthen, sondern „Rentiers" die Existenz möglich zu machen, besonders aber, um Cautionspapiere zu schaffen, denn jeder Staatsbeamte legt Caution!

Der Staat muß also gegen Willen und Nothwendigkeit Schulden bei seinen Bürgern contrahiren; seine Einnahmen wachsen im Wege der natürlichen Entwicklung des weiten Landes; seine Ausgaben fallen rapid beim rapiden Sinken der Staatsschuld und ihrer Verzinsung, und jede Reduction der Zölle droht noch überdies die Einfuhr, also die Einnahmen hiefür zu vergrößern!

Man sehe nur, wie der Wohlstand seit 1870 wuchs und wie sich bei gleichbleibendem Wachsthume Wohlstand zur Schuld stellen wird, falls eine Aenderung in der Legislation bis 1900 nicht eintritt.

1860 betrug der Wohlstand . . 16.150,000.000
Schulden gab es nicht.

								Schuld %
1870	Wohlstand	.	.	.	.	.	32.318.000.000	7·84
1880	„	.	.	.	.	.	64.636,000.000	3·92
1890	„	.	.	.	.	.	129.272,000.000	1·96
1900	„	.	.	.	.	.	258.514,000.000	0·98

Wir Europäer können bei der heutigen Lage der Dinge nur eingestehen, daß bei der bestehenden Tarifpolitik Amerika's in Verbindung mit der Immigration nach Amerika Wohlstand und Production der weiten Lande ganz unerhörte Dimensionen annehmen müsse. Diese Größe der Production muß

Amerika wieder eine dominirende Stellung in der ganzen wirthschaftlichen Welt geben, welche so lange dauern wird — bis — das Gleichgewicht zwischen Europa und Amerika wieder hergestellt sein wird. Wodurch wird das Gleichgewicht hergestellt werden, und wie lange wird das dauern? Dies sind die zwei wichtigen Fragen, welche sich Europa zu beantworten hat.

Es liegt sehr nahe und hat ja auch vollste Berechti= gung, daß sich Europa auf den Vertheidigungsfuß gegenüber von Amerika stellt. Das geschieht ja auch. Die ganz natürliche Folge hievon ist jedoch, daß der Preis der wichtigsten Nah= rungsstoffe, des Fleisches und Kornes, in Europa steigt, daß daher der kleine Producent, der Handwerker und Arbeiter schwerer lebt als bis dann. Zugegeben, daß dies unvermeidlich ist, und außer Frage gelassen, daß die Arbeit in Amerika überhaupt lohnender ist als in Europa, worin ja der Grund der Emigration aus Europa liegt, so folgt daraus, daß die Emigration auch zunehmen werde. Heutzutage haben alle Nationen Landsleute in Hülle und Fülle in Amerika; man braucht keine Verlockungen durch Agenten, die Passage über's Meer hat längst ihre Schrecken verloren; Briefe geben über Alles Aufklärung, und der europäische Arbeiter in Amerika lobt seinen Angehörigen in Europa die sociale Lage, die bessere Stellung, die reichliche Kost, das entwickelte Vereinsleben, den größeren Verdienst und die Zahl der gesellschaftlichen Unter= haltungen!

Ein Tischlergeselle aus Dresden, der ziemlich gut eng= lisch sprach, da er schon drei Jahre in Amerika arbeitete, fuhr erster Classe auf Bahn und Schiff und machte einer hübschen Lady aus guter amerikanischer Gesellschaft den Hof — er sah wie ein perfecter Gentleman aus, nur die Hände gaben Zeugniß von schwerer Arbeit, sie steckten aber in feschen Handschuhen. Ist das nicht an sich verlockend genug? Dann kommt noch der Soldatendienst, die Leichtigkeit, sich in Amerika zu verheiraten und auf Annuitäten ein Häuschen zu bauen und vieles Andere.

Der Auswanderung Grenzen zu setzen, wird nicht gehen, zumal nicht bei erschwerten Lebensbedingungen daheim. Deshalb muß sich Europa gefaßt machen großes Capital an Arbeitskraft und Geld zu verlieren, die Amerika zuwachsen, dort die Entwicklung fördern und damit seine Ueberlegenheit in gefährlichster Weise für Europa steigern. Diese Auswanderung wird so lange anhalten, bis das Leben sich genau so schwer gestaltet in Amerika als es heute in Europa ist; bis sich hohe und niedere Classe des Volkes so markant unterscheiden, als sie es in Europa thun — mit Einem Worte, bis die Wirthschaft ausgeglichen ist dies- und jenseits des atlantischen Oceans und Zölle überhaupt nicht mehr möglich sind.

Die Civilisation der United States ist durch und durch angelsächsisch. Innerhalb einer gewissen Zeit wird sie sich noch mehr sächsisch gestalten als englisch, weil Deutschland, d. h. die deutsche Nation jetzt das größte Contingent zur Emigration liefert. Dieses anglo-sächsische Volk hat kein Talent zur Isolirung. Amerika wird sicher nicht den Weg der chinesischen Civilisation einschlagen, wenn auch kein Zweifel bestehen kann, daß endlich jede Civilisation an einem Punkte anlangt, wo sie nicht mehr weiter kann und versteinert. Aber diese Grenze liegt unendlich weit und nahezu unendlich weit ist der Weg zur Ausgleichung der Productionsdifferenzen durch Emigration.

Damit können sich die leitenden Staatsmänner nicht befassen. Man fordert heute Hilfe von ihnen und Europa und Amerika stehen schon heute auf Kriegsfuß im Wirthschaftswesen. Nahe aneinander lebende Völker hätten in alter Zeit wahrscheinlich den Krieg mit Waffen begonnen, anstatt ihn mit Tarifen zu führen. Zum Glücke wird Amerika nicht so leicht in die Gelegenheit kommen, seine Schweine und

Früchte den europäischen Völkern mit Kanonen zu octrohiren. Amerika hat keine Handelsflotte und keine Kriegsflotte. Fürst Bismarck sagte einst: „An dem Tage, an welchem der Lasten= transport, der Handel mit Fracht in fremde Hände übergeht, wird ein tödtlicher Schlag auf alle Industrien dieses Landes geführt sein. Es wäre vom Standpunkte der Nation aus eine Anomalie den Transport einem industriellen Rivalen zu überlaffen."

In dieser Beziehung ertappen wir die United States auf einem großen Versäumniß, welches Europa zu Gute kommt und die Regierungen der großen europäischen Staaten geben sich große Mühe ihre Schiffahrt im Allgemeinen und ins= besondere mit Amerika durch nationale Subsidien zu heben und künftige Mitcompetenz Amerika's auszuschließen. Amerika subventionirt heute kein Privat=Schifffahrts=Unternehmen, während in England fast $^7/_{15}$, in Frankreich $^{10}/_{15}$, in Deutsch= land $^3/_{15}$, in Rußland $^4/_{15}$, in Oesterreich $^5/_{15}$ der Handels= marine subventionirt ist.

Hätte Europa nicht den Transport, also den Fracht= tarif in seinen Händen, so wäre ein Verkehr mit Amerika gar nicht möglich. Officielle Nachweisungen zeigen, daß Amerika 1883 um 823 Millionen Dollars Güter, größten= theils Rohproducte, ausführte, dagegen für 723 Millionen Dollars Güter, größtentheils Manufacturen, einführte. Seine Balance beträgt daher circa 100 Millionen Dollars per Jahr.

Nehmen wir nun an, der Transporthandel läge ganz in amerikanischen Händen, dann hätte Amerika die Macht, für seine Ausfuhr Minimal=Frachtsätze, für die Einfuhr aber Maximalsätze festzustellen, so wie dies Europa heute thut und thun kann, dann gelangte, bei gleichbleibendem Exporte aus Amerika nach Europa in 20 Jahren das ganze Baargeld Europa's nach Amerika. Natürlich würde dieser Zustand nie eintreten, weil endlich selbst zu den höchsten

Frachtsätzen Güter aus Europa nach Amerika geschickt würden und Liebhaber fänden. Daß jedoch der Außenhandel Europa's und Amerika's sich bis auf circa 100 Millionen Dollars balanciren, das verdankt Europa seiner Handelsflotte und Amerika weiß auch, wo Europa's Ueberlegenheit zu suchen ist.

Wenn daher der wirthschaftliche Krieg ernsthaft beginnen wird, so darf man sich darauf gefaßt machen, daß Amerika ihn an der richtigen Handhabe fassen werde. Solche Opfer, wie sie ein so actives Staatswesen bringen kann, wie jenes der United States, kann kein europäischer Staat bringen, selbst England nicht.

Die industrielle Entwicklung Amerika's ist in vollem Schwunge, selbst eine beträchtliche Reduction des Tarifes, wie z. B. W. R. Morrison, Vorsitzer des Comittee of ways and means, vorschlägt, die circa 20% auf der ganzen Linie betrüge und das Surplus nach seiner Rechnung um 35 Millionen verkleinern würde (was wir nicht glauben) könnte die Entwicklung der Industrie nicht aufhalten, vielleicht eine Zeit hindurch hemmen, aber viele ihrer Zweige sind schon zu stark geworden, als daß ein Krach erfolgen könnte. Die europäische Concurrenz wird die Preise allerdings drücken, nicht aber die Unternehmungen sprengen.

Dagegen ist durchaus nicht anzunehmen, daß Europa dann billiger produciren wird, als jetzt. Der Ausschluß amerikanischer Rohproducte wird im Gegentheile die ganze Arbeit in Europa vertheuern und den Rest würde die Organisation der Arbeiter besorgen.

Zum Glücke ist das „Schaffen" einer Handelsmarine keine Sache, die im Handumdrehen gemacht ist. Schon heute finden wir z. B. in San Francisco circa 10—15.000 Dalmatiner, sogar als Fischer, und es wird wenig amerikanische Schiffe geben, auf welchen nicht „Fremde" angestellt sind. Die Marineschule Amerika's zu Annapolis, wie vorzüglich sie auch ist, wird keine Mercantilcapitäne liefern, dazu ist sie ein viel zu aristokratisch und exclusiv angelegtes Institut, abge= sehen von allen anderen Exigenzen für Privatcapitäne und endlich fehlt dem amerikanischen Volke noch der Genius der Seefahrer. Aber auch der wird kommen und auch Geld wird sich für solche Unternehmungen finden, aber der Kampf neuer Unternehmungen gegen alte ist stets ein schwerer und langer und das ganze Bank= und Assecuranzwesen kommt in's Mitleid.

Es würde weit über die Grenzen einer so kleinen Arbeit gehen, den ganzen amerikanischen Tarif hier durchzuarbeiten. Derlei kann nur Fachmänner, nicht aber Leser interessiren, welche nicht einen dicken Band voll Tarifziffern studiren wollen. Gleich allen Tarifen enthält auch der amerikanische viele Positionen von großer Unklarheit und jede ist der ge= hässigsten Auslegung fähig. Alle Tarife wollen kurz sein und werden unklar. Viele Positionen sind reformbedürftig und reformfähig. Das kommt auch anderwärts vor. Man fällt aber in die Scylla, wenn man die Charybdis vermeiden will. Die Tariffrage ist eine wirthschaftliche, u. zw. eminent wirth= schaftliche Frage; in jedem Lande, wo Parteien herrschen, wird aber jede Frage zur Parteifrage, also auch die eminent wirthschaftliche. Rein agricole Gebiete wollen die höchsten Preise für ihre Rohproducte einstecken und die niedrigsten Preise für Industrieartikel zahlen. Dahin gehört der ganze Westen. Industriell entwickelte Staaten wollen höchste Preise für ihre Erzeugnisse und billigste Versorgung mit Roh= product. Erstere plaidiren für Freihandel; Letztere für Schutz= zoll. Um Senator oder Congreßmann zu werden, muß der Candidat die Farbe seiner Wähler kennen und sich selbst so färben.

Was die Legislative entscheiden werde, ist weit schwerer zu sagen, als welcher Candidat da und dort gewählt werden wird. Candidatenreden aber sind noch lange keine bindenden

Clubbeschlüsse. Jeder Gesetzgeber ist ein gescheidter Mann für sich. Sein Botum aber ist Resultat von Compromissen.

Aber das nationale Gefühl der Amerikaner ist sehr hoch entwickelt und über gewisse Erscheinungen geht dasselbe nicht zur Tagesordnung über. Mag die Entrüstung gar Manchen riesig groß sein über die östlichen Industriekönige, deren colossales Einkommen durch Tarifreduction auch reducirt werden soll — Keiner kann leugnen, daß der Werth der Farm weit mehr von der Mannigfaltigkeit der sie umgebenden In= dustrie abhängt, als von der Fruchtbarkeit des Bodens, und daß das Einkommen des Farmers dort am höchsten steht, wo es ihrer am wenigsten gibt.

Theilt man die Staaten und Territorien der United States in vier Classen, wovon die erste weniger als 30% der Bevölkerung in der Agricultur beschäftigt hat, die zweite, die 30, aber weniger als 50%; die dritte, welche 50, aber weniger als 70% und die vierte, die 70 und mehr Procent Ackerbauern besitzt, daher fast ausschließlich von agricoler Be= völkerung bewohnt ist, so findet man folgende Preise für den Acre Landes:

Classe	Staaten	Acres	Werth Dollar	Werth per Acres Dollar	Percente agricoler Bevölkerung
1	15	77,250.742	2.985,641.197	33·65	18
2	13	112,321.257	3.430,915.767	30·55	42
3	13	237,873.040	3.212,108.970	13·53	58
4	6	108,636.796	562,430.842	5·18	77

In der vierten Classe ist der Acre nahezu siebenmal weniger werth als in der Ersten.

Wir müssen es leider aufgeben andere Daten aus dem Jahresberichte des Agricultur-Departements zu excerpiren, welche obige Tabelle weiter illustriren und wollen uns darauf beschränken zu zeigen, wie sich der Verdienst des Farmers in den vier Classen zu einander stellt.

	Zahl der Ackerbauer	Werth der Production Dollars	Werth per Kopf
1. Classe	1,060.681	484,770.797	457
2. „	1,566.875	616,850.959	394
3. „	3,017.971	786,681.420	261
4. „	2,024.966	324,237.751	160

Diese Statistik ist überaus lehrreich — auch für Europa. Auch sie läßt sich noch weiter fortführen und ist auch weiter ausgeführt. Um jedoch zu zeigen, daß kein amerikanischer Statsman das Etui seines Tarifes wesentlich ändern kann, ohne die Entwicklung seines Landes zu gefährden, dürften die hier angegebenen Tabellen genügen.

Beginnt der Tarifkrieg zwischen Europa und Amerika im Wege der Retorsion, so geht die Frage dahin: Wer kann länger aushalten?

Wir wagen es nicht ein bestimmtes Urtheil auszusprechen, aber, wenn nicht alle Zeichen trügen, so stehen die Chancen für Amerika günstiger als für Europa.

Eine Bemerkung jedoch können wir nicht unterdrücken. Und mit dieser wollen wir schließen. Die europäische Gesetzgebung ist bemüht, dem kleinen Manne das Leben leichter zu machen. Daß dem besitzlosen Arbeiter durch das Verbot amerikanische Schweine einzuführen, das Leben nicht leichter gemacht wird, ist wohl außer allem Zweifel. Wir möchten nun auch behaupten, daß durch hohe Kornzölle ꝛc. auf ameri-

lanischen Weizen dem kleinen Manne, mag er besitzlos sein
oder ein Anwesen haben, nicht geholfen wird. Durch die
Freitheilbarkeit der Güter wird die Zahl der kleinen Land-
bauern stets steigen. Dieser kleine Grundwirth kann seine
Wirthschaft überhaupt nur dadurch einträglich machen, daß er
selbst arbeitet und er verzehrt $^{99}/_{100}$ dessen, was er erarbeitet.
Die Productionskosten sind ihm unbekannt. Er gehört also
auch in die Classe der besitzlosen Arbeiter und ist oft verhältnißmäßig schlechter daran, als der Fabriksarbeiter, weil er ganz
von der Natur abhängt. Billiges Korn und billiges Fleisch
werden ihm nicht schaden, denn er kauft davon nicht, außer
er hat nichts davon; dann ist ihm aber billiger Preis lieber
als hoher.

Es scheint uns daher, daß arbeitende Volksclasse und
kleiner Bauer ganz in gleicher Lage sind. Ja selbst der große
Bauer verzehrt nahezu sein ganzes Wirthschaftserträgniß
selbst. Ist dies der Fall, so wird auch ihm durch Einfuhrs-
verbote nicht geholfen. Will man diesen Menschen das Leben
erleichtern, so erleichtere man es in der Steuerschuld und lasse
ihnen billige Lebensmittel zukommen, woher sie auch stammen
mögen!

XIII.

Der Schlüssel in Amerika.

Der Hausthorschlüssel, der Kellerschlüssel, der Laden=
schlüssel, ja selbst der Zimmer= und Cassaschlüssel sind in
Wien von sehr ansehnlicher Größe. Mancher von ihnen kann
die Rolle des Stadtschlüssels übernehmen, wie ihn besiegte
Bürger dem siegreichen Feinde auf gesticktem Kissen überreichten.

Mit dem Schlüsselbunde, den man bei sich trägt in
Wien, zerreißt man sich alle Säcke. Man läßt sich Säcke von
Leder machen, um sie gegen die Angriffe durch Schlüssel zu
kräftigen. Auch diese werden durchgewetzt. Die Schlösser an
den Kästen und Thüren besitzen starke Federn; die Handhabe
des Schlüssels muß daher stark und groß sein, damit man
den Widerstand überwinden könne. Die Schlösser stecken tief
im Holze, deshalb müssen die Schlüsselstangen lang sein und
weil die Federn spröde sind, muß auch der Bart des Schlüssels
stark, fest, lang und dick sein. Stahlschlüssel sind sehr selten;
Bronzeschlüssel kommen gar nicht vor. Festes, zähes, dickes
Eisen, ganz gemeine Schlosserarbeit, kaum polirt. Alle Augen=
blicke bricht ein Schloß, ein Schlüssel; da erscheint ein Schlosser=
junge mit einem Bündel Einbrechwerkzeugen und öffnet das
Schloß mit Leichtigkeit; er öffnet es mit einem gebogenen
Drahtstücke. Meist ist der Bursche noch ein Knabe. Den
Schlüssel schweißt der Meister oder der Geselle. Künstliche
Schlösser an Thüren und Schränken gehören zur Ausnahme;
nur Vorlegschlösser macht und wählt man vorsichtiger, weil

man aus Erfahrung weiß, wie leicht das gemeine Schloß geöffnet wird.

Das Schloß ist in Amerika kein gemeines, kein allgemeines, sondern ein individuelles Verschlußmittel. Der Schlüssel ist aus Stahl oder Bronze, kurz, flach, der Bart jener des Chubb= und Yale=Schlosses, das Schloß selbst oft Chronometer=schloß. Ein Bündel von zehn Schlüsseln ist nicht größer als eine mittlere Sackuhr. Die Schlüssel hängen an einem kleinen Ringe, als wären sie aus Kartenpapier geschnitten. Alles Ueber=flüssige ist weggeraspelt. Sie sind polirt und sehen wie Gold aus. Es ist das Hartbronze, aus dem sich unsere Vorfahren ihre Schwerter machten. Jedermann trägt seinen Hausthor=schlüssel bei sich; es gibt keine Hausmeister.

Mr. Nutt, eigentlich Captain Nutt, war Cassier. Er wurde von einem gewissen Herrn Dukes, der Nutt's Tochter verführt hatte, erschossen. Der Sohn des Captain Nutt, Namens James Nutt, erschoß hierauf Herrn Dukes, nachdem Dukes von der Jury freigesprochen worden war, und wurde selbst auch freigesprochen. Dieser Proceß machte viel Lärmen und große Brochuren brachten die ganze Gerichtsverhandlung und ihr eigenes Urtheil über die Geschwornen und die Mörder.

Der junge James Nutt holte den Revolver, mit welchem er seinen Vater rächte, aus der Cassa seines verstorbenen Vaters.

Im Kreuzverhör wurde der Nachfolger Captain Nutt's gefragt, warum er den Revolver an James ausfolgte, und was diese Pistole in der Cassa zu thun hatte. Der neue Cassier meinte mit einem Anfluge von Humor, daß ja jeder Cassier einen Revolver haben müsse (die Geschichte ereignete sich in Pittsburg, einer hochcivilisirten Stadt und voll höchst=liberaler Arbeiter und hochgehender Journale), daß aber die fragliche Waffe Nutt gehörte und daß der junge James übrigens als guter Schütze bekannt war und stets einen Revolver umgeschnallt getragen habe.

Was werden europäische Cassiere zu dieser Auffassung sagen?

Auch der alte Nutt trug die kleinen Cassaschlüssel bei sich und auch den großen sechsläufigen Revolver. So besuchte er seinen de facto Schwiegersohn, und wer weiß, wer gefallen wäre, wenn Nutt hurtiger nach seinem Revolver gegriffen hätte. Dukes aber war schneller und der Zweikampf kam nicht zu Stande.

Darf man daraus schließen, daß die Amerikaner mehr Gewicht auf den Revolver und deshalb weniger auf Schloß und Schlüssel legen?

Nein! gewiß nicht. In den Pullmancar wird kein Waffenträger hineingelassen. Besuche mit umgeschnalltem Revolver zu machen, kommt nicht leicht vor. Die Hausthore sind von Glas, man kann dieses bequem eindrücken, aber das Thor schwer aufsperren. Der Revolver hat für jeden Cassier großen Werth, aber nicht blos in Amerika, sondern auch in Europa und mancher Wechsler könnte ihn gut brauchen, könnte er ihn überhaupt gebrauchen.

Der Europäer jedoch ist der Selbsthilfe ganz entwöhnt; er verläßt sich ganz auf die Polizei, die gar oft nicht helfen kann, weil präventiv einzuschreiten meist ganz unmöglich ist. Der Amerikaner verläßt sich lieber auf sich selbst und daher kommt es, daß er so geschickt ist mit dem Revolver und der Polizei manche harte Arbeit erspart.

Der Schlüssel hat daher in Amerika die ganze Bedeutung, welche er in der alten Welt hat, nur hat man ihn „handsam" umgestaltet. Warum soll man dies nicht auch in Europa thun. Muß das Hausthorschloß so groß sein, wie eine mittlere Cigarrenkiste? Nein! Aber es ist schon da — man müßte ein neues Schloß machen lassen und das kostet zu viel; das nöthigte, sich mit einer abgethanen Sache zu beschäftigen, das zwänge, den Handwerker von einer Sache zu instruiren, die man selbst nicht versteht, und nie gesehen hat. Das Alte ist der Feind des Neuen, der Schlosser arbeitet fort, wie seine Väter arbeiteten. Die Kunstschlosser machen Bildhauerarbeiten, wenn sie die Zeichenschule absolvirt haben, werden Künstler und hören auf Handwerker zu sein. Wer die Schulen durchgemacht hat, wer Talent besitzt, überspringt das Stadium des Gewerbsmannes und Gewerbsmann wird nur der, der nicht Künstler werden kann.

Man trägt seinen Schlüsselbund im Sacke fort. Die Hausfrau handhabt ihren pfundschweren Schlüsselbund fort, als ob es so sein müsse. Es darf ihr gar nicht einfallen, die Schlösser und Schlüssel ihrer alten, oft ererbten Schränke umarbeiten zu lassen, je älter so ein Schloß, je älter der Schrein und je größer der Schlüssel hiezu ist, je mehr er an die Ritterzeiten erinnert, desto lieber ist er ihr. Man ahmt alte Schränke täuschend nach und die Kunstschlosserei ahmt pfundschwere Schlüssel der alten Zeit perfect nach, das Herz schlägt vor Freude.

Die Bequemlichkeit des Lebens bleibt ganz außer Frage. Man kauft sich antike Wandschränke mit großen antiken Schlössern und Schlüsseln, nur um die Massen von Schlüsselbünden darin aufhängen und einschließen zu können; den großen Schlüssel steckt man in den Sack und fügt noch etliche große Schlüssel bei, um sie im Sacke zu spüren. Man verlegt auch diese großen Bünde, läßt Kisten und Kasten durch den Schlosserjungen mit einem gebogenen Nagel öffnen und denkt gar nicht daran, daß dies jeder Dieb so gut versteht, als wie der Schlosserlehrbub. Man schließt die Cassaschlüssel des Wertheimschlosses, weil sie zu schwer für den Sack sind, in die Lade des alten Schreibtisches, den jeder Nagel öffnen kann und wundert sich, daß in der „feuersicheren" das Geld schwindet, als wäre diese Cassa nicht auch zugleich auf Einbruchsicherheit privilegirt! Man freut sich über die große persönliche Sicherheit, deren man in Europa theilhaftig ist, daß man nicht so, wie diese Amerikaner — Revolver braucht, um sicher zu sein.

Aber die Sicherheit des Hauses, des Geldes, der ganzen Habe ist in Amerika sicher ebenso groß, wie in Europa, ja wir vermuthen größer, weil der Amerikaner bessere und handsamere Schlüssel und Schlösser besitzt, weil ein Dutzend Schlüssel in seiner Tasche noch nicht so viel Raum einnehmen, als Ein Hausthürschlüssel in Europa und weil der Amerikaner als sauve garde für seine Schlüssel und Cassen noch den kleinen Revolver führt, der 5—6 Mal losgeht und selbst Dieben und Räubern höchst unbequem ist.

Würde ganz Europa nur Ein Reich bilden, so wie die vier Millionen Quadratmeilen der United States nur Ein Gemeinwesen bilden; würde eine große Zeitung aus allen Theilen dieses weiten Reiches alle Verbrechen telegraphisch angezeigt erhalten und in langen Spalten bringen, wie dies z. B. der „Newyork Herald" täglich thut, man würde sich zu wundern Ursache genug haben über die Masse von Verbrechen gegen die Sicherheit der Person und des Besitzes, welche täglich in ganz Europa begangen werden.

Angenehm wäre diese Lectüre allerdings nicht; aber sehr lehrreich.

Gute, bequeme, kleine, schmale Schlüssel, wie gesagt, nicht viel dicker als Kartenpapier, sind ein vortreffliches Präservativ gegen Eigenthumsverletzungen und vom Standpunkte der Moral unentbehrlich, denn „man soll Niemanden in Versuchung führen".

Der Versuchung sind schon viele — besonders Dienstleute — zum Opfer gefallen — und doch — wer soll diese Riesenschlüssel fortwährend im Sacke tragen? Das ist nicht zu verlangen.

9*

Kann man verlangen, daß die Schloſſer Neues machen, ohne es zu lernen?

„Eine Schloſſerſchule", wird man ſagen. Gut! Wenn man ihm aber dort, anſtatt Schlüſſel und Schlöſſer, zierliche Eiſengitter und ſchöne Bildhauerarbeit beibringt, kunſtvolle Thurmkreuze zu machen lehrt, Ritter von ihm verlangt, die einen Rathhausthurm zu zieren haben, oder gar Rafael und Michel Angelo's Köpfe in Eiſen pouſſiren läßt — dann ſchießt man über's Ziel, wie überhaupt das ganze Unterrichtsweſen über's Ziel weit hinaus ſchießt.

XIV.

Das Reisen in Amerika.

Oft genug wurde das Reisen in Amerika beschrieben. Es läßt sich gewiß nichts Neues mehr darüber sagen. Das Reisen aber spielt eine große Rolle im Leben des Touristen. Skizzen aus Amerika können daher wohl kaum gegeben werden, ohne doch etwas vom Reisen in diesem Riesenlande zu erzählen.

Adam's Expreß ist Millionär geworden, blos weil er es übernahm, die Bagage der Reisenden zu übernehmen und für ein theueres Geld an Ort und Stelle zu schicken. Seither sind schon viele solche Unternehmer erstanden und reich geworden. In allen Städten Amerikas haben sie ihre Agenten und Leute und ihre Abrechnungen. Man fährt zur Cassa, nimmt das Fahrbillet und geht dann in das Bagagezimmer, wo die verschiedenen Gepäcksstücke „gecheckt" werden, d. h. man erhält ein rundes Blech, das den Namen der Transportgesellschaft, den Ort der Bestimmung und eine Zahl enthält. Diese Blechelchen steckt man ein. Ist man vorsichtig, so schreibt man sich die Nummer auf. Kurz vor Ankunft am Reiseziele erscheint der Bagagemann und frägt in welches Haus oder Hôtel man die Bagage abgeliefert haben wolle. Man gibt das an und er nimmt den Check in Empfang, gibt an dessen Statt neue und bald nach Ankunft im Hôtel bekommt man seine Sachen in's Zimmer gestellt. Auf der Rechnung findet man den Lohn des Expreßunternehmens eingestellt. Verluste und Verwechslungen sind äußerst selten; gewiß seltener als beim Recepißsystem in Europa. Man braucht sich nicht anzustellen bei der Frachtencassa, seine Dinge abwägen, mit Nummern bekleben zu sehen und endlich noch „Uebergewicht" zu zahlen. Die meisten amerikanischen Bahnen führen die persönliche Bagage kostenfrei; einige limitiren das Gewicht und der Expreß zahlt für Uebergewicht. Man kommt nur zu spät, wenn der Zug schon abgeht, die Bagage-Expedition fordert keine Zeit. In vielen Hôtels sind Bureaux für Eisenbahnbillete, dort wird die Bagage schon im Hôtel gecheckt und besondere Bagagewägen bringen sie zur Bahn. Wer diese Procedur nicht kennt, der findet sie beängstigend. Wer jedoch in Amerika reisen will, muß sich den Vorgang zu eigen machen; er ist die Basis der Bewegung und kennt man ihn, so befreundet man sich schnell mit ihm. Je weniger Handgepäck man hat, desto besser ist es. Bei Wagen- und Trainwechsel ist man sehr genirt, wenn man Vieles zu tragen hat. Die Bahnhöfe in den Hauptstationen sind sehr weitläufig und man hat große Strecken zu laufen. Ohne Handgepäck aber geht es doch nicht, zumal wenn man Nachtfahrten zu machen hat und in Pullmanncars sich zu Bette legt, daher Nachtkleider und Waschzeug braucht.

Die amerikanischen Waggons sind sehr groß, haben einen Durchgang in der Mitte und rechts und links schmale Sitze in welchen zwei Personen nur unbequem sitzen können. Die Lehne, welche oft verschiebbar ist, so daß sich z. B. vier Personen en face gegenübersetzen können, reichen nur bis zur Mitte des Rückens. Von Anlehnen des Kopfes ist keine Idee und zu schlafen ist nur in den allerunbequemsten Stellungen möglich. Eine Nacht darin zuzubringen, wäre eine Marter. Dagegen sind diese Wägen nur zu gut geheizt, man muß den Ueberrock ablegen und weiß nicht wohin ihn thun, falls der Wagen voll ist; Eiswasser steht in der Ecke und das

Fahren auf der Plattform ist verboten. Die Fenster sind niedrig und überhaupt klein, man sieht daher nicht allzu viel von der Gegend, welche man durchreist.

Dies ist die I. Classe. Herr Pullmann gab einem allgemeinen Bedürfnisse Abhilfe, indem er den Schlafwagen construirte. Dieser ist in Europa bekannt und eine Wohlthat da, wo man ohne Nachtfahrten nicht durchkommt. Allein der Pullmanncar, der Schlafwagen, wird Salonwagen unter Tags. Hier hört seine Vortrefflichkeit auf. Auch seine Sitze stützen Kopf und Rücken nicht und wer bei Tag schlafen will, muß den schwarzen Portier um ein weißes Kissen bitten und in den äußersten Gliederverdrehungen versuchen, jene Stellung zu finden, welche der europäische Waggon für den Reisenden bietet, während der amerikanische Waggon starr und steif fordert, daß sich ihm der arme Reisende anbequeme.

Durch den Pullmanncar wurde der I. Classe-Waggon entschieden zur II. Classe und die Einheit der Classe existirt nicht mehr. Diese Einheit wird auch dadurch illusorisch, daß es Bahnen gibt, welche II. Classe-Billets ausgeben; daß es Emigranten-Waggons gibt, welche Schlafstellen haben, und daß dort, wo Pullmanncars nicht laufen, andere Cars eingeschoben werden, in denen man für Einen Dollar per Fahrt einen Drehstuhl oder Recliningstool oder dergleichen bekommt — ohne jedoch deshalb schon rauchen zu dürfen. Es laufen oft Waggons mit, in denen geraucht werden darf. Hier reisen jene Leute, welche in Europa III. oder IV. Classe zahlen. Im Westen sind sie von Chinesen, im Süden von Schwarzen bevölkert. Diese III. Classe-Wägen sind besonders heiß gehalten und ungustiös über die Maßen, weil viel gekaut, also auch viel gespuckt wird. Wer in Europa gewohnt ist I. Classe zu fahren, der muß den Pullmanncar nehmen. Tag- und Nachtfahrt in diesem kostet 2½ Dollar, also ungefähr 5 fl. Gold Aufzahlung auf das Billet I. Classe.

Im Pullmanncar befindet sich ein Compartiment, Ladies-
Saloon genannt; diese Box wird auch an reiche Reisende
vermiethet und bildet eine V. Classe, sozusagen den Extract
der I. Classe. Eine Familie, welche von Ogden nach San Francisco fuhr, zahlte von Summitstation bis Sacramento, also
für eine Nacht, 24 Dollars.

Ein Reisender in europäischer I. Classe braucht alle
diese Protectionen und Ausgaben nicht. Mit Ausnahme von
Frankreich wird man nirgends so zusammengepreßt, daß man
den Platz gegenüber für die Nacht nicht frei hätte. Man
macht sich ein gutes Bett und hat mehr Luft, als im Pullmanncar. Raffinirte Amerikaner wissen, daß man im Pullmanncar während der Nacht das Fenster zu Füßen seines
kleinen Box etwas öffnen müsse oder doch solle. Wenn man
jedoch 5—7000 Schuh hoch Tag und Nacht fortfährt, so
wird man sich für diese Erfindung bedanken.

Fast überall in Europa gelingt es Rauchcoupés zu
erhalten, obwohl I. Classe das Einverständniß der Passagiere
dazu nöthig ist. Nur die Pullmanncars haben Rauchboxes,
die natürlich bald zum ersticken voll und gleich Selchküchen
angeraucht sind. Auf weiten Strecken hilft man sich, indem
man sich ungeachtet des Verbotes auf die Plattform stellt
und seine Morgencigarre dort aufraucht.

Fenster zu öffnen ist fast unmöglich. Es entsteht gleich
höllischer Zug, da der Porter am Dache des Waggons kleine
Klappthürchen herabläßt, um den Dunst und die Hitze der
Oefen hinauszulassen. So bequem, wie in Europa reist man
in Amerika ungeachtet oder wegen der großen Wägen nicht.
Alles was darüber Lobendes geschrieben wurde, ist nichts als
Renommirerei und imponirt jenen, welche die Sache nicht
kennen. Nur wenige Züge gehen wirklich schnell, z. B. jener
zwischen New-York und Philadelphia, der 60 Miles in der
Stunde fährt. Schon der Expreßzug zwischen New-York

und Washington macht nur mehr die Hälfte. Expreßzüge heißen überhaupt alle Züge, die nicht rein Frachtzüge sind — sie schließen aber die Fracht nicht aus und verhandeln die Zeit an den kleinsten Stationen mit Mehl, Obst, Conserven oder wie sie in Amerika heißen, mit Präserven von Fleisch ꝛc. So gehen z. B. zwischen Baltimore und Washington Expreß= züge in einer Stunde; andere in 1½ Stunden. Gebirgs= bahnen machen selten mehr als 22 Meilen die Stunde, oft kaum 15 bis 18 Meilen; deshalb versäumt man auch oft Anschlüsse.

Nach und nach werden die Bahnen immer stabiler ein= gerichtet, daher auch weniger gefährlich. Es gibt höchst solid hergestellte Bahnen, z. B. Baltimore=Ohio, die vorzüglich ist, obwohl keine Bahnwächter existiren und die Wege nicht ab= gesperrt sind. Aber auch Schranken beginnt man zu setzen. Die Bahnhöfe sind meist höchst primitive Holzschoppen, indeß elektrisch gut beleuchtet. Fast überall bei neuen Bahnen ent= stehen zuerst provisorische Bauten. Holz ist genug da und das Provisorium zahlt sich aus. Der Amerikaner sagt: Besser eine provisorische Bahn, als gar keine. Unglücke, Accidents sind da nicht selten. Die Bahnen zahlen Beschädigte stark und verlieren alle Processe gegen Nachkömmlinge von Ver= unglückten. Damit ist das öffentliche Gewissen befriedigt. Das ist wirklich so, wie ein Wiener Lied sagt: „Schwamm d'rüber". Die Zeitung bringt die Namen der Todten, der Injured, die Bahn zahlt und die Acten sind geschlossen.

„Versuchten Selbstmord" nannte ein Reisender die Fahrt auf gewissen neuen Bahnen. Es ist etwas daran. Die Ameri= kaner haben großen praktischen Geist und große praktische Geschicklichkeit. Ein amerikanischer Schlosser ist schon ein Stück von einem Maschinisten. So lange man nicht allzu viele Bahnen hatte, konnte man sehr gute Maschinisten auf die Locomotive als Führer stellen. Diesen Leuten schrieb man nicht vor: So und so viele Minuten mußt du fahren zwischen Station A und Station B, so viele von C zu D u. s. w. Man fixirte ihm die Gesammtzeit der Fahrt und überließ ihm die Eintheilung. Da und dort mahnte ihn eine große Tafel „slowly“ zu fahren, das war Alles — ist aber auch jetzt noch oft Alles. Seine Sache war es, bei Thalfahrten, bei Bergfahrten, bei Wegübersetzungen die Schnelligkeit zu reguliren, die großen Viehherden wegzuläuten, das Versäumte einzubringen 2c. 2c.

Aber der große Bedarf von heute an Locomotiv-führern, vielleicht noch mehr das große Risico, das dieser Mann läuft, der seine Riesenmaschinen, gegen welche europäische Locomotiven wirklich wie Katzen aussehen, kürzere Wendungen muß machen lassen, als europäische Tramways in den Städten, nöthigen die Unternehmungen, die endlich auch nicht jeden geforderten Lohn zahlen können, sich mit minderem Materiale zu begnügen und so kommt es, daß die Zahl der „Accidents“ nicht nur eine große ist, sondern daß die Zeitungen, wenn sie das Accident nicht ganz tobt-schweigen, publiciren, daß bei demselben „only“ — blos der Maschinist und der Heizer tobt blieben. Das ist nicht ermuthigend; es ist aber auch nicht ermuthigend für den Reisenden, wenn der Maschinist an der wichtigsten Stelle seiner Bahn, wie letzthin an der schwachen Brücke des Black River der Indianopolis-Bahn, in den Lastwagen zurückgeht, um Wasser zu trinken — indem er die Führung der Maschine dem Heizer überträgt. Dieser spürt, daß die Brücke in's Schwanken geräth, gibt vollen Dampf, die Locomotive reißt die Koppelkette ab, kömmt glücklich durch, aber die Waggons werden entgleist und teleskopirt. „Dead“ und „Injured“ berichtete die Zeitung, es fehlt nur noch der Richterspruch über die Entschädigung und das Accident ist abgeschlossen.

In vieler Beziehung erscheint die europäische Eisen=
bahngesetzgebung zu streng; auch provisorische Bauten und
hölzerne Bahnhöfe können gut sein und Holzbrücken halten
jahrelang; der Luxus der Bauten vertheuert sie, schmälert
die Rente, also den Capitalszuzug — indeß, muß das Leben
schon aus Fehlern bestehen, so sind die europäischen Fehler
angenehmer für den Benützer als die amerikanischen.

Von der Nahrung haben wir in einem anderen Capitel
gesprochen. Der Diningcar wird in Europa erst Eingang finden,
wenn der amerikanische Waggon eingeführt sein wird, früher
ist es nicht möglich, weil kein Zugang besteht und die euro=
päischen Waggons auch zu klein sind, um ganze Trains
abzufüttern.

Europäische gute Speisestationen aber wird Amerika nie
brauchen, seit es den Diningcar einführte. Dieser Car hat
das Gute für sich, daß er gute Stoffe mit sich führen kann,
die sich manche amerikanische Station gar nicht verschaffen
kann. Aber „kochen“ können die Schwarzen auch im Diningcar
nicht, wie sie es im Depôt nicht können. Der Stations=
Restaurant aber kann sich im Bestande des Diningcar nicht
entwickeln und schon gar nicht verbessern.

Am besten reist man in Rußland, dann kommt Schweden
und Oesterreich; dann Deutschland und Italien; dann erst
Frankreich und nach Frankreich erst England. Ob Amerika
zwischen Frankreich und England zu rangiren ist, oder nach
Letzterem, lassen wir dahingestellt sein.

XV.

Ein Sylvesterabend.

Es war am 31. December als ein zierlich Billet die Einladung brachte, den Abend bei Mrs. W....... zuzubringen.

Natürlich nahmen wir den Antrag an. Mrs. W. ist eine Dame von etwa 35 Jahren. Sie macht eine Ausnahme von der amerikanischen Regel, wonach die Frauen schnell verblühen. Sie sieht jünger aus und darf wohl schön genannt werden, ungeachtet ihrer halbgewachsenen Kinder. Sie ist groß, schlank, ihr Gesicht ist edel, die Augen sind dunkel und voll Leben, die Hand und der Fuß außerordentlich schön und ihre Toilette tadellos. Sie lebte die letzten Jahre theils in Deutschland, theils in Paris, beherrscht die französische Sprache vollkommen und ist eine Dame du monde.

Sie zählt sich nicht nur zu den Aristokratinnen ihres Landes, sondern wird auch von ihren Landsleuten dazu gerechnet. Ihr Gatte starb als ganz junger Mann. Sie selbst war damals fast ein Kind. Sie heiratete nicht mehr, hat große Besitzungen in verschiedenen Staaten der Union und auch in Europa.

Eine interessante Dame!

Wir nahmen die Einladung mit Vergnügen an. Sicher, dachten wir, träfen wir bei ihr große Gesellschaft; sie hat Raum dafür in ihrem schönen Hause. Reception!

Um 10 Uhr machten wir Toilette: Lackschuhe, weiße Cravatte, Klapphut. Der Wagen wurde angesagt. Wir steckten uns tief in die Pelze, denn es wehte bitter kalt und fuhren zu ihr.

„Nach Mitternacht!" hieß es für den Kutscher. „All right!" antwortete der Mann und trieb die Pferde heim. Wir läuteten. Es wurde geöffnet.

Das Haus war ganz still. Es lagen keine Mäntel, keine Pelze auf dem Teppiche der Halle.

Der Neger nahm uns die Kleider ab und führte uns rechts hinein in das Parlour. Auch dieses war leer. Wir gaben dem Manne unsere Karten, damit er sie seiner Herrin überbringe.

Das Parlour war mit allem Luxus ausgestattet, den es gibt. Carmoisinrothe Seidenmeubles standen an den Wänden. Sammtene Causeuses, schwellende Fauteuils von allen Farben und Formen befanden sich nachlässig um allerlei Tische herum, die mit Albums, Photographien, Aquarells und Nippes aller Art beladen waren. An den Wänden hingen dunkle Bilder an schweren Schnüren; dicke, weiche Teppiche bedeckten den Boden und rothe Gläser ließen nur wenig Licht aus den vielen Flammen ausströmen, welche am reichen Bronzeluster brannten. Die breite Schiebwand, welche das Parlour vom Speisezimmer schied, war durch schwere Sammtvorhänge, gleich dem Bowwindow hermetisch geschlossen. Ganz im Hintergrunde stand ein offenes Clavier, Noten lagen auf dem Pulte und rechts neben dem Sitze auf dem Boden, als ob eben Jemand das Instrument eben verlassen hätte.

Das ganze Gemach verrieth ohne Zweifel viel Geschmack und Sinn für Comfort, wenn es auch etwas studirt schien.

Wir waren einigermaßen erstaunt, uns da allein zu finden. Es war ja Mrs. W. Empfangstag, an dem es sonst gesteckt voll zu sein pflegte. Wir setzten uns und es dauerte nur einige Minuten, so kam der schwarzgekleidete schwarze Kammerdiener, dem die weiße Cravatte fast den Kopf isolirte und meldete, daß seine Herrin sogleich erscheinen werde.

In der That hob er fast unmittelbar darauf den großen, schweren Vorhang, welcher Parlour und Diningroom trennte, und ein Strom von gelbem Lichte erhellte vorerst unseren Salon und gleich darauf erschien in diesem Lichtmeere die hohe Gestalt der Hausfrau in der Tracht aus der Zeit Elisabeth's; der Vorhang fiel hinter ihr zu und im Halbdunkel eilte die Dame auf uns zu, jedem von uns die Hand reichend.

„Sie sind enttäuscht", sagte sie, „ich sehe Ihnen das an. Meine Gäste haben mich schon verlassen. Ich vergaß, daß heute großes Fest bei F... ist, wo die jungen Leute tanzen werden. Sie gehen wohl auch hin! Ich halte sie nicht auf. Nur einen Augenblick. Ich möchte meinen Freunden, Sie gehören ja zu diesen, ein glückliches Neujahr wünschen und ihnen meinen Handschlag geben."

Sie reichte uns dabei nochmals die Hand und wir sprachen unsere Freude darüber aus, daß sie sich nach langen vier Jahren endlich entschlossen habe, wieder nach Amerika zurückzukehren.

„Auch ich freue mich", fuhr sie fort, „wieder daheim zu sein. Aber Sie irren, es ist erst drei, nicht schon vier Jahre, daß ich nach Europa ging; ich mußte hinüber, theils der Güter wegen, die ich dort besitze und die seit dem frühen Tode meines Mannes recht vernachlässigt waren und dann der Kinder wegen. Sie wachsen heran, ich wünschte für meinen Sohn europäischen Unterricht und für mein Töchterlein europäische Erziehung. Ich weiß eigentlich nicht recht, warum ich das so sehr wünschte. Ja, für meine Tochter brauchte ich gründlichen Musikunterricht! Sie wissen wie sehr wir gute Musik lieben und wie wenig wir davon haben. Aber nach und nach wird das schon besser und hier in Washington wird schon ganz nett musicirt, nicht wahr?"

„Allerdings", sagte mein Freund, ein großer Amateur in der Musik und deshalb von allen musikalischen Mädchen geradezu geliebt, „besonders das Fräulein M. und die Tochter des Gesandten — —"

„Ja, ein gebornes Sängertalent — aber Fräulein M.", unterbrach ihn Frau W., „ist in Deutschland gebildet, hat in Dresden und Leipzig Musik studirt und dort lernt auch jetzt meine Tochter, die ich früher in Genf hatte, wo viele unserer Töchter in Pension sind. Also für meine Tochter weiß ich, warum ich sie drüben habe; es schadet auch nicht, wenn die Flirtation etwas später beginnt, als hier herüben; ich sage nicht, daß wir unseren Töchtern zu viele Freiheit geben, wir können uns auf sie gerade so gut verlassen, als etwa europäische Eltern auf die ihren, ich meine nur, daß es den Mädchen nicht schadet, wenn sie mit den Liebeleien später und dann gleich ernsthafter anfangen. Meinen Sohn nahm ich wahrscheinlich nur deshalb mit, weil ich mich von ihm nicht trennen konnte. Es war dies ein Fehler, den ich sobald gut machen will, als ein Abschnitt im Unterrichte möglich ist. Er soll ja doch vorerst durch und durch Amerikaner werden. O ich weiß, was Sie sich jetzt denken und glaube, daß Niemand die Fehler — nein die Schwächen unserer Nation besser kennt, als ich, die ich so viel in Europa gelebt habe. Sie müssen zugeben, daß wir eine sehr fleißige, arbeitsame Nation sind. Dazu werden unsere Söhne hier erzogen, sie haben gutes Beispiel an ihren Vätern. Selbst die reichsten Männer arbeiten, oft recht hart — deshalb langweilen sich so viele Amerikaner, wenn sie in Europa reisen. Sie wissen ihre Zeit nicht mit behäbigem Nichtsthun auszufüllen und den Cultus des Schönen als befriedigende Arbeit zu betrachten. Junge Leute, welche nach Europa gehen, um sich in ihrer Wissenschaft zu vervollkommnen, arbeiten auch dort sehr angestrengt; so sagte mir eine Professor der Universität in Wien,

daß die amerikanischen Studenten der Medicin und Chirurgie
zu den Besten der ganzen Anstalt gehören. Aber nicht von
solchen wollte ich sprechen, sondern von unseren Touristen und
wenn Sie nach diesen unsere Nation beurtheilen wollen, so
bekommen Sie einen schlechten Begriff von ihr. Ich werde nie
vergessen, wie wir einmal im Hôtel Baur au lac in Zürich
auf der Terrasse saßen; eine große Gesellschaft, theils Deutscher oder vielleicht Oesterreicher, sie sprachen nämlich gut
französisch, theils Franzosen. Der See war spiegelglatt, die
Berge traten scharf hervor aus dem schönen blauen Himmel
und die Schneegebirge des Berner Oberlandes habe ich noch
nie so rein gesehen. Wir waren alle entzückt. Da knallte
plötzlich der Pfropf einer Champagnerflasche gerade hinter mir.
Ich erschrak, drehte mich um und erkannte einen jungen Amerikaner, der sich mir vor etlichen Tagen vorgestellt hatte. Er
schenkte sich ein Glas Wein ein und trank es schnell aus,
die Flasche stellte er unter seinen Sitz. Der ganzen Gesellschaft genügte der schöne Anblick — ihm nicht; er mußte
etwas Apartes haben. So sind sie. Ich weiß das ganz gut.
Oder nehmen Sie die vielen „Ueberarbeiteten" — es gibt
deren schon — aber die Mehrzahl derselben schadet sich durch
den häßlichen Genuß des Whisky und den noch häßlicheren
des Kauens — —"

„Derlei kommt ja in der guten Gesellschaft nicht vor",
fiel ich ein.

„O! ich will nichts beschönigen, es kömmt vor, leider,
leider, sie dürfen nicht nach unserem Osten allein urtheilen,
dieser ist nur ein kleiner Theil des großen Gebietes, und selbst
hier ist der Whisky nur zu häufig, er ist ein Stimulus zum
haftigen Leben, das ja selbst schon eine Schattenseite unseres
Lebens bildet! Aber berühren wir ein anderes Capitel. Europa
hat gewiß lieblichere, ich möchte sagen grünere Landschaften
als Amerika, mehr Mannigfaltigkeit und selbst ganz groß-

artige Bilder sieht man dort; wir spielen stets das Yosemite-
thal dagegen aus und den Hudson und den Yellowstone
Park; freilich den Niagara hat Europa nicht, aber etwas
kann ja immerhin Amerika voraushaben, ohne die Schönheiten Europa's herabzudrücken. Europa gefällt uns auch sehr
gut, glauben Sie mir, aber wir gestehen das nicht gerne zu
und das ist sicher sehr kindisch und erscheint Ihnen wieder
lächerlich. Unser junges Volk ist eben noch etwas chauvinistisch.
Ich sehe All' das ein und doch möchte ich, daß mein Sohn
schon in Amerika wäre, er ist jetzt vierzehn Jahre alt und
sehr entwickelt, sehr intelligent, und wie ich denke, am Scheide-
wege. Er soll bald zurück. Unser Gemeinwesen ist doch sehr
groß und man muß sich hineinleben, so lange es noch Zeit
ist! Werden Sie Morgen den Neujahrsempfang des Präsidenten mitmachen?"

„Natürlich!" sagte mein Freund, „wir freuen uns sehr
darauf."

„Ich werde auch dort sein. Ich gehöre zu seinen Empfangsdamen. Wir Frauen müssen den Gästen des Präsidenten die Honneurs machen, was sagen Sie zu dieser Art
des Empfanges?"

„Eine des Chefs der Republik ganz würdige Ceremonie,
die der Feierlichkeit nicht entbehrt, in ihren Einzelheiten von
der Ceremonie eines Königshofes allerdings abweicht, aber
doch sicher ein Hofceremoniell ist!"

„Das können Sie nicht sagen! Nein, kein Hof! Keine
Spur von Hof! Ich habe derlei am Hofe Napoleon III.
mitgemacht; auch bei Papst Pius IX. machte ich Empfänge
mit. Der römische Hof war in jener Zeit vielleicht der feier-
lichste und die Distanz zwischen dem Papste und uns ganz
ungemessen groß. Bei uns sind gar keine Vorschriften. Der
Präsident ist ein Bürger des Staates, wie jeder Amerikaner.
Man drückt ihm die Hand — wenn man will, voici tout.

B. Aba, Skizzen aus Amerika. 10

das dauert einen Moment. Wir sind sein ganzer Hofstaat und diese Art Hofstaat entspricht unserer Auffassung des socialen Lebens noch am meisten. Wir geben uns redliche Mühe, die Gäste noch einen oder zwei Augenblicke zu fesseln und ihnen so viel Schönes zu sagen, als uns einfällt; sprechen Sie nicht von Hof, dazu soll das White House nie werden. Wir sind sehr eifersüchtig auf unsere Rechte, unsere Freiheit und Gleichheit — liberté et égalité."

„Glauben Sie, Ma'am, die Sie so viel in Europa gelebt haben, nicht, daß wir Monarchisten mehr persönliche Freiheit genießen, als Sie und Ihre Republikaner? Bei uns sperrt man an Sonntagen weder Speisehäuser noch Theater, man trinkt zu Mittag nicht Eiswasser, sondern Wein und Bier — ja man nahm es mir", sagte mein Freund, „sehr übel, und ich entging kaum einer Rüge, als ich auf einem amerikanischen Schiffe, auf hoher See, an einem Sonntag Nachmittag ein Paar Robber Whist spielte? Muß jener Europäer, welcher das Leben an dem Bar und das amerikanische Leben überhaupt kennt, nicht derlei Hypokrisie nennen — Verzeihen Sie diesen Ausdruck!"

„Die Antwort auf diese Frage sollen Ihnen unsere Herren geben", sagte Mrs. W., indem sie ihren Fächer rasch öffnete und wieder schloß. „Nein, Hypokrisie ist das nicht. Positivly not!" sagte sie. „Vielleicht muß das des Volkes wegen sein; der Irländer wegen, oder wegen anderer Trunkenbolde. Ich denke die Sitte eines Landes sei auch ein Gesetz. Je weniger Gesetze, desto wichtiger die Sitte. Ich lasse mich in eine Beurtheilung der Gesetze und der Sitte nicht gerne ein. Aber ich unterwerfe mich der Letzteren gerne. Ich glaube nicht, daß Monarchisten freier sind als wir; jedenfalls wollen wir, wir Frauen, nicht freier sein, als wir sind. Wir sind mit unserer Stellung ganz und gar zufrieden, wünschen sie nicht geändert und in keiner Weise europäisirt. Am Ende —

verzeihen Sie, wenn ich jetzt etwas Unpassendes sage — am Ende sind wir Frauen doch die Beherrscherinnen des ganzen socialen Lebens in Amerika, ein milderndes und hemmendes Element im haftigen Leben unserer Herren; wenn es nach unserem Wunsche ginge, so gäbe es weder Restaurants noch Clubs — aber diese gibt es in Europa auch und Normatage haben Ihre Theater auch."

Da schlug die Uhr Mitternacht.

Mrs. W. stand auf und führte uns in den Speisesaal, wo ein reiches Buffet hergerichtet war. Sie schenkte uns aus einem großen Silbertopfe perlenden Champagner-Eispunsch in herrliche Krystallbecher und wir begrüßten das neue Jahr mit einem Toaste auf die schönen Frauen Amerika's und auf Eine der schönsten unter ihnen, auf unsere schöne Wirthin.

Bald saßen wir Drei in unseren Wägen und fuhren zu F..., wo getanzt und eine lustige Tombola gespielt wurde, bei der uns der Zufall (?) zwei reizende Puppen bescheerte, eine dralle Tirolerin in ihrem silberverschnürten Leibchen und breiten Hute und ein ungarisches Bauernmädchen mit hohen rothen Stiefeln. Beide trugen Bonbons in den Taschen ihrer Schürzen mit den Photographien des österreichischen Herrscher= paares. Wie nett dieser Zufall arbeitet!!

10*

XVI.

Wohlstand in Amerika.

Es wäre ein großer Irrthum, wollte man den Reichthum Englands nach dem Reichthum und der Zahl seiner Museen beurtheilen. Da findet sich kein Palast Pitti, keine Galerie Borghese, kein Vatican. Museen und Sammlungen überhaupt beruhen auf ganz anderen Bedingungen. Den allgemeinen Wohlstand muß man als Maßstab nehmen, wenn man beurtheilen will, ob ein Land — eine Nation reich sei oder arm.

Wir stehen nicht an, nach gewissenhafter Erforschung eines großen Theiles der Erde die amerikanische Nation heute für die reichste Nation der Welt zu erklären. Es herrscht drüben in den United States der größte Wohlstand im häuslichen Leben, bei vollständigem Fehlen der Armuth. Stünde nicht in England neben großem Reichthum und hohem Wohlstande auch die bitterste Armuth, so könnte man die Palme England nicht nehmen.

Wir sind weit entfernt, den amerikanischen Wohlstand als Verdienst der amerikanischen Nation aufzufassen. Es ist wahr, daß der Amerikaner sehr fleißig arbeitet und gerne und viel für das allgemeine Wohl steuert. Aber das thun die Europäer auch und müssen es gern oder ungern thun, weil ihre Staaten viel kostspieliger organisirt sind und weil neben dem arbeitslosen Besitz die besitzlose Arbeit mit zu den ererbten Uebelständen einer alten Cultur gehört. Der Amerikaner arbeitet allerdings hastiger als der Europäer, er ist genöthigt, seinen Geist mehr anzustrengen, um Mittel und Wege zu erfinden, die „fehlenden Hände" durch Maschinen zu ersetzen. Aber seine Arbeit ist auch lohnend und dieser nicht ausbleibende Lohn ist der größte Sporn zur haftigen Arbeit.

Wir wollen nicht vom prosperirenden Staatswesen sprechen. Ein ungeheueres Land, ungeheuer viel Staatsland, das den Indianern durch die Macht der „Contracte" abgenommen wurde, jetzt als Dotation für Eisenbahnen und alle Arten von Instituten dient; jährlicher Zuwachs von wohlhabenden, geschickten und fertigen Arbeitern; große Ersparnisse an Straßenbau, während Europa Milliarden in seine Straßen gesteckt hat und jetzt parallel zu ihnen Eisenbahnen ausführt, die drüben nahezu alle Reichs- und Landstraßen ersetzen; verständige Schutzpolitik und noch verständigere Verwaltung, durch welche es möglich wurde, jeden der Staaten, der sich der Union anschloß, individuell zu behandeln und die gemeinsamen Angelegenheiten auf ein Minimum zu beschränken — endlich eine Armee von 25.000 Mann auf 3,600.000 Quadrat-Miles, d. i. 782.600 deutsche Quadratmeilen — das Alles ist ausreichend, um den Staat als solchen, den Gesammtstaat ökonomisch außerordentlich glücklich zu stellen.

Aber vom Staate haben wir gelegentlich der Tariffrage genug gesprochen. Heute wollen wir die Bedingungen des allgemeinen Wohlstandes betrachten, vorerst aber nachsehen, worin der Wohlstand bestehe und wo er zur Erscheinung komme.

Der Wohlstand des Einzelnen tritt auf in Wohnung, Kleidung, Nahrung und Erholung.

Das eigene Haus ist die Regel. Selbst der Neger besitzt seine Hütte oder schon sein Häuschen; es ist aus Holz erbaut, von einem Gärtchen umgeben und wie arm und schmutzig auch das kleine Anwesen sein mag, er ist in seinem Hause und fühlt sich comfortable. Der Immigrant wohnt vorerst

im Zelte, falls er Landbau betreibt; aus dem Zelte wird
wird das Framehouse, aus diesem mit der Zeit das Stein=
haus; er selbst hört auf, Bauer zu sein und avancirt zum
Farmer. Der Handwerker, wenn er als Geselle (Helfer)
arbeitet, miethet sich ein Zimmer, womöglich mit Board;
in seinem Zimmer steht das große amerikanische Bett —
kleine, kurze, schmale Betten kennt man da drüben gar nicht
— im Bette liegt die Matratze auf Springfedern, auf der
Matratze meist noch ein Federunterbett, damit der Mann
weich und warm ausruhen könne. Nirgends fehlt der Wasch=
tisch, auf keinem amerikanischen Waschtische fehlt die vom Ver=
miether beigestellte Seife und auch der Arbeiter wohnt com=
fortable, denn auch er hört auf, dem vierten Stande anzu=
gehören, er ist ein Glied der amerikanischen Gesellschaft, heißt
Meister und aristokratisirt sich selbst. Es währt kaum etliche
Jahre, bis er sich selbständig macht, womöglich ein deutsches
und wohlhabendes Mädchen heiratet und sich ein Häuschen
baut, das ja auch zum Riesenpalast werden kann, wie jenes
des Herrn Wanemaker in Philadelphia, vielleicht des größten
Stores der Welt.

Eingeborene Helfer leben in gleicher Weise, erhalten
jedoch zu ihrem Bedauern nur selten deutsche Mädchen zu
Frauen, und der Irländer ist auch in Amerika ein unruhiger
Patron, der zu viel trinkt und zu wenig arbeitet, und doch
gut wohnt und gut lebt, vielleicht nur zu gut.

Wie der Chinese in S. Francisco wohnt, haben wir
gelegentlich Beschreibung der „Chinatown" geschildert. Als
Miners und Wäscher bauen sie sich Holzhütten ganz nett,
wie sie überhaupt Alles nett machen; aber ihre Häuser sind
doch nur Provisorien; sie sind nicht amerikanische Bürger
und richten sich darnach ein.

Erst in neuester Zeit beginnt man Miethhäuser zu
bauen; es gibt deren zweierlei. Das Vorherrschende hat seine

Wohnräume übereinander und bedingt die Miethe des ganzen Hauses; das Seltenere ist europäisch eingerichtet, seine Räume liegen in Einer Ebene. Nur letztere gehören in die Reihe der echten Miethhäuser, denn erstere gewähren alle Vortheile des Privathauses. Wir haben übrigens das amerikanische Wohnhaus schon geschildert und fügen nur bei, daß alle Classen der Bevölkerung das Bestreben haben, sich ein eigenes Haus zu bauen oder zu kaufen, um allein zu wohnen, und daß sie zumeist auch dann allein wohnen, wenn sie nicht im Stande sind, ihren Wunsch auszuführen. Das Wohnhaus an sich ist schon ein Zeichen des Wohlstandes, wie es ein Sporn zur Arbeit ist.

Mit Ausnahme der Neger, welche wohl eitel, aber nicht reinlich sind, hält der Amerikaner beiderlei Geschlechtes sehr viel auf nette Kleidung. Die Gesellschaft erscheint zum Diner, in Soiréen, im Theater stets in evening dress. Die europäische Sitte ist in dieser Hinsicht um Vieles laxer. Sie ist seit 1848 um vieles laxer geworden. Die amerikanische Gesellschaft dagegen ist hierin sehr streng, ja streng bis zur Unbequemlichkeit. Da arbeitet z. B. der Herr und Chef des Hauses den ganzen Tag in seiner Fabrik, er sieht halb einem Müller gleich, so bestaubt ist er, nicht eben mit Weizenmehl, aber doch z. B. mit Zucker. Um 6 Uhr fährt er heim und um 7 Uhr erscheint er zu Tische, schwarz gekleidet, mit weißer Cravatte; seine Gattin im Pariser Kleide, und so fahren sie auch in's Theater. Selbst beim Restaurant essen die Herren nicht selten schon im evening dress. Nennen wir diese Classe der Gesellschaft amerikanische Aristokraten, so können wir die weniger reichen Geschäftsleute und die wenigen Beamten, welche nicht ersten Ranges sind, zur Mittelclasse zählen. Auch sie ahmen diese reinliche Sitte nach, zumal, wenn sie Gäste geladen haben. Immer sind sie gut angezogen; sie tragen keine Kleider veralteten Schnittes, ihre durchwegs kleinen Füße (sowohl Männer als Frauen haben kleine Füße) sind vortrefflich beschuht, gute Pelze schützen gegen Kälte und alle Dienstleute tragen sich höchst sorgfältig, ja sind von ihren Herren, wenn nicht durch die Hautfarbe, gar nicht zu unterscheiden. Wenn der Kammerdiener meines Freundes diesem die goldbedruckte Einladungskarte zur Versammlung in der Maçonic Hall vorwies und um Urlaub für fünf bis sechs Stunden ersuchte, so sah er aus, wie ein Diplomate, der zu Hofe fährt, denn er trug auch die Plaque der Freimaurer als Orden und fuhr in seine Halle; er konnte es thun, er hat ja 60 Dollars Monatslohn, d. i. 125 fl. ö. W. und Alles frei!

Auch der Arbeiter trägt sich wie ein Herr und in den Städten herrscht der Cylinderhut vor. Im Westen wird letzterer durch den amerikanischen Hut verdrängt, eine Art gemilderter Calabreser; sonst aber ist das kurze Jacket und der Salonrock allgemein. Die Frauen aber, selbst die Negerinnen, putzen sich auch in den niederen Ständen möglichst heraus; nur der Stoff, nie der Schnitt zeigt, welcher Classe diese Frau angehört, vielleicht auch der Geschmack.

Man muß staunen, daß das Leben so viel abwirft! Aber es wirft eben so viel ab, sonst wäre dieser Wohlstand nicht möglich.

Nun kommen wir zur Nahrung. Massenproduction setzt Massenconsumtion voraus. Europäische Volkswirthschaftslehrer fordern die Massenconsumtion von den Reichen zum Besten der Armen. Das ist theoretisch gewiß richtig; fordern kann die Wissenschaft Alles. Es ist nur die Frage, wie sich die Praxis zur Sache stellt. Wenn der Reiche überall und stets seine gesammte Rente im Lande, dem er angehört und aus welchem seine Rente fließt, verzehren würde, so käme dies der Production dieses seines Landes zu Gute. Dem Acker würde sozusagen wiedergegeben, was ihm genommen worden ist; im

Preise der Waare würde Arbeit und Stoff ganz genau ver=
gütet werden. Es gäbe keine anderen Armen als Verschwender,
die ihr Vermögen verthan haben; als solche, welche durch
Naturereignisse um ihre Habe kamen und als Faulpelze.

Dieser Restitutionsproceß wird jedoch in mannigfaltiger
Weise unterbrochen und gestört. Die größte und natürlichste
Unterbrechung kommt vom Sparen. Jedes Sparen setzt voraus,
daß ein Theil der Rente nicht verzehrt, sondern zur Capitals=
bildung verwendet werde. Zu dem natürlichen Bestreben
nach Capitalsbildung kommt bei einem gewissen Stande der
Civilisation das weitere Bestreben, den Reichthum, den
man besitzt, möglichst zu verhehlen und neuen Reichthum
zu cumuliren; auf dieser Linie leben sich dann Reichthum
und Armuth auseinander.

In dieser Lage, denken wir, befindet sich der größte
Theil der alten Welt.

Die neue Welt befindet sich noch in einem früheren,
jüngeren Stadium der Entwicklung. Man macht dort auch
Vermögen, colossale Vermögen, aber denkt vor der Hand nicht
daran, die Kinder arbeitslos zu machen; man findet nicht
seine größte Beruhigung darin, ruhig sterben zu können, weil
man seine Kinder geborgen weiß. Man denkt zunächst selbst
gut zu leben, das Erworbene selbst zu genießen; man freut
sich, daß es gelungen ist, seine Familie mit genießen zu lassen,
man genießt doppelt, weil man noch selbst sieht, daß Alle
genießen und sich des Lebens erfreuen.

Und so steht der amerikanischen Massenproduction eine
ganz natürliche Massenconsumtion gegenüber. In den höheren
Ständen läßt sich über dieselbe nichts Neues sagen. Man
lebt so gut wie in Europa, etwas copiöser und um vieles
gastfreundlicher — aber im Mittelstande und in den niederen
Classen ist die Consumtion von Nahrungsstoffen höchst auf=

fallend. Ein wahres Verwüsten von Stoffen. Wir haben die
Art des Essens im Abschnitte IV beschrieben und dürfen uns
deshalb hier nicht wiederholen. Was wir dort bedauerten, was
dem Reisenden recht unangenehme Zeiten verursacht, erscheint
im Zusammenhange mit der amerikanischen Volkswirthschaft
heute noch als Postulat für das allgemeine Gedeihen, und
nur in dieser Weise läßt sich das große Procent erklären,
welches von der gesammten Production auf die heimische Con=
sumtion entfällt, wie wir es in Skizze XII den Lesern vor=
geführt haben.

In dem Maße als die Kochkunst fortschreitet, muß die
Massenconsumtion abnehmen. Wird eine Fleischspeise gut zu=
bereitet, so fällt jeder Grund weg, zwei= und dreifache Wahl
zu bieten, von jeder Speise zu kosten, das relativ Beste her=
auszuschneiden und den Rest wegzuwerfen. Vielleicht läßt sich
das schnelle Anwachsen des Wohlstandes bei deutschen Immi=
granten mehr noch als durch den Fleiß des geschickten deutschen
Arbeiters — durch die verhältnißmäßig bedeutend größere
Kochgeschicklichkeit der deutschen Frau — erklären.

Sie bringt dem Helper z. B. einen reschen Pfannen=
kuchen, mit gehacktem Fleisch reichlich gefüllt, auf den Bau=
platz; der Mann sättigt sich mit der wohlschmeckenden Speise
und der amerikanische Helper, dem seine Gattin ein Stück
halbgares, zähes, weil frischgeschlagenes Ochsenfleisch, dazu
ein Stück gesottenes Hammelfleisch und rohes Pöckelfleisch
vom Schweine bringt, verbratene Kartoffel oder gar eine
dunkelbraune Einbrennsuppe, in der alle oben genannten
Fleischsorten schwimmen, wie in flüssigem Kautschuk lagern,
beneidet den Deutschen um den prächtigen Lunch, läßt sich
etwa die Art der Bereitung des Kuchens erklären, theilt
seinem Weibchen genau mit, wie viele Eier, wie viel Mehl
und Milch zu einem Kuchen gehören, und ladet seinen Lehr=
meister Tags darauf ganz stolz ein, nunmehr von seinem

Lunch zu koften; aber es zeigt fich, daß der Pfannenkuchen ein Gatsch ift, ein Kóficz, wie die Ungarn fagen, ein wahrer Pantsch, und der amerikanische Helper kehrt zur Maffencon= fumtion zurück, da kann er beef und ham wegwerfen und feinen Speck verzehren.

So geht es durch's ganze Land. Ueberall Maffencon= fumtion zum Zwecke der Maffenproduction; je höher letztere wieder fteigt, defto billiger der Stoff, defto opulenter die Nahrung. Das Kilo fchönften Ochfenfleifches in den größten Städten koftet nicht über 26 Cents, d. i. etwa 60 kr.; in Wien koftet daffelbe wenigftens 80 kr.; aber ganz gutes vorderes Fleifch ift im Weften auch für 4 Cents das Pfund zu haben.

Ebenfo opulent wie in Wohnung, Kleidung und Nah= rung, geftaltet fich das Leben des Amerikaners in Beziehung auf Erholung. Von der höheren Gefellschaft braucht man auch hier nicht viel zu fagen. Dinnerparty, Theater, Club, Re= ception, Germain, d. h. Cottillon, Bälle tout comme chez nous.

Der Farmer, beffer Grundbefitzer, fucht die Stadt auf, fitzt dort in der Oper, im Schaufpiele, kneipt oder vergeudet wohl auch fein Geld in anderen ftädtifchen Genüffen. In guten Jahren ftattet er das Haus mit fchönen Möbeln und Mufikinftrumenten aus. Der Handel mit diefen ift ein groß= artiger Induftriezweig und ficher auch ein Zeichen des Wohl= ftandes. Natürlich kleidet er dann feine Frauen luxuriös, was ihnen und ihm Freude bringt. Auch er lebt fo wie der euro= päifche Grundbefitzer, nur beffer; hält beffere und mehr Pferde, ift ftets ein guter Reiter und Alles eher — als was man in Europa „Bauer" nennt.

Das, was hier „Recreation" heißt — ein populärer Ausdruck, den die Wiffenschaft nur billigen kann — das tritt am schlagendsten in jenen Orten auf, wo Taglohn oder Wochenlohn für die Existenz Vieler entscheidend ist. Hier bilden sich die Vereine zu geselliger Unterhaltung, zur Recreation. Essen und Trinken spielen da wohl auch stets eine große Rolle, aber auch Musik und Gesang. Solcher Vereine gibt es eine Unzahl durch's ganze Land. Spiritistische Vereine, social-politische Vereine, religiöse Vereine aller Art gehören wohl auch zur Recreation, und selbst politische Meetings dürfen dazu gezählt werden.

Es gibt in allen Kategorien recht häßliche Auswüchse, recht närrische, ja mitunter sogar verbrecherische Vereine; es herrscht eben vollständige Freiheit, deren Auswüchse man wohl duldet, so lange das eigene Staatswesen, die eigene Gesellschaftsordnung nicht in Gefahr kommt, aber auch dulden muß, wenn die Staatsgewalt nicht ausreicht oder nicht so weit reicht. Dahin gehören die Vigilance Com-mitees, die gar oft ein Suplement der Staatsgewalt, die richtige mittelalterliche Vehme sind, oft aber störend eingreifen in das geordnete Gemeinwesen, wie erst vor kurzer Zeit in Cincinnaty.

Da versteht jedoch die Polizei keinen Spaß und geht zufolge ihrer Organisation und Thatkraft stets siegreich aus den Conflicten hervor. In Europa ist man geneigt, die Freimaurerei amerikanischer Bürger für staatsgefährlich zu halten. Das ist sie aber dort und jetzt entschieden nicht. Wir haben alle Ursache, sie zur Recreation zu zählen. In diesen Vereinen kommt die „Gleichheit" zu vollem Ausdrucke; diese Gleichheit besteht jedoch nicht darin, daß die Höheren zu den Niederen herabsteigen oder herabgezogen werden, son-dern umgekehrt. Möglichst gentlemenlike gekleidet in der Maçonic-Hall zu erscheinen und sich auch so zu betragen, wie es Gentlemen geziemt, ist das höchste Bestreben der Mitglieder.

Natürlich koften alle Formen der „Recreation" Geld und Zeit. Erfteres fehlt nie und Letztere kann kein Chef eines Unternehmens verweigern.

In keiner großen Stadt der Welt fehlt es an verkommenen Individuen. Ueberall gibt es Arbeitsunfähige und Hilfsbedürftige.

Für diefe und gegen Arbeitsfcheue ift geforgt. Oeffentliche Inftitute und Stiftungen aller Art nehmen alte und gebrechliche Leute auf, Lumpe aber verforgt die Polizei.

Die Zahl und Großartigkeit der Inftitute für Blinde, Lahme, Taube, Stumme, für Kinder und Greife durch's ganze junge Land find eben fo viele Beweife für den Wohlftand, und das vollkommene Fehlen des Straßenbettels gibt Zeugniß von der Wirkfamkeit der Inftitutionen fowohl, als von der Allgemeinheit des Wohlftandes.

Auf 16.000 Miles, die ich durchwandert habe, fand ich nicht fo viele Krüppel und bettelnde Weiber und Kinder, als am 30. März 1884 — einem Sonntage — auf der Stiege des Calvarienberges nächft Linz. Aus dem Zauberthale gelangt man zur Capelle, in welche der Kreuzgang führt. Schöne Holzfchnitzwerke ftellen das Leiden Chrifti dar. Die Frage: „Sollen wir unfere Statuen bemalen?" ift da freilich nicht gelöft, weil diefe fchönen Bildwerke eben nicht bemalt, fondern angeftrichen find. Dafür ift das Leiden Chrifti durch das Elend der Menfchen defto beffer illuftrirt.

Eine fo reizende und fo wohlhabende Stadt wie Linz garnirt die Stiege, die zum Zauberthale führt, mit einer Expofition von Elend!

Jeder Amerikaner müßte an dem Wohlftande Ober-Oefterreichs, des reichen, grünen Ober-Oefterreich, gewaltig zweifeln!

Wie wir jedoch Eingangs diefes Verfuches von Inftituten als Kennzeichen des allgemeinen Wohlftandes gefprochen haben, so wollen wir eine der Institutionen herausgreifen und so weit uns Daten vorliegen, einen Vergleich zwischen der alten und neuen Welt durchführen. Wir wählen hiezu die Bibliotheken, weil sie für die Beurtheilung des allgemeinen Wohlstandes einen guten Anhaltspunkt geben.

Büchersammlungen sind ein theurer Luxus, zumal in Amerika, wo Bücher sehr viel Geld kosten, und wo kaum mehr als hundert Jahre verflossen sind, seit man zu sammeln begann. Aber nicht nur die Gründung, Sammlung und Erhaltung von öffentlichen Bibliotheken kostet viel Geld, noch mehr kostet ihre Benützung, abermals besonders viel in Amerika, weil dort mehr als irgend wo in der Welt time money ist.

Wir bitten unsere Leser, nicht zu vergessen, daß Europa tausend, Amerika nur hundert Jahre von Civilisirung hinter sich habe.

Vergleichen wir nun die öffentlichen Bibliotheken, welche 100.000 und mehr Bände haben. Am höchsten steht Deutschland mit 45 Bibliotheken, die zusammen 10,478.975 Bände zählen. Nach Deutschland folgt Frankreich mit 15 Sammlungen zu 4,248.300 Bänden; hierauf Italien mit 24 und 4,160.000 Bänden; dann England mit 12 und 3,396.890 Bänden, dann die United States mit 12 und 2,496.603 Bänden und Oesterreich-Ungarn mit 7 und 1,744.800 Bänden. Neben diesen großen öffentlichen Büchersammlungen besitzt jedoch Amerika noch 310 öffentliche Bibliotheken mit mehr als 10.000 Bänden, welche einen Bücherschatz von fast acht Millionen Bänden beherbergen und zur Verfügung stellen. Alle diese Sammlungen sind in eigens hiezu erbauten, wahrhaft mustergiltigen Häusern untergebracht, wie ja alle öffentlichen Gebäude mit wahrer Verschwendung hergestellt sind und hergestellt werden.

Die kleinsten Städte haben ihre Bibliotheken und alle sind voll von Lernenden. Mehr als irgend wo in der Welt ift der Amerikaner auf Selbftunterricht angewiefen. Wir werden davon noch fpäter zu fprechen haben.

Um self made men zu werden, braucht man vor Allem die Einficht, daß man viel können müffe! Diefe Einficht hat das Kind nie, der Jüngling felten, und deshalb fängt die eigentliche Lernzeit doch erft dann an, wenn die Schulzeit überftanden ift. Gut, wenn man in der Schule Eines lernte, nämlich, wie man lernen müßte, und glücklich derjenige, der wohlhabend genug ift, um in beginnenden Mannesjahren feine Zeit dem Lernen widmen zu können!

XVII.

Feuerwehr in Amerika.

Die hohe Entwicklung aller Feuerlöschanstalten in den United States und zum Theile in ganz Amerika darf wohl auf den entsetzlichen Brand von Chicago zurückgeführt werden. Vielleicht stammt auch aus dieser Zeit das Bestreben aller Städte her, den Holzbau durch feuersicheren Stein-, Ziegel- und Eisenbau zu ersetzen. Die alten Städte, wie New-York, Philadelphia, Baltimore, Boston ic. sind schon fast durchwegs gut, d. h. feuersicherer, gebaut; man kann sie rothe Städte nennen, denn der Rohziegelbau herrscht vor; weit seltener tritt der Bau aus Hausstein auf; nur öffentliche Gebäude und ein- zelne Paläste wählen diese monumentale Art des Baues, und der Eisenbau beschränkt sich fast ausschließlich auf Magazine und Stores, wenn auch schon Private beginnen, das ganze Gerüste ihrer Häuser, anstatt wie früher aus Holz, jetzt aus Eisen herzustellen, und dieses eiserne Fachwerk, wie früher das höl- zerne, mit färbigen Maschinenziegeln auszufüllen. Man sucht nämlich sich möglichst gegen Feuersgefahr zu schützen. Und man hat alle Ursache dazu, denn neben den feuersicher gebauten Häusern stehen gar oft noch die allergefährlichsten Objecte, z. B. ganze gothische Kirchen mit reizenden filigranen Thürmen, deren kühne Architektur man bewundert, bis man erfährt, daß diese stylistisch durchgeführten, durchsichtigen Meisterwerke der Steinmetzkunst einfach mit der Säge erzeugt und steinfarb angestrichen, oft sogar mit feinem Sand beworfen sind, also wirklich eine Maske aus Stein tragen. Aber im Westen

herrscht noch überhaupt das Holzwohnhaus vor und selbst im
Osten sind alle Riesenhallen der zahllosen Schiffsladungsplätze
aus Holz ausgeführt und in den Ziegelhäusern findet man
ausnahmslos hölzerne Treppen, da die Häuser, wie wir in
der Skizze VIII gezeigt haben, steinerne Treppen nur sehr schwer
zu tragen vermöchten.

Geräth irgend ein Holzhaus in Brand, so sind natür-
licherweise alle Häuser des ganzen Blocks in höchster Gefahr
und meist sind sie auch geopfert.

All' dieses, vereint mit dem großen Unternehmungs-
geiste der Amerikaner erzeugte ein großartig entwickeltes
Feuerlöschwesen, größtentheils auf Vereine basirt, welche ihre
Anstalten in einer Weise ausrüsten, wie sie kaum irgendwo
in der alten Welt vorkommen. Sie stellen alles Nöthige in
Massen und vom Besten bei, zahlen die Mannschaften fürstlich,
bieten ihnen allen erdenklichen Comfort, fordern von ihnen
aber auch Unglaubliches und halten den Wetteifer zwischen
gleichen Vereinen durch alle Mittel wach. Die besten und best-
dressirten Pferde werden gehalten, ihr Geschirr ist für den
Zweck eigens construirt, die Stallungen eigens gebaut und
der ganze Apparat mit wahrem Raffinement eingerichtet.
Nicht um Minuten, sondern um Secunden handelt es sich,
und die Frage des Wettstreites zwischen den Städten geht
nur dahin, ob die Pompe in drei oder erst in vier Secunden
nach dem Signal auch schon ausfährt.

Wir wohnten in Newyork einer Pferdeausstellung bei,
sie heißt Horseshow; da standen die Pferde nicht blos in
ihren Boxes, sie wurden nicht blos an der Longe vorgeführt
und so taxirt, nein! Jedes Reitpferd wurde vorgeritten, sei
es vom Eigenthümer, sei es von der Eigenthümerin; Spring-
pferde mußten über Mauern, Hecken, Gräben und Pfützen
setzen; Wagenpferde, Carossiers und Jucker, zwei- und ein-
spännig, wurden im Wagen vorgeführt — ein wahres Volks-

schauspiel bei Musik in der großen Halle des Madisongardens. Dort stand nun auch ein Zug der Pompe; die zwei schweren Pferde in improvisirten Ställen, in der Mitte zwischen ihnen die riesige Dampfspritze und in vier Minuten, nachdem die Commission der Preisrichter das Zeichen gegeben hatte, fuhr die Spritze aus, vom Flecke weg im Galopp.

Bei dieser Horseshow aber kann man sagen, daß eben die besten Pferde und das beste Zeug, sowie die geschicktesten Feuerleute ausgewählt waren, was auch sicher der Fall war; deshalb wollen wir unsere Leser zur fire patrol nach S. Francisco führen.

Wir konnten Baltimore wählen, wo wir zufällig die Anstalt passirten, als die große Glocke das Feuersignal gab. Es dauerte keine fünf Secunden, bis die Dampfspritze ausfuhr, keine sechs Secunden, daß ihr der Chef, Hauptmann, im Buggy selbst kutschirend, in voller Rüstung folgte und zugleich mit ihm fuhr der Wasserwagen und der fünfzehn Klafter lange Wagen mit den Leitern aus, dessen hinteres Räderpaar ein eigenes Steuerrad, gleich den horizontalen Steuerrädern der Dampfschiffe besitzt, welches ein eigener Steuermann lenkt, sonst könnte der Wagen gar keine Straßenecke passiren. Auch Baltimore hat gegen den Hafen zu abhängige Straßen, schiefe Ebenen, die für so schweres Fuhrwerk, das ein so hohes Fahrtempo einschlägt, sehr gefährlich sind. Die Pferdewiderhalt ist daher auch hier schon so construirt, daß durch sie zugleich die Wagenräder gehemmt werden. Aber die bucklichsten Straßen hat doch S. Francisco und scheint uns auch sonst noch die gefährlichste aller Städte der Union zu sein. Deshalb gehen wir dahin.

Vorerst müssen wir wissen, daß, wie überall, die Stadt in Feuerrayons eingetheilt ist, die telegraphisch und telephonisch unter sich und wie die Polizeianstalten mit allen Straßen verbunden sind. Jedes Quartier hat seine Löschanstalt. Um

zwölf Uhr Mittags ist täglich eine shaw. Täglich wird pro=
birt, ob Alles klappt und der Dienst geht.

Wir treten bei einer dieser Anstalten in Marketstreet
ein. Man führt uns in eine große Halle, die gegen die Straße
zu durch ein großes, verschiebbares Thor abgeschlossen ist.
Das Thor hat anstatt der Füllungen Glasscheiben.

Rechts in der Ecke, in seinem Office, sitzt der Haupt=
mann; dieses Office sieht aus, wie das Gemach eines modernen
Faust. An allen Wänden Knöpfe eingelassen; sie sind End=
punkte des Telegraphen. Sprach= und Hörapparate des Tele=
phons ersetzen die Bilder, Stellschrauben an ganzen Draht=
bündeln gestatten, die Edison'schen Lampen in jedem Momente
zum Glühen zu bringen und alle Räume des weiten Hauses
durch einen Ruck zu erhellen. Auf dem Schreibpult steht ein
ganz kleines Clavier; es ist das Tastenwerk des Schreib=
apparates, mit dem er seine Meldungen an die Väter der
Stadt vollzieht. Auch die Wände seiner Office box sind von
Glas; der Hauptmann übersieht mit einem Blicke sein ganzes
Laboratorium. Er gibt uns einen dienstfreien Mann mit
(der kein Trinkgeld nimmt), dessen Aufgabe es ist, uns den
ganzen Organismus und Mechanismus der Feuerpatrouille
zu zeigen.

Was sahen wir?

In der Mitte der großen Halle stand die große Dampf=
spritze geheizt. Rechts und links über der Deichsel hingen an
Schnüren aufgezogen die Pferdegeschirre so, daß das Pferd,
welches seinen Platz neben der Stange einnimmt, mit dem
Kopfe in das Kummt fährt und das Geschirr auf dasselbe
herabfällt. Die Stränge sind schon in den Tritteln befestiget.
Auf der Spritze selbst liegen festgemacht die Helme der Be=
dienungsmannschaft, welche diese erst aufsetzt, wenn sie den
Feuerwagen schon bestiegen hat. Rechts und links hinter der

11*

Sprietze stehen in Boxes die zwei Hauptspritzenpferde. Mächtige Thiere, so groß und stark wie Pinzgauer, aber flüchtig und feurig. Sie stehen unangeschirrt, ihre Halfter hängt mit einer Schnur zusammen, welche vom Plafond herabläuft; sie tragen keine Decken und die Box ist nicht geschlossen. Hinter der Dampfspritze steht der Wasserwagen und rechts und links, etwa auch zwei Klafter hinter demselben, sind seine Pferde ganz in gleicher Weise untergebracht. Hinter diesem kommen Leiterwägen, Wasserwägen, Spritzen und Reservepferde. Das Buggy des Hauptmanns, sowie die zweite Batterie fahren von einem rückwärtigen Thore aus.

Unser Führer begleitet uns in das erste Stockwerk. Neben der Stiege läuft eine Rutschbahn, die das Abwärts= gleiten dem Stufensteigen substituirt. Wir treten in eine große Halle, aus der Thüren in die Wohnräume der Mannschaft führen. Die erste Thüre gehört dem Hauptmann. Er bewohnt ein kleines Zimmer, in dem ein großes Bett, ein eleganter Waschtisch, ein Kasten und ein Harmonium stehen. Ueber dem Bette, an der Wand, findet man den elektrischen Lärmapparat, Telegraphen und Telephonapparat, dann etliche Knöpfe, gleich jenen unserer Zimmerglocken.

Durch die zweite Thür gelangt man in das Schlaf= zimmer der bienstthuenden Mannschaft; zwölf große Betten stehen frei da. Vom Plafond hängen je zwei Schnüre herab; die Eine hat an ihrem Ende eine Schlinge, welche sich der Schlafende um die Handwurzel bindet; die zweite Schnur endet mit einer kleinen Zange, welche das obere Ende der Bettdecke faßt. Ein Zug an der Deckenschnur nimmt dem Schläfer die Decke; ein Zug an der andern reißt ihm die Hand in die Höhe. Es ist unmöglich, daß der Mann nicht erwache. Die dritte Thüre führt in den Speisesaal, der durch einen Aufzug mit der Küche in Verbindung steht; der große Tisch ist bereits schön gedeckt für den Lunch. Bilder von Feuersbrünsten und berühmten Löschmännern zieren die Wände.

Die vierte Thüre leitet in das Parlour. Hier stehen Bücherschränke, finden sich Pläne der Stadt; ein Clavier, ein Billard und bequeme Fauteuils zeigen, daß hier Gentlemen hausen. Die fünfte Thür endlich führt in den mechanischen Arbeitssaal. Dreh= und Hobelbank, Schraubstock und Ambos sind da und eine Volière der seltensten Vögel in Verbindung mit einem Aquarium, dann eine förmliche Hundsburg, in der reizende Zwergpintscher die merkwürdigsten Wege machen müssen, um aus ihrem Schlafgemache auf die Wälle gelangen und mit ihren Herren verkehren zu können. Diese Spielerei der ernsten, sehr tapferen Männer hat etwas kindlich Rührendes an sich und es macht das Haus ungeachtet seines Comforts doch einen klösterlichen Eindruck. Ein Kloster des heiligen Florian!

Es fehlen nur noch etliche Minuten auf zwölf Uhr. Unser Führer setzt sich auf die Declivity und im Nu ist er unten; wir trippeln die Stufen hinab, wo schon viele Menschen harren, das Schauspiel zu sehen, das eine gewisse Berühmtheit genießt. Schon stampfen die Pferde unruhig und suchen aus ihrer Box herauszukommen. Aber Alles ist mäuschenstille, Niemand rührt sich; kein Mann der Bedienung ist zu sehen; der Hauptmann brütet über seinem Pulte. So vergeht eine Minute in höchster Spannung. Es ist merkwürdig zu sehen, wie genau die Pferde wissen, daß der entscheidende Moment nahe sei; sie scharren mit den Füßen, ziehen am Halfterriemen, drängen nach vorwärts, die Nüstern öffnen sich, das Auge sprüht, die Ohren spitzen sich der großen Uhr zu, welche ihnen das Zeichen geben soll, damit sie aus ihren Warteboxes frei werden und an dem schweren Wagen ihre Kräfte erproben können.

Endlich schlägt es die Mittagsstunde. Plötzlich klingelts im ganzen Hause; ein Zauber löst die Pferdehalftern; sie stürzen mit einem Satze auf ihre Plätze und im Augenblicke, als sie ihre Hälse in den Kumten fühlen und nach vorwärts drängen, schließen sich diese auf der Brust und das Geschirr, das bisher im Gleichgewichte über ihnen schwebte, fällt auf sie herab; Stallknechte schließen es unter dem Bauche und die Rutsche hat längst schon die Mannschaft aus dem ersten Stockwerke herabgeschleudert; sie stehen schon auf ihren Plätzen und bedecken ihre Häupter mit den Helmen, nehmen aus den Magazinen ihre persönliche Rüstung: Hacken, Hauen, Stricke ꝛc., ja manche von ihnen machen überhaupt erst Toilette während der Fahrt; nach netto vier Secunden öffnete sich das große Schiebthor und der ganze Train verließ die Remise.

Auf Secunden kommt es wohl bei Feuersbrünsten nicht an, zumal die Fahrt des Trains, deren große Glocke auto= matisch läutet (wie auch alle Locomotiven ihre Zeichen mit Glocken geben), in den Straßen gerade so viele Hindernisse findet, als in Europa; man kann daher in diesem raffinirten Vorgehen etwas Humbug finden. Man muß jedoch zugeben, daß dieses Bestreben, rasch bereit zu sein, alles Lob verdiene, einen sehr edlen Wettstreit zu Tage fördere und daß die Hurtigkeit denn doch dem Gemeinwesen zu Gute komme.

In Europa steht der erste Train zumeist schon fertig bespannt da, die Mannschaft für ihn befindet sich sozusagen auf Vorposten; das hat sicher große Vortheile. Langes Warten jedoch ermüdet unleugbar. Die amerikanische Methode erspart das Warten und sichert doch die rasche Entwicklung. Daß Vieles automatisch geschieht, das liegt im allgemeinen Streben „Hände zu sparen“. Ein Mann hat, je nach der Dienstzeit, 3 bis 6 Dollars täglich und Chargen noch bedeutend mehr. Die eigentlich verantwortliche Arbeit trifft den Chef, den Hauptmann. Er bekommt die Anzeige und macht den Train,

die Trains flott. Auch dies ist echt amerikanisch, denn der
Chef jedes Unternehmens, selbst wenn er Millionär ist, leitet
sein Geschäft selbst, er ist sein eigener Verwalter und arbeitet
als der erste Arbeiter bis zum Feierabend. Dann allerdings
erscheint er im evering dress zu seinem Dinner in seinem
eigenen Hause und seine ganze Familie erscheint in Toilette.

Eine ganz hübsche Schule!

Große Prämien lohnen den Eifer derjenigen Fire
Patrol, welche die erste auf dem Platze ist.

XVIII.

Die Polizei.

Durch die Statesstraße in Chicago fuhr ein Wagen in gestrecktem Carrière. Acht blau gekleidete Männer in langen Röcken, deren einreihige Knöpfe bis zum Halse fest geschlossen waren, saßen halb, halb standen sie darauf. Sie trugen schwere Filzhüte und hatten den life preserver um die Hüften geschnallt. Kein Zweifel: Polizei. Also Feuer, dachte ich. Mein junger Gefährte, der Sohn eines angesehenen Bürgers der Stadt, dem in der Taufe der ruhmvolle Name „Bismarck" zu Theil geworden war, hatte sich für einen Moment in einen Cigarrenladen begeben, um sich mit Rauchvorrath zu versehen; ich war etwa hundert Schritte vorwärts gegangen und besah eben die Reclametafel eines Barnum, als jener Wagen vor= beifuhr. Nun wünschte ich natürlich so schnell als möglich an den Ort des Feuers zu gelangen, um die Patrol in der Arbeit zu sehen. Dazu brauchte ich unbedingt meinen Freund Bismarck.

Eben trat er aus dem Magazin und suchte mich mit den Augen. Auch er hatte jenen Wagen wohl erblickt, der zu meinem Erstaunen nicht das geringste Aufsehen erregte, während er doch sicher verdient hätte, daß ihm wenigstens die Buben nachgelaufen wären. Mein Freund, ich meine diesen Bismarck, ist kurzsichtig, auch er schenkte der Pompe keine Aufmerksam= keit, sondern suchte mich im Gewühle der Geschäftigen.

Rasch ging ich ihm daher entgegen und sagte schnell: „Lieber Bismarck, führen Sie mich auf den Brandort!"

„Welcher Brandort?" fragte Bismarck.

„Nun — der Ort wohin jener Polizeiwagen fuhr," sagte ich ungeduldig und zog ihn vorwärts. Bismarck aber ließ sich nicht vorwärts lootsen, sondern stemmte sich gegen mein Drängen.

„Wir kommen vom Wege ab," sagte er, „ich höre und sehe kein Zeichen von einer Feuersbrunst, jener Wagen ist der gewöhnliche Polizeiwagen, irgend ein Wachtposten hat Succurs verlangt, der Wagen bringt sie, das ist Alles."

Während wir unseren Weg zur großen Wasserpump= maschine fortsetzten, welche ganz Chicago aus dem Michigansee mit Wasser versorgt, erzählte mir Freund Bismarck von dieser höchst einfachen Polizeieinrichtung Näheres. In zwei Worten ist es nacherzählt. Die Einrichtung gleicht ganz jener der fire patrol (XVII.) nur fährt anstatt der Dampfspritze der Polizeiwagen aus. Die Wachtposten stehen durch Telegraph und Telephon mit den Hauptstationen der Quartierspolizei in Verbindung und telegraphiren um Hilfe, wenn ihre Kraft nicht ausreicht.

Ist das nicht ebenso einfach als praktisch?

Welche Lehre soll man daraus ableiten dürfen?

Der Amerikaner scheut nie die Kosten der ersten Ein= richtung. Die Zinsen des Anlage=Capitals sind fast stets verschwindend klein, gegen jährlich wiederkehrenden Aufwand bei öffentlichen Arbeiten.

Mit colossalen Bürstenwägen der schwersten Art, die mit vier Pferden bespannt sind, fegt man z. B. die Straßen, der Aufseher fährt im Buggy selbstkutschirend nach, er ist überall und nirgends — man hat eben die vielen Gassen=

lehrer nicht, die sich bei der Arbeit so gerne ausrasten und mehr Tabakpfeifen stopfen, als sie rauchen können.

Tags darauf las man im „Chicago Herald": In der Branntweinschänke (Beersaloon) N. N. waren zwei Männer in Streit gerathen, die ihre Differenz mit dem Revolver austrugen. Der Wachtposten verlangte und erhielt Hilfe. Einem der Rowdies wurde der Arm injured (abgeschlagen) und der riot schnell beigelegt. Ja diese Polizeileute sind schnell bei der Hand und verstehen keinen Spaß!

XIX.

Reiche Leute.

Der „Republican von St. Louis" brachte am 26. November 1883 einen Artikel, worin er von reichen Leuten spricht, die nicht von Jedermann gekannt sind, wie dies bei Vanderbilt, Gould, Astor 2c. der Fall ist. In Philadelphia, sagt er, ist nicht Ein Mann bekannt wegen großen Reichthums, und doch gibt es dort sehr reiche Leute. In der dritten Straße, wo die Mäkler ihr Vermögen zu machen pflegen, sind z. B. die Reichsten: Mr. William Weightman, Mr. Frank Drexel und Mr. J. B. Williamson. Jeder von ihnen ist zehn bis zwölf Millionen Dollars werth. Es ist bemerkenswerth, daß keiner dieser drei Herren ein Steckenpferd hat. Alle drei leben ein verhältnißmäßig stilles Leben. Sie haben weder Passion für Pferde noch für Yachten, ihre Namen werden bei öffentlichen Meetings nie genannt, in der Politik hört man ebensowenig von ihnen. Mr. Weightman hat sein Geld in Chinin gemacht. Die Firma Powers & Weightman hatte lange Zeit thatsächlich ein Monopol in dieser Branche. Der alte Mr. Weightman ist nahezu immer in Hemdärmeln in seinem chemischen Laboratorium neunte Straße zu sehen. Mr. Powers ist todt. Weightman wuchs im Geschäfte auf und ein Besucher würde ihn nach dem Kleide für weiter nichts als etwa einen Vorarbeiter halten. Sein Vermögen muß rapid wachsen. Mag sein, daß er Geld verschenkt, aber, wenn dem so ist, so thut er es insgeheim. Oeffentliche Stiftungen machte er nie.

Mr. J. B. Williamson ist ein Mann anderer Art. Er ist Director der Philadelphia und Reading-Eisenbahn. In früheren Jahren war er Schnittwarenhändler und legte sein Erspartes in Bahnactien an. Wie aber speculirte er in Actien. Er kaufte, so oft eine Panik in Bahnactien auftrat und behielt die Papiere. Er ist ein sehr wohlwollender Mensch und gibt einen großen Theil seines Geldes an wohlthätige Institute.

Mr. Frank A. Drexel ist Chef des Bankhauses Drexel & Co. Er lebt in einem hübschen Hause in Walnutstreet. Sein Leben verläuft sehr ruhig. Er ist ein leidenschaftlicher Musikfreund und nie glücklicher, als wenn er bei seiner Orgel sitzt, umgeben von seiner reichen Notensammlung. Er ist ein devoter Katholik, gibt reichlich Almosen, aber stets durch die Hände der Kirche.

Der reichste Mann im Districte Columbia ist wahrscheinlich Mr. W. W. Corcoran. Den Grund zu seinem Vermögen legte er im mexikanischen Kriege; er kaufte nämlich Staatsobligationen, als sie tief unter Pari standen und behielt sie, bis sie um den Nennwerth eingelöst wurden. Seit dieser glücklichen Speculation trieb er Bankgeschäfte und verwaltete sein auf drei und eine halbe Million geschätztes Vermögen. Jetzt ist er ein alter Mann, lebt zurückgezogen, huldigt der Kunst und thut Gutes, wo er kann. (Mr. Corcoran hat dem Staate seine reiche Bildersammlung geschenkt und sie zu Washington in einem hiefür erbauten Palazzo aufgestellt. S. XI.)

Es würde schwer fallen in Anlage und Gewohnheiten verschiedenere Männer zu finden, als Mr. Corcoran und seinen Rivalen Josef A. Willard. Nur Mr. Willard allein weiß was er werth ist. Die Schätzungen seines Vermögens durch gut unterrichtete Leute variiren um Millionen. Einige sind der Ansicht, daß er keine ganze Million besitze, Andere taxiren ihn auf fünf bis zehn Millionen. „Joe" Willard ist ein

wunderlicher Charakter. Er lebt allein in einem altmodischen
Hause der 14ten Straße, welches stets verschlossen ist. Er hat
weder Freunde noch Besucher, nimmt keinen Theil an öffentlichen Unternehmungen, die sociale Beziehungen nach sich ziehen,
ist keiner Art Sport oder geselliger Unterhaltung zugänglich;
er besucht die Kirche nie, hat nur einen Sohn, der außerhalb
des Distrietes Columbia lebt; nie spricht er mit seinen zwei
Brüdern Henry und Caleb, mit denen er sich vor Jahren
zertragen hat; kurz er meidet die Welt, so weit es möglich
ist. Sein einziges Lebensziel scheint Aufhäufung von Geld zu
sein. Ihm gehört die Hälfte des Hôtels Willard und viel
Land im Distrikte und er ist der stärkste Besitzer von Regierungsbonds in Washington. Nie geht er bei Tage aus. Erst
nach Sonnenuntergang verläßt er das Haus, macht eine
Promenade und kommt durch die Hinterpforte hinein, worauf
er alle Thüren von Unten bis Oben verriegelt. Fließen ihm
Renten ein, so geht er, ausnahmsweise bei Tage, in die Bank,
oder in's Schatzamt und kauft Regierungsbonds.

Die Namen der reichen Männer von Boston stehen
etwa in folgender Ordnung: Fred. L. Ames, John M. Forbes,
Josef B. Thomas, J. Montgomery Sears, Benjamin
F. Cheney, Augustus Hemenway. Die Steuerliste der voll-
wichtigen Millionäre enthält 108 Namen. Mr. Ames Vermögen wird auf 22—25 Millionen geschätzt; er ist für
15 Millionen besteuert. Er ist ein ruhiger, anspruchsloser
Geschäftsmann von beiläufig 50 Jahren. Den Kern des Vermögens, etwa vier bis fünf Millionen, besitzt er durch Erbschaft
und seine höchste Aufgabe war, die von seinem Vater begonnene
Union-Pacific-Eisenbahn zu vollenden.

Geschäftsmänner schätzen John M. Forbes auf 15 Mil-
lionen Dollars. Er ist ein Mann, von dessen persönlichem
Leben seine Geschäftsgenossen nur wenig erfahren. Er ist ein
Bostoner Kaufmann der alten Art. Er machte erst im

Transporthandel Geld, dann im Commissionshandel und zuletzt
das Gros seines Vermögens in westlichen Eisenbahnunter-
nehmungen. Mr. Forbes Wohnsitz ist ein altes Landhaus
zu Milton, von wo er oft in seine Bostoner Office fährt.
Sein Sommerhaus ist ein herrlicher Platz auf der Insel
Nunshon in der Buzzard Bay.

J. Montgomery Sears ist einer von Bostons jüngeren
Millionären. Er ist noch nicht 30 Jahre alt und erhielt
sein Geld bei seiner Großjährigkeit aus den Händen der Ad-
ministratoren seines väterlichen Vermögens. Es ist nicht lange
her, daß er das Object eines höchst merkwürdigen Räuber-
complotes wurde. Was wir hier sagen, ist die erste Anspielung,
die öffentlich auf diese Sache gemacht wird, deren Detail
wohl nie wird bekannt werden. So viel jedoch weiß man,
daß gegen Mr. Sears enorme Geldansprüche erhoben wurden
und daß das Complot mit großer Schlauheit dahin zielte,
Mr. Sears in eine „compromising position" zu bringen.
Mehrere tausend Dollars verwendeten die Verschworenen auf
Vorbereitungen und brachten eine voluminöse Correspondenz
mit ihrem Opfer in Gang, verloren aber endlich Alles, was
sie daran gewagt hatten und flohen aus dem Lande. Das
Haupt der Verschwörung wurde über das Mißglücken seines
Planes wahnsinnig und ist jetzt der Insasse des amerikanischen
Irrenasyles. Einer oder zwei der leitenden Theilnehmer an
der Verschwörung waren sehr berühmte Pariser Hochstapler;
ein Theil des Complots hatte seinen Sitz im Auslande und
Mr. Sears Detective mußten mehrere Reisen nach Paris
machen, bis endlich die ganze Verschwörung vollständig auf-
gedeckt war.

Im Westen nennen wir vorerst John D. Rockefeller
als den reichsten Mann von Cleveland. Sein Vermögen ist
um die 15 Millionen herum. Jeder Dollar dieser großen
Summe stammt von Petroleum her. Er ist 40 Jahre alt

und schottischer Abkunft. Als junger Mann trieb er Com=
missionsgeschäfte. Dann stellte er zur Probe einen kleinen
Destillirapparat auf, den Kern der „Standard Oel Company".
Er ist Superintendent der zweiten Baptistenkirche und seine
Frau, gewesene Schullehrerin, gibt noch Unterricht in der
Kinderabtheilung.

Der zweitreichste Mann in Cleveland ist J. H. Wade,
er wägt etwa fünf Millionen. Ursprünglich war er ein armer
Zimmermann. Vor 40 Jahren wurde er aus Liebhaberei
Photograph und Portraitmaler. Er war der Gründer der
„Western=Union=Telegraph=Company".

Als der reichste Mann in Chicago gilt Cyrus H. M.
Cormick, dessen Vermögen man auf 10—15 Millionen schätzt.
Er machte sein Geld durch Fabrication von Mähmaschinen.
Wahrscheinlich nimmt den zweiten Platz nach ihm Marshall
Field ein, der erst 48 Jahre alt ist. Sehr zeitlich trat er in ein
Schnittwaarengeschäft. Als Potter Palmer während des Krieges
sich entschloß das Handelsgeschäft aufzugeben, besaß Field
etwa 35.000 Dollars, mit denen er sich in Palmer's Geschäft
einkaufte. Bald wurde es klar, daß er financielle Begabung
ersten Ranges besaß und heute gehört er zu den Kaufmanns=
fürsten Chicago's. Sein Vermögen beträgt zwischen vier und
sieben Millionen.

Viele erfahrene Geschäftsleute vindiciren den zweiten
Platz in Chicago für Philipp D. Armour. Er hatte etliche
wunderbare Glücksfälle und es war bekannt, daß er zehn
Millionen in seinem Geschäfte stecken habe. Ebenso bekannt
aber ist es, daß er heuer (1883) Verluste erlitt, die sich
auf Millionen belaufen. Sein ganzes Geld machte er in
Schweinefleisch.

Der reichste Mann in Milwaukee ist Alexander Mit=
chell. Er ist factisch der reichste Mann des Nordwestens.
Sein Vermögen wird verschieden geschätzt, es liegt auf alle

Fälle zwischen 30 und 50 Millionen Dollars. An solidem Besitz hat er zweifellos 15 Millionen. Herr Mitchell ist ein kleiner Schotte mit rundem, röthlichem Gesichte, Lebemann durch und durch, dessen Hauptgenuß jedoch die Arbeit bildet. Man kann ihn nicht ganz einen self made man nennen, denn ausgebacken wurde er durch eine große Corporation, welche ihm die Mittel für ein Bankgeschäft gab. Aber noch vor 30 Jahren, als Milwaukee ein kleines, aufstrebendes Dorf war, hatte er ein kleines Office, das er durch viele Jahre für sich ausbeutete. Die eine Hälfte seines Geldes machte er im Bankgeschäfte, die andere aus Eisenbahnen. Er rühmt sich, daß er nie einen Dollar durch Speculation gewonnen.

Henry Show von St. Louis ist sieben Millionen werth. Er stammt aus England und ist Junggeselle. Den Grund zu seinem Vermögen legte er durch Pelzhandel; aber das Gros erwarb er durch Landspeculation.

David Staton ist der reichste Mann von Cincinaty und circa fünf Millionen werth. Er machte sein ganzes Geld in der Eisenmanufactur.

John Hill von St. Paul, Präsident der St. Paul-Mineapolis- und Manitoba-Bahnen, besitzt neun Millionen. Der Zweite in St. Paul ist Dennis Ryan, der schwer abzuschätzen ist, von dem man nur weiß, daß er zu Zeiten immens viel Geld zeigt; nach ihm rangirt Commodore Kitteon als Dritter mit beiläufig drei Millionen Dollar.

Im Süden gibt es eine ganze Reihe reicher Männer. Als der Reichste in Baltimore gilt der Gründer des „Baltimore Sun" (Zeitung) Arunah S. Abele. Es ist schwer zu sagen, wie viel er werth ist. Weniger als ein Dutzend Millionen sicher nicht; aber man gibt ihm sogar bis zu 20 Millionen. Den zweiten Platz in Baltimore nimmt wahrscheinlich Roß Winans ein, der Sohn des berühmten Thomas

Winans, der circa 20 Millionen durch den Bau der russischen Bahnen machte, die er seinen zwei Kindern Roß und Celeste hinterließ, bei denen das Vermögen sicher nicht kleiner wurde.

James B. Pace ist der reichste Mann von Richmond. Sein Vermögen wird auf 1,200.000 Dollars geschätzt, das er seit dem Kriege blos im Tabakgeschäfte machte. Sein ganzes Interesse ist auf die Methodistenkirche und die Politik gerichtet. Nach ihm folgt Charles E. Whitlock mit etwa 750.000 Dollars. Er begann damit, seinen Verdienst als Clark durch zehn Jahre zu sparen und ging dann vorsichtig zum Handel mit Holzwaaren über.

Mr. William B. Smith wird allgemein als der reichste Mann von Charleston angeführt. Man schätzt ihn auf ein bis zwei Millionen, obwohl er im Taxbuche der Commune nur mit 275.000 Dollar fatirt ist. Dies schließt aber weder sein Vermögen ein, welches im Bankgeschäfte steckt, noch anderen, nicht taxirbaren Besitz. Er ist Besitzer einer Baumwollen-Spinnerei.

Colonel Ed. Richardson wird von der öffentlichen Meinung und der Taxrolle als der reichste Mann von New-Orleans bezeichnet. Er war Präsident der Weltausstellung zu Philadelphia und ein großer Theil seines Vermögens steckt in Pflanzungen am Mississippi, aber er besitzt auch viel Land und die Firma Richardson & May zahlt von Cottonspinnereien Taxen gleich einem Capitale von drei Millionen. Colonel Richardson ist 1818 zu North-Carolina geboren und war 1832 Commis in einem Schnittwaarenladen zu Dunville Va.

*   *   *

Hiemit schließt der besagte Artikel. Californien ist gar nicht berührt. Californien bildet ein Gebiet für sich und wird nie unter „West" oder „Far West" verstanden. In San Francisco findet sich ein ganzes Nest von Millionären. Auch viele

minder bekannte Männer aus New-York und anderen Städten,
die ein bis zwei Millionen Rente besitzen, könnten citirt
werden, Männer, welche dem verstorbenen Peabody in nichts
nachstehen, weder an Reichthum noch an Großmuth.

Wir haben den Artikel nicht deshalb vorgeführt, weil
er ein vollständiges Verzeichniß der reichsten Leute in den
United States bringt, sondern aus anderen Gründen. Erstens
sieht man, womit sich die großen politischen Zeitungen überhaupt beschäftigen; dann lernt man, auf welche Art man große
Vermögen in Amerika machen kann, weiters wird man zugeben,
daß die öffentlich aufliegenden Taxrollen eine gute Controle
bieten, um die Fassion mit der allgemeinen Schätzung des
Vermögensstandes zu vergleichen, ohne just zur Denunciation
zu werden, endlich ist die Carrière der Millionäre doch auch
nicht ohne Interesse. Kriegslieferanten machen auch da drüben
Geld, aber Commis, die Millionäre geworden sind, treten in
Europa wohl schwerlich in den Soldatenstand über, während
es drüben von Generälen, Obersten, Majoren und Captains
wimmelt, die in irgend einem Businß stecken, aber eben nicht
wenig auf ihren militärischen Rang halten.

Amerika besitzt immer viele Leute, die gleich Millionären
leben. Den Fremden frappirt dieses Wohlleben. Es scheint
ihm unmöglich, daß alle Menschen, mit denen er in Berührung
tritt, Millionäre seien. Er kommt daher schnell zum Schlusse,
daß sie Schwindler sind. Damit ist der Europäer bald fertig.
Wenn alle Leute in Europa, die ihr ganzes Einkommen Jahr
für Jahr per Heller und Pfennig ausgeben, Schwindler
wären, da wäre ihre Zahl Legion. Sind aber jene Amerikaner, welche ein weit größeres Einkommen, als das mittlere
Einkommen des europäischen Mittelstandes ist, jährlich auch
verzehren, schon Schwindler?

Wer nachdenkt, der weiß auch, daß es nahezu die menschliche Kraft übersteigt, nicht gleich jener Gesellschaftsclasse, zu

der man gehört, zu leben. Jedes Opfer bringt der Europäer, um, wenigstens äußerlich, darin zu verbleiben. Der leichtere Erwerb erzeugt größeren Wohlstand als in Europa und der größere mittlere Wohlstand zieht größeres Wohlleben nach sich. Mit diesem Schritt zu halten, ist Aufgabe des Erwerbes.

Im Ganzen und Großen spart der Amerikaner doch mehr, als der Europäer und zwar aus dem einfachen Grunde, weil sich das Sparen besser lohnt.

XX.

Zeitungen.

Mr. Bennett, der Eigenthümer des „New=York Herald", soll von seinem Blatte ein reines Jahreseinkommen beziehen von Einer Million Dollars. Es gibt Leute, die behaupten, Bennett beziehe zwei Millionen rein. Wir Europäer kennen Mr. Bennett, weil er Stanley's Expedition nach dem Congo ausrüstete und erhielt; weil er die „Jeanette" zur Erforschung des Polarmeeres abgesandt hat, wo das schöne Schiff gleich so vielen Anderen zu Grunde ging, die sich dieselbe Aufgabe gestellt hatten, nämlich eine Natur zu bekämpfen, die absolut stärker ist, als der Mensch; endlich weil derselbe Bennett jetzt zwei neue submarine Cabels nach Europa legt.

Er ist ein nobler, großmüthiger Mann; kann es aber auch sein, denn er ist sehr reich. Sein Blatt ist das größte und billigste Blatt in Amerika und relativ in der Welt. Es kostet nur zwei Cents, das ist vier Kreuzer ö. W. bei der Größe der Londoner „Times". Natürlich wird der „New= York Herald" von den übrigen Blättern angefeindet — ob aus Neid, oder deshalb, weil das Blatt nach unseren europäischen Begriffen gesinnungslos ist, lassen wir dahin= gestellt sein.

Auch der berüchtigte „Most" gibt eine Zeitung heraus, welche „Freiheit" heißt. Dieses Blatt hat in Amerika fast gar keine Leser. Man wüßte drüben kaum, daß Most existirt, wenn nicht der „New=York Herald" stets die Reden brächte,

welche auf Most's Meetings gehalten werden. Der „Herald"
bringt jedoch alle Neuigkeiten, also auch das Neue, was Most
seinen Hörern auftischt' und was wirklich weiter nichts ist,
als die Lehre, wie Andere das Dynamit zu gebrauchen haben,
um Europa für die Grausamkeit zu bestrafen, diesen Most
nicht glorificirt zu haben. Zum Schlusse jeden Meetings,
erzählt der „Herald", wird dann ein Hut herumgereicht, in
welchem milde Gaben für den arbeitsscheuen Volkstribun
gesammelt werden sollen. Dieser Nachsatz allein schlägt Herrn
Most für Amerika todt, denn verachteter ist dort Niemand,
als der Tagdieb.

Most hat es auch nur auf die Europäer abgesehen;
seine europäischen Genossen schickt er in's Feuer gegen alle
Besitzenden; diese halten den amerikanischen Bettler für einen
Helden; sie merken gar nicht, daß sie in den Kerker wandern,
während ihr Herr und Meister im Bierhaus sitzt und rauchend
neue Reden ausdenkt! Aber am 10. Februar 1884 passirte
ihm (Most) doch ein Malheur! Er donnerte wieder einmal
gegen Europa und las seine Proscriptionsliste vor, die, merkwürdig genug, höchst liberale Namen enthielt, moderne Männer
aus sehr moderner Zeit — aber sie machen oder haben Geld
— und l'argent des autres ist Verbrechen. Jetzt aber kam
der Schnitzer. „Nicht nur in Europa", meinte Herr Most,
„gäbe es so verfolgungswürdige Geldleute — auch New-York
strotze von solchen Fürsten des eitlen Mammons, auch sie
seien werth unterzugehen!"

Da verließ den „New-York Herald" die Geduld. Seine
Langmuth war zu Ende. Am 11. Februar schon machte Herr
Bennett Herrn Most aufmerksam, daß solche Lehren für
Amerika nicht taugen und daß die amerikanische Gesellschaft,
der amerikanische Staat sich seiner zu erwehren wissen werde!

Jeder Amerikaner, der diesen Report im „Herald" las,
dachte an die Polizei, welche die üble Gewohnheit besitzt, Pech-

pflaster im Sacke zu tragen, die sie Protzmäulern auf den Mund pappt. Diese Pflaster kleben höllisch fest am Barte. Erst wenn dieser weggeschnitten wird, geht das Pflaster weg; wann aber das geschieht, das weiß nur die republikanische Polizei, der Delinquent jedoch verschwindet für geraume Zeit.

Es war am 11. Februar, als man uns um acht Uhr früh den Kaffee und wie gewöhnlich den „Herald" brachte. Ein Telegramm aus Wien meldete die Ermordung Hlubek's. Wer weiß, dachten wir, ob die Wiener am 11. Februar um 8 Uhr früh schon wußten, was bei der Nacht in Floridsdorf geschehen ist. Baker Pascha's Niederlage relationirte der „New-York Herald" am 6. Februar und jedes wichtige Ereigniß in der ganzen Welt referirt er höchstens 24 Stunden, nachdem es sich zugetragen.

Hierin liegt das Geheimniß seines Erfolges. Nicht in der politischen Haltung oder Consequenz, nicht in der Opposition, nicht im Leitartikel, sondern in der Information. Der Amerikaner will Alles wissen, was in der Welt geschieht und Alles so schnell als möglich erfahren, was auf Handel und Wandel Einfluß haben kann. Alles nur summarisch, die Congreßverhandlungen im Resumé; Ankunft und Abfahrt aller Schiffe und aller Expreßzüge; alle Geschehnisse im Lande und in der übrigen Welt im Telegrammstyle; alle Unglücksfälle und Verbrechen in Schlagworten — er hat, obwohl er sich nervös nennt, starke Nerven — und 24 Stunden nach jedem Eisenbahn- oder Schiffsunfalle bringt die Zeitung alle Namen der Verunglückten und wo möglich auch jene der Geretteten.

Dieser Zeitungsdienst ist wahrlich musterhaft organisirt und natürlich am besten von der reichsten Zeitschrift. Financielle Essays würdigt der Leser noch des Blickes; politische höchstens der Parteimann, für den sie geschrieben sind, bald der Republikaner, bald der Demokrat, aber Orakel sind sie selbst für diesen nicht. Jede Polemik faßt sich so kurz als möglich und wirthschaftliche Fragen, die mit dem alten Continente auszutragen sind, werden nie vom wissenschaftlichen Standpunkte, sondern vom höchst egoistisch amerikanischen aus behandelt, mag das nun in ein Schema passen oder nicht, wenn nur der Vortheil für die neue Welt herausschaut.

Aber nicht genug, daß der Amerikaner in der Zeitung eigentlich nicht ein Blatt seiner eigenen Farbe sucht, wie dies in Europa die Regel ist, sondern nur Information verlangt, als dasjenige, was er sich durch sich selbst nicht verschaffen kann, jedes Raisonnement aber gerne entbehrt, weil er es sich selbst aus den Thatsachen abstrahirt; nicht genug an dem, er will noch besonders aufmerksam gemacht werden auf das, was jede Seite der Zeitung enthält, damit er nichts Ueberflüssiges zu lesen braucht und sogleich findet, was ihm zu wissen wünschenswerth ist. Er hat nämlich sehr wenig Zeit zum Lesen; er muß arbeiten und zwar hastig arbeiten, weil Alle arbeiten und Alle hastig arbeiten.

Und so bringt der „New-York Herald" und nach seinem Muster bringen alle amerikanische Zeitungen an der Spitze jeder Seite den Inhalt dieser Seite im Extracte; ja sogar sämmtliche Kabeltelegramme sind extrahirt und zwar so gut und pfiffig extrahirt, daß man meist unterlassen kann, das Telegramm selbst nachzulesen. Handsam und bequem sind diese Zeitungen ohne Zweifel eingerichtet und nichts in ihnen ist aufdringlich. Man bekommt nie die redactionelle Weisheit mit Löffeln zu essen, ja wir Europäer vermissen gar oft die redactionelle Meinung selbst.

Die United States hatten 1880 11.403 periodische Blätter. 1883 fiel diese Zahl auf 11.134. Fast alle Blätter erscheinen in großem Formate und kein Einziges ohne Inhaltsanzeige. Daß bei dem herrschenden Geschmacke und Bedürfnisse die Aufgaben der großen Blätter kleiner und abgelegener Orte nicht leicht zu erfüllen sind, das mag man wohl glauben. Die wenigsten dieser elftausend Blätter können eigene Correspondenten in allen Theilen der Welt halten und nur ganz wenige sind im Stande täglich Kabeltelegramme zu zahlen, die ja bei dem herrschenden Monopole horrend theuer sind und erst dann billiger zu werden versprechen, wenn Siemens die zwei Bennett'schen neuen Kabels fertig gestellt haben wird. Das soll jedenfalls 1884 geschehen. Es ist daher natürlich, daß die Kleinen von den Großen und Eine von der Anderen lebt.

Von S. Francisco bis Los Angeles, im Süden von Californien fährt man 24 Stunden. Im Sleeper saß auch ein junger Mann, dem der schwarze Porter einen Tisch vor dem Sitz aufgeschlagen hatte. Dieses Tischchen lag voll von Zeitungen und Briefcouverts. Der junge Herr las immerfort; an jeder Station empfing er Zeitungen und gab dicke Briefe ab. Tag und Nacht las er und zerlegte die gelesenen Blätter mit einer großen Papierscheere in ihre Theile, die er dann in die Enveloppes schoppte. Unverwendetes Materiale warf er beim Fenster hinaus. Dieser Herr ist Zeitungsreporter. Er hat eine große Strecke zu versorgen, denn nach etlichen Tagen traf ich ihn im Train, der nach Yuma ging, ebenso eifrig lesend und schneidend, Tag und Nacht die Stationen mit Ausschnitten und Notizen versorgend. Ein Commis voyageur, der in Neuigkeiten macht.

Worüber der Fremde, welcher beginnt, amerikanische Zeitungen zu lesen, am meisten staunt, das sind die vielen Unglücksfälle, welche diese Blätter täglich zu melden haben. Unglücke und Verbrechen!

Nehmen wir z. B. das verhältnißmäßig kleine Blatt „Alta California" vom 14. November 1883. Was hat es aus seinem Rayon zu melden?

1. Einen Raubmord aus Portland.

2. Den Hauseinsturz in Skott, wobei zehn Personen begraben wurden.

2. Einen Brand zu Los Angeles; in den Flammen fanden neun Personen ihren Tod.

4. Einen Mord ebendaselbst.

5. Den plötzlichen Tod des Mr. W. Kerr ans Illinois zu Hanford durch Gift.

6. Im Beersaloon des M. Hernondey zu Las Cruces wurde ein Mann im Streite erschossen.

7. J. M. Salisbury ist aus St. Louis City durchgebrannt, nachdem er eine hohe Summe veruntreut.

8. In Arizoma wurde Mr. Bea Teetter erschlagen.

9. In Nevada wurde das Haus eines Bergmannes ausgeraubt.

10. In Benicia ersticht ein Schulknabe seinen Collegen.

11. In S. Francisco stürzt ein Herr mit seinem Buggy und bleibt todt.

12. Die Kinder des Mr. Horton spielen mit Pistolen. Ein Kind bleibt todt.

13. In der Quarzmühle wird der 28jährige Mr. Bortwick zerschmettert.

14. In Arizoma bricht ein großes Schadenfeuer aus.

15. Räuber rauben einen einzeln stehenden Saloon (Schänke) aus.

16. Eine Frau klagt bei der Polizei zu S. Francisco daß sie ihr Mann mit der Theetasse auf den Kopf geschlagen habe und sinkt todt zu Boden.

17. Collision der Tramway mit einem Buggy; zwei Menschen verletzt.

28. Folgen geradezu unzählige Schiffsunfälle, theils durch Sturm, theils durch Nebel verursacht.

Und so geht es täglich, und große Blätter, wie der „New=York Herald", sind noch reicher in dieser Rubrik. Wenn man jedoch bedenkt, daß Californien allein 158.360 Quadrat= Miles einnimmt und die United States 3,600.000 Quadrat= Miles begreifen, die Hast des ganzen Leben in Betracht zieht, und den Umstand erwägt, daß die Nothwendigkeit, „sich selbst zu helfen", eine große Summe von Gefahren herbeiführt, so hört man auf, sich an dieser Rubrik zu stoßen.

Ohne Frage sind gerade diese Notizen eine große Hilfe für die Polizei und die Gerichte. Der Sheriff zieht aus ihnen den größten Nutzen und ist in der Regel auch der rechte Mann dazu, weil der tapferste des ganzen Games.

Jedermann liest des Morgens seine Zeitung. Im Hôtel sitzt man beim Frühstück und liest Zeitung. Im Omnibus, in der Tramway, auf der elevated raylway liest Jeder seine Zeitung; des Morgens wandern 230.000 Menschen auf diesem New=Yorker Communicationsmittel in ihr Office nach der City und Abends wandern sie wieder zurück in ihre sleeping places und lesen Morgen= und Abendblatt. Jedes Hôtel, jeder Bahnhof, jede Station hat ein Zeitungsoffice; in jeder Straße sind Zeitungskrämer, und Colporteure tragen sie durch alle Gassen und feilschen sie in allen Fahrgelegen= heiten an. Kein Train fährt aus, ohne Zeitungsverkäufer und in jeder neuen Zeitungsstation versieht er sich mit neuer Waare.

Man findet daher überall Gesprächsstoff, denn Alle sind von Allem, was geschieht, gleich unterrichtet.

Das ist nun mehr oder weniger in Europa auch der Fall. Aber ein Unterschied besteht doch. Er scheint uns bedeu= tend genug, um ihn hier zu erwähnen.

In Europa weiß man nahezu immer, aus welchem Blatte der Leser, mit dem man zu reden kam, seine Ansicht über dieses oder jenes Geschehniß geschöpft hat. In Amerika ist das nie der Fall, und zwar aus dem Grunde, weil sich die Zeitung begnügt, die Thatsache zu melden, ohne ihr die Farbe zu geben, welche in ihre politische oder sociale Richtung paßt. Kein Amerikaner ist daher voreingenommen; es wäre denn durch seinen Patriotismus überhaupt. Man hört daher in Amerika die merkwürdigsten, originellsten Urtheile; Urtheile, welche ein Europäer gar nicht auszusprechen wagen würde, weil sie in Europa mit irgend welchem Autoritätsglauben collidiren würden, daher à priori schon der Lächerlichkeit verfielen!

Ja, dieser Autoritätsglaube ist eine colossale Macht in Europa, wenn auch eine negative. Dagegen ist der Mangel an Autoritätsglauben in Amerika eine eben so große, eben so colossale Macht, die jedoch schaffend, höchst positiv wirkt, jedes ererbte Werkzeug, die ganze Methode der Arbeit und des Denkens umgestaltet und täglich umgestaltet.

Und so wie unsere europäischen Zeitungen eine Macht sind durch ihre Gesinnung, durch ihre Consequenz, so sind die amerikanischen Blätter eine Macht, indem sie weder in Tendenz, noch im Festhalten ihrer Richtung den Triumph ihres Daseins erblicken.

Mit einem Worte, amerikanische Zeitungen sind einfach wirthschaftliche Unternehmungen, europäische nur verkappt.

Im Jahre 1880 gab es in den United States folgende 11.314 Zeitungen, und zwar:

Morgenblätter 428,
Abendblätter 533,
   (zusammen in täglichen Exemplaren 3,566.395)
Periodische Blätter 8633,
   (zusammen in periodischen Exemplaren 28,213.291)
Politische Blätter 8863,
Religiöse   „   114,
Landwirthschaftliche Blätter 173,

Handelsblätter 284,
Finanzielle Blätter 25,
Literatur= „ 189,
Medicinische „ 114,
Juristische „ 45,
Wissenschaftliche Blätter 68,
Freimaurer=Blätter 149,
Der Erziehung gewidmete Blätter . . . 248,
Kinder=Blätter 219,
Vermischte Blätter 330,
Sonntagsblätter . . . . 252.

Hiervon erscheinen:

Böhmisch 13,
Caldär 1,
Chinesisch 2,
Englisch 10.515,
Französisch 41,
Deutsch 641,
Holländisch 9,
Indianisch 3,
Irisch 1,
Italienisch 4,
Polnisch 2,
Portugisisch 2,
Dänisch und schwedisch 49,
Spanisch 26,
Welsch . . . . 5.

Von den geistlichen Blättern gehören an den:

Baptisten 63,
Christen 4,
Congregationisten 14,
Disciples 11,

Episcopal	33,
Evangelisch	27,
Freunden	5,
Juden	16,
Luther	22,
Mennoniten	9,
Methodisten	75,
Mährer	2,
Mormonen	4,
Presbyters	42,
Ursprüng. Christen	2,
Reformirten	11,
Katholiken	70,
Second=Advent	12,
Spiritisten	7,
Swedborgianer	3,
Unitarier	4,
United Brethern	7,
Universalisten	9,
Unsectarier	90.

Reiſebriefe,

erſchienen in der „Wiener Abendpoſt".

I.

Schliemann's Schätze im Gewerbemuseum und der kleine Gorilla im Aquarium. In Ihrem herrlichen Wien hörte man oft Ausdrücke des Staunens darüber, daß die elektrische Ausstellung ein Deficit nicht bringen werde. Man hatte es also erwartet!

Nichts aber interessirt den Menschen mehr als das Unbegreifliche, und mag man die elektrische Kraft immerhin mit Energie umschreiben, begreiflicher wird sie hierdurch nicht. Ihre Ausstellung in der Rotunde zeigt die Wunder der Gegenwart, und die Ausstellung der trojanischen Funde in Berlin zeigt uns die Wunder der Vergangenheit. Sie haben in Ihrem Gewerbemuseum auch solche Wunder, wir meinen die Graf'sche Sammlung egyptischer Gewänder, herrlicher Purpurtogen mit Gold gestickt und prächtig gewebten Borduren, einfache Kleider und Kleidchen; höchst merkwürdige Schriftstücke aus der Zeit der Ptolomäer, eine reiche und in ihrer Art einzige Sammlung, welche von den pfiffigen Arabern längst ausgebeutet worden war, bis ein intelligenter Händler die Schätze hob und der Welt zugänglich machte, alle Egyptologen überflügelnd. Ganz ähnlich ging es Schliemann, und wir sehen hier, wie einfach das gebildetste Volk der ältesten historischen Zeit lebte, mit welch' primitiven Schalen und Krügen sich seine Könige begnügten, welch' herrliche Gold- und Silbergeschmeide dieses Volk für seine Frauen herzustellen

wußte und wie dieser Schmuck wieder an den egyptischen
Schmuck gemahnt; und Bronzewaffen und Arbeitsgeräthe
aller Art liegen wohlgeordnet vor unserem staunenden Auge,
aus der ersten, zweiten, dritten Stadt ausgegraben.

Der Besuch dieser Schätze ist sehr mäßig, gleich dem
der Graf'schen Ausstellung in Wien, dagegen ist Ihre Rotunde
steckvoll! Da haben Sie die Wirkung der Wunder gegenüber
der Dinge, die kein Wunder sind, weil nur menschliche Energie,
nicht elektrische sie hervorgebracht hat!

Als wir in's Berliner Aquarium traten, hielt der
Wärter eben das Gorillakindchen auf dem Schooße und gab
ihm aus einem Glase Milch zu trinken. Wie Kindsfrauen
es mit Kindern machen, so machte es der Wärter mit diesem
Affen, der übrigens einem Negerkindlein entsetzlich ähnlich
sieht. Der Kleine ließ sich Zeit, er trank schluckweise, aus-
setzend, und zog das Tuch mit der Hand fort, das um seinen
Hals gebunden war, damit er sich nicht beschmutze. Der
Wärter gab ihm einen Klaps auf die Rechte, der Kleine sah
ihn schief an und versuchte nun, die Serviette mit der Linken
wegzuziehen, wofür es wieder durch einen sanften Schlag
gestraft wurde. Jetzt lehnte der Kleine das Milchglas ab,
stieg vom Schooße des Wärters und legte den Kopf trauernd
und beschämt auf beide Arme. Nun erst bemerkte der Wärter,
daß er beschmutzt sei; nun bekam der Affe einen ordentlichen
Schilling (offenbar hat der Wärter die Absicht, seinen Zög-
ling zimmerrein zu machen). Der Kleine wurde dann auf
einen Tisch gelegt und schön gewaschen; dann führte ihn die
männliche Kindsfrau zu seinem Sopha. Noch immer war
der Gorilla betrübt und sah seinen Gebieter halb kläglich,
halb mißtrauisch an, bis dieser ihm eine „Rodel" in die Hand
gab, die er nun bald an den Kopf, bald an den Arm schlug,
um die Schellen zu hören, welche in der Kugel sind, aber
den Wärter, der nun mit anderen Eleven zu thun hatte, nicht

aus dem Auge ließ, bis er das Gemach verlassen hatte. Erst jetzt fühlte er sich behäbig, warf das Musikinstrument weit weg, legte sich bequem auf seinen weichen Stuhl, zog die Decke über sich — nichts rührte sich mehr, er schlief.

Soll dieser Kleine wohl auch sprechen lernen?

Wie Berlin wuchs seit zehn Jahren, das wissen Sie. Nicht riesige Zinspaläste entstanden, aber neue Villenstädte wuchsen aus dem Boden. Man konnte meinen, man sei in den neuen Theilen Londons. Auch das Leben, die große Bewegung in allen Straßen erinnert an London. Diese Potsdamerstraße, welch' riesiger Verkehr! Ueberall Massen von Tramway, Omnibus und Droschken, ein wahres Gewirre, und das Leben dauert tief hinein in die Nacht. — Alle Theater sind gesteckt voll und glühend heiß, das „Café Bauer" wird nie leer, und der zoologische Garten, der doch so entlegen ist, wimmelt von Besuchern, denn zehn Pfennige kann ja Jeder erschwingen, um hinzugehen und sich den Seelöwen anzuschauen oder den Milon=Davids=Hirsch mit den Augensprossen des Geweihes, die nach rückwärts wachsen, und dem Federschweife, der jenem des Esels ganz gleich ist. Nur der Thiergarten des Kaisers von China besitzt noch ein gleiches Exemplar; auch Menschen sind inmitten der zahllosen Thiere dieses Gartens ausgestellt, nämlich Araucaner, die Sie nächstens in Wien sehen sollen, denn ihr Kornak schleift sie auch dorthin.

Noch muß ich die hygienische Ausstellung berühren, und wäre es auch nur, um zu beweisen, daß nicht nur Wien, sondern auch Berlin in der Aera der Ausstellungen lebt.

Alles was Geist und Edelsinn zum Besten der Menschheit ersonnen, findet sich da vereint. Alle Gefahren sollen abgewehrt werden, für Kinder, Kranke und Greise ist gesorgt und für Verbrecher und solche, die es werden könnten. Aber all' das ist längst geschildert.

13*

Nur zwei Objecte möchte ich hier hervorheben. Das erste trägt den Titel: „Geheimnisse des modernen Schuhes"; das zweite könnte ganz gut „Geheimnisse des Mieders" genannt werden.

Die betreffenden Sammlungen bestehen aus Modellen. Welche Füße erzeugt dieser spitze Schuh! Gräßlich! Da wird der Ballen herausgedrängt, die große Zehe über die mittlere gelegt, die kleine Zehe fast abgedreht; die mittlere aber nach aufwärts gestülpt und rückgeschoben, denn die Spitze des Schuhes hat keinen Raum für sie. Man sehe die Schuhe der Herzoge in der Innsbrucker Hofkirche an! Vorn sind sie breit, nahezu wie ein geöffneter Fächer! Diese Modelle sind theils aus Gyps, theils aus Eisen; über letztere arbeitet der Schuster, und alle Nuancen von Verkrüppelungen sind da zu schauen. „Es gibt zweierlei Füße", sagte der Explicator, „spitze, und diese sind in der Minderzahl, und nahezu runde, und diese sind die Regel!"

Jetzt wollen alle Menschen spitze Füße, und welche Qualen sie der Mode zuliebe erdulden, das lehren diese Modelle.

Und die Mieder! Ob sie solche Difformitäten erzeugen wie die modernen Schuhe — das konnten wir nicht genau erfahren. Bei „werdenden" Wesen mag es schon so kommen. Aber ihre Hauptaufgabe scheint: Correctur der Natur zu sein, und da weihen uns diese Modelle in merkwürdige Abweichungen von der normalen menschlichen Bauart ein! Wie Schlangen sich winden, windet sich das Rückgrat. Aber das Mieder corrigirt, indem es dem Schneider einen möglichst normalen Corpus zuschanzt.

Vom Theater werde ich Ihnen ein andermal erzählen und wünsche Ihnen besseres Wetter als Berlin hat, wo es mehr regnet als nöthig.

II.

Mehr oder weniger ist Jedermann Arzt. Der Eine aus Beruf, der Andere aus Erfahrung oder Liebhaberei, aus Bedürfniß, zu nützen, oder aus Langeweile.

Wir halten diesen hygienischen Zug, der durch die Menschheit geht, für ein gar schönes Resultat der Civilisation, obwohl sich endlich diese Art medicinischer Thätigkeit nicht wesentlich von jener der Aerzte auf den Fidschi-Inseln unterscheidet. Die Bemannung eingerechnet, trägt die „Werra" kaum weniger als zwölfhundert Menschen hinüber über den Ocean in die sogenannte neue Welt, die nun auch schon aufhört, neu zu sein, weil noch neuere Welten sich aufgethan und noch aufthun, seit Penn seine Stadt und seinen Staat gegründet und Washington 2c. 2c. Zwei effective, sehr anerkennenswerth ausgearbeitete Stürme boten reichliche Gelegenheit, menschenfreundliche Rathschläge auszutheilen. „Aber Sie sollten leben wie zu Hause", sagt der kerngesunde Mann zu einer kranken Dame, die, in Tücher eingenestelt, auf der vor dem Anpralle des Windes noch am meisten geschützten Seite des Schiffes der ganzen Länge nach auf ihrem Schiffsstuhle ruht, bleich und unbehaglich bis in die Seele. „O yes, Sir!" lispelt sie, „I should, but I can not"; sie möchte wohl, aber sie kann nicht. Zu Hause steht sie um 8 Uhr auf; laue Lüfte wehen in ihr Schlafgemach, der Boden schwankt nicht unter ihren Füßen, sie frühstückt starken Kaffee mit fetter Sahne, geht

dann zum Teiche, wirft den Schwänen Brod vor und ordnet
ihr Haus oder das ihrer Mutter, denn schon erscheinen die
jungen Kinder spielend und lachend und freuen sich, daß die
Vögel singen und daß der Tag ihnen nichts bringen könne
als Freude und Luft! Hier ist sie krank und die Kinder sind
krank, der Regen fällt in Strömen, rings herum liegt Alles
krank, man kann vor Sturm und Schwanken des Bodens
keine zwei Schritte thun, ohne Gefahr zu laufen, zu stürzen,
die geheimnißvolle Krankheit hat alle Eingeweide aufgewühlt,
und jetzt soll sie leben wie zu Hause! „Nehmen Sie Cognac
und Orangen", sagt der andere Kundige, der schon zehnmal
den Weg gemacht, und folgsam nimmt die Kranke Cognac
und Orangen und wird übler als vorher. „Frische Luft", sagt
der Dritte. „Bewegung rathe ich Ihnen", aber kaum auf Deck
angelangt, bricht das Uebel durch, und jene Dame, der Ruhe
in ihrer Cabine so eindringlich empfohlen wurde, fühlt keine
Erleichterung, sie leidet entsetzlich.

Wenn jedoch die See glatter wird, die Sonne durch=
bricht, die Kämme der Wogen verschwinden, wenn die Leute
des Zwischendeckes sich um ihre Königin sammeln und patrio=
tische Lieder singen, da sammeln sich auch die Kajütenreisenden
um ihre Königin, und dann braucht man keine Rathschläge
und hört auf, sie zu geben.

Ja diese „Königinnen". „Hunger und Liebe", sagt Tur=
genjew, „bewegt die Welt". Diese „Senilia" können ganz
gut den Ovidischen Sprüchen verglichen werden. Ewig derselbe
bleibet der Schmerz!

Welche Masse von Lebensmitteln schleppt ein solches
Schiff mit sich, um 1200 Menschen durch zehn Tage zu
nähren, während man zwischen Himmel und Erde schwebt und
kaum Anderes zu thun hat, als essen und Nahrungsmittel
vernichten und Zeit tödten! Ein prächtiges Schiff, diese

„Werra", mit ihrer Maschine von 6000 Pferdekraft, die hundert Centner Carbiff in der Stunde frißt und so schwer ist, daß sie dem schwimmenden Palaste nur discreteste Bewegung gestattet. Und welche Bewohner hat dieser Palast! Boz Dickens fände da gute Figuren aller Art. Der feine New-York- und Chicagoman, der fast noch feinere aus San Francisco, der kernigere aus Buffalo, der formelle aus der Havana, große Eisenbahnleute und junge Tabakmänner, Landlords und Bankers mit und ohne schöne Frauen, mit und ohne schöne Kinder, denen Bonnen auf Schritt und Tritt nachlaufen, die sich mit dem Englischen abplagen, während die Kleinen artig genug sind, mit geschlossenen Zähnen deutsch zu lispeln mit englischem Accent. Berühmte Sänger und noch berühmtere Schauspielerinnen ziehen in das Land der Millionen, Diplomaten und Touristen sind zu sehen — aber die Zahl der Geschäftsleute herrscht vor, jener Geschäftsleute, welche nach Europa gehen wie Europäer nach Karlsbad oder Aussee, und von Jenen, welche fast ausschließlich amerikanisch-englisch reden, kann man getrost annehmen, daß sie der Weltrace angehören, der Race, die, Buschmänner etwa abgerechnet, die kürzesten Füße besitzt und das größte Geschäftsgenie nach den Chinesen! Diese bilden vielleicht das größte Contingent der Bewohner erster Kajüte, und ihre schönen jungen Damen halten sich auch am tapfersten. Aber zur Königin taugen sie nicht. Da gibt es Andere, unter diesen Anderen aber Eine, die nur zufällig keine Königin geworden ist, obwohl sie die Natur dazu gemacht hat. Woher kam sie? Ist sie Russin? Sie sprach von Sibirien. Ist sie eine Deutsche? Ihre klare sympathische Redeweise deutet auf den Süden von Deutschland; aber möglicher Weise könnte sie Französin sein, so beweglich ist ihr Geist und so leicht ihre Rede. Nein, nein, sie ist doch Engländerin, so rein und sicher ist die ganze Verfassung ihres fertigen, echt weiblichen Kopfes und Herzens.

O jener Russe, der telegraphisch von ihr Abschied nahm, als sie sich einschiffte! Sie wird seine Königin sein, und als sie das Telegramm zerknitterte und in den Sack steckte, da ging ein ganzer Roman durch meine Seele — und jetzt ist sie die Königin der ersten Kajüte, zu der sie Niemand gemacht hat, zu der sie geworden ist, weil sie nicht anders kann.

Wie hübsch ist es, wenn sich das ganze Interesse einer zahlreichen Gesellschaft um einen Mittelpunkt dreht!

Wie froh könnten die Franzosen sein, hätten sie einen solch' dominirenden Mittelpunkt!

Aber weg mit dieser europäischen Sentimentalität. Die Amerikaner kehren zurück zum Geschäfte, und Jene, welche in Amerika nichts zu thun haben, zählen nicht, wenn sie vom Geschäfte nichts verstehen.

Die letzten zwei Reisetage gehörten dem Nebelhorn, das alle Minuten in die weite See hinausbrüllt: Habt Acht, meine Schraube macht 60 Umbrehungen — im Falle einer Collision bin ich der Hammer und du der Ambos — Hab' Acht! Aber lustig ist dieser ewige Nebel nicht, selbst der breite Nebelbogen, den die Sonne schuf, die nicht mächtig genug war, um den schweren Dunst zu lösen, welchen der Golfstrom steigen ließ, konnte uns weder entschädigen, noch fesseln — es fehlt eben jener Wind, der am 3., 4. und 5. zu viel war, den wir verwünschten und vom 11. an so sehr erwünschten.

Das Leben ist auf allen Schiffen das gleiche. Man steht so spät als möglich auf, weil „sie" (die „Werra") des Morgens immer sauber gewaschen wird. Kaum gekleidet, ertönt schon der Gong, welcher zum Frühstücke ruft. Fisch, Fleisch, alle Delicatessen unseres Sacher stehen da aufgespeichert, und man nährt sich so viel als möglich. Jetzt folgt die Frühsiesta. Meist auf Deck im langen Stuhl feiert man sie; wer lesen will, liest oder kommt nicht dazu. Shuffle board und

Ringwerfen beschäftigt die Einen, Courmachen die Anderen, haftiges Auf- und Abrennen auf dem ganzen Deck die Meisten, zumal die Gesundheits-Beflissenen. — Ueberall bilden sich Gruppen; ihr Mittelpunkt ist vorerst die „Frau", in zweiter Linie der „Geschäftsmann", in dritter Linie das „Kind", welches terrible oder reizend ist, aber unter allen Umständen einige Obsorge heischt — fast mehr als wünschenswerth. Wer ermüdet, zieht sich in das Rauchzimmer zurück, wo vortreffliches Kulmbacher vom Zapfen gereicht wird und wo man Skat und Poker spielt, zu welchen Spielen Champagne-Koktail die Geister anregt und zugleich die Mägen vorbereitet für die Hauptmahlzeit, die um 5 Uhr servirt wird und fast zwei Stunden währt. Der Abend auf Deck gleicht, zumal in Regen und Nebel, wieder einem Lazarethe, und später stirbt das Leben ab, man schlüpft in seine Cabine und schläft, wenn das Nebelhorn es gestattet, wenn der Nachbar nicht gar zu stark schnarcht und wenn die Kranken nicht gar zu stark leiden. Man schläft ein und hofft auf einen schöneren Morgen und einen schönen Abend bei Mondenschein, der uns ja begleitet gleich dem großen Bären der Cassiopeja und der getreuen Vega. Aber man hofft vergebens. Schon 45 Stunden ist Capitän Barre nicht sichtbar, er steuert durch dichten Nebel, jede Minute brüllt das gräßliche Dampfungethüm Klagegeheul hinaus in die Nebelmasse, die undurchdringliche. Endlich wird der Nebel zu dick, die Nähe von New-York macht die Gefahr zu groß, denn nicht nur die „Werra" heult, von drei oder mehr unsichtbaren Schiffen ertönt das warnende Nebelsignal, Kanonenschüsse sind hörbar, der Pilote findet uns mitten im Nebel, er kennt den Ton unserer Pfeife — es ist ein Ereigniß ersten Ranges — Niemand fehlt an Bord, man lugt aus nach der Barke, die den Wegweiser bringen soll und wirklich bringt, und gar Manchem fällt ein Stein vom Herzen, denn gar Mancher legte die Kleider nicht ab und dachte nur an den

Rettungsring und Schwimmgürtel, den er sich ausersehen, falls die „Werra" in den Grund gebohrt würde. Und in der That sind sechs Personen an Bord, die alle schon stundenlang im Meere schwammen und Rettung fanden, während die Ihrigen zu Grunde gingen. Zwölf Stunden lagen wir vor Anker, bis eine kleine Brise kam und den Nebel zu Regen condensirte. Im Nebel fuhren wir in New-York ein, von New-York, Brooklyn, Hoboken sahen wir nicht viel, nur den riesigen Hafen sahen wir, von dem Samstag 45 große Dampfer ausfuhren, thatsächlich in die ganze Welt.

Um 7 Uhr waren wir im „Fifth Avenue Hôtel", nachdem die Mauthcalamitäten überstanden waren und Abschied genommen war von den vielen lieben amerikanischen Freunden, die eine zehntägige Seereise uns geschenkt.

Gewiß können wir Manches von den Amerikanern lernen, aber auch die Amerikaner können gar Vieles von uns lernen und werden es auch lernen. Die Zollbeichte z. B. werden sie noch aufgeben, die Bagage-Confusion werden sie dem geregelten Schiffsrecepisse opfern, die Straßen werden sie besser fegen u. s. w. Ob aber wir Europäer je diese Artigkeit, die so zuvorkommende Gastfreundschaft, wie sie der Amerikaner dem Fremden entgegenbringt, erlernen werden, das scheint mir sehr fraglich.

Es gab eine Zeit in Ungarn und Siebenbürgen, wo man gerade so gastfreundlich war, wie man es hier ist. Wenn ich mir nun sage, daß man bei uns, Uß baß, über der Leitha nicht mehr so gastfreundlich sein kann, wie man es war und vielleicht noch gern wäre, so will es mir scheinen, daß es hieße, Unmögliches verlangen, wenn man in Europa erwartete, was Amerika gern thut.

Noch an Bord der „Werra" erhielt ich einen Brief eines jungen Amerikaners aus Philadelphia, der mich bewillkommt auf seinem Boden und mir sagt, daß er heute herüber=

fahre, mich zu sehen. Es ist dies derselbe Freund, der vor
elf Monaten Geschäfte in London hatte und 50 Stunden nach
Wien fuhr, um den alten Austrian 12 Stunden zu sehen,
und dann 50 Stunden zurückreiste nach Britannien!

Und der erste Brief, den ich im „Hôtel fifth Avenue"
erhielt, war der einer ungarischen Dame ersten Ranges, einer
lieben, treuen Freundin, der ich herzlich danke!

Und nun strafen Sie mich Lügen, wenn Sie können!

Zum Schlusse nur noch, daß im Süden ein großer
Cyklon wüthete; wir fielen in seine Ausläufer. Ist das Glück?

III.

Gestern kam Mapleson mit 126 Mitgliedern hier an,
und Madame Patti folgt mit dem nächsten Schiffe. Vor-
gestern wurden die Logen für eine, die erste, Vorstellung
licitirt und durchschnittlich für 250 Dollars, d. i. für 500 fl.
Gold verkauft. Mit Mapleson concurrirt Mr. Abbey, welcher
ebenfalls nur Kräfte ersten Ranges herüberbrachte und das
Geschäft bereits gesichert hat! Einen kleinen Anhaltspunkt
liefert das schon für Beurtheilung der Dimensionen des Lebens
und den ganzen Styl, in welchem dasselbe hier verläuft.
Wenn ich Ihnen das „Fifth Avenue Hôtel" schildere, was ich
mir vornehme, so werden Sie mir zugeben, daß der Styl des
Lebens ein sehr großer sei.

Aber vorerst kehre ich nach Europa zurück, und zwar
nach dem alten Bremen. Der Contrast zwischen dieser alten
Kaufstadt und der jungen Handelsstadt, in der ich schreibe,
ist, wie der Amerikaner sagt, striking, hier nichts Geschichte,
Alles Gegenwart, dort Alles Geschichte, an welche sich die
Gegenwart anbindet. Erlauben Sie mir, Ihnen zu wünschen,
daß Ihr Rathskeller dieselben Erfolge haben möge, wie sie
der Bremer Rathskeller genießt. Wie man bei Ihnen zu
Sacher oder Breying geht, geht man in Bremen in den
Rathskeller. Aber auch hier ist ein Unterschied, der wohl
nach und nach verschwinden wird, weil ein paar Jahrhunderte
nichts zählen in der Geschichte. Auch das Wiener Rathhaus

wird alt werden, und Häusern geht's wie Menschen; wenn
sie nur einmal alt sind, so machen Jahrzehnte keine Diffe=
renz mehr. Ob es Ihrem Rathskeller jedoch gelingen werde,
Gumpoldskirchner oder Klosterneuburger darin zu lagern, von
dem jeder Tropfen schon eine Million Mark kostet, das halte
ich für fraglich. Statistiker Bremens haben diesen Preis für
uralte Rheinweine. ausgerechnet, und diese uralten Weine
machen so sehr den Stolz der Commune aus, daß diese den
halben Liter für 24 Mark verkaufen, d. h. verschenken kann.
Wir zweifeln, daß Ihre Grinzinger ältesten Datums über
den berühmten „Eilfer" hinausreichen, und sind der Ansicht,
daß Ihr „Heuriger" schon zu großen Einfluß gewonnen habe,
als daß es Ihrer Stadtverwaltung je gelingen könnte, den
Bierconsum auf veterane Weinspecialitäten abzulenken. Der
Kellermeister des Bremer Rathskellers ist der bestbesoldete
Stadtbeamte, er hat 10.000 Mark Gage, während ein Magi=
stratsrath höchstens 7000 Mark bezieht, dafür liefert Ersterer
jährlich 150.000 Mark Keller=Reinerträgniß an die Stadtcasse
ab, was proportionell zur Bevölkerungszahl etwa eine Million
Einkommen für Ihre schöne Stadt gäbe, und Sie erlauben
wohl, daß ich Ihnen solche Erfolge wünsche. Das Rathhaus
stammt aus dem 16. Jahrhundert, ist daher selbst alt genug
und braucht nicht zurückdatirt zu werden durch Baustyl und
Anschmiegen an längst vergangene Zeiten; der „Roland",
welcher gleich einem Goliath steif und mächtig dasitzt, den man
in Dalmatien als Schützer der Seestädte findet, sieht nicht
wüthend aus, und auch Gustav Adolphs Statue macht mehr
den Eindruck eines behäbigen Rathhauskellerfreundes als den
des Streiters für einen neuen Glauben. Reizende Giebel=
häuser zieren alle Straßen, und an Stelle der cassirten Stadt=
wälle hat man wunderhübsche Gärten und Teiche geschaffen.
Diese Tabakmänner verstehen zu leben, und diese Rheder ver=
stehen es auch. Das Zinshaus findet sich kaum, das eigene

Haus hat die vollste Herrschaft und wird gegen Horn zu zur Villa, zum Schlosse, in Mitte herrlicher alter Gärten, die den New-Yorkern fehlen und die Ihre Ringstraßen-Barone sich zu schaffen versäumt haben.

Ein langer Train mit Massen von Reisenden und noch größeren Massen von Koffern führte uns auf langweiliger Erde nach Bremerhaven, wo unsere „Werra" uns erwartete und saufs et sains hieher brachte.

Warum haben Sie keine directe Linie nach New-York? Ein Kaufmann erklärte mir das. Er sagte: „Ihre Kaufleute sind verwöhnt und leben im Irrthum. Nur die besten und allerneuesten Waaren finden in Amerika Käufer, der Preis ist Nebensache. Man zahlt für Gutes und Neues jeden Preis. Die österreichischen Kaufleute aber sind gewohnt, jene Waare, die ihnen liegen blieb, nach Galizien und Polen, nach der Wallachei und Moldau zu schicken, wo der „Schund" Absatz fand! Seit aber England diese Länder und Bulgarien, Macedonien ꝛc. mit seinen Waaren erobert hat, meinen Ihre Kaufleute, der „Schund" solle nach Amerika wandern. Sie machten üble Erfahrungen — und weil sie sich die Finger verbrannten, so schicken sie gar nichts."

Am Ende versteht der Mann die Sache? Was meinen Sie? Freilich fügte dieser Herr noch etwas bei, was ich gern verschweigen möchte; aber die Feder ist nun einmal geschwätzig, und so soll es heraus. Er sagte: „Sie haben keine richtigen Kaufleute!"

Der gestrige „New-York Herald" bringt ein Interview des Mr. Mapleson, der, wie mir scheint, ein richtiger Kaufmann ist, weil er nur Waare ersten Ranges herüberbringt. Waare! Wie kühn! Aber endlich doch. Die Waare zahlt sich, er hat seinen Gewinn, und das Publicum ist zufriedengestellt. Auch Mr. Abbey macht es so, und Ihre Kaufleute sollen es auch so machen. Was mir jedoch auffiel in diesem Gespräche, das war, daß mehrere Operngrößen Contracte mit beiden Unternehmern haben sollen, so daß es den Anschein hat, die Eigenthumsfrage sei nicht klar — und derlei möchte ich nicht anrathen, denn man erzählt mir von der großen Geschicklichkeit der hiesigen Advocaten wahre Wunder und von der Länge der Processe und ihrem endlichen Ausgange noch größere.

Bevor meine Gedanken ganz auf amerikanischen Boden hinübertreten, gestatten Sie, noch nach Berlin zurückzukehren, wo ich einen kleinen Straßenconflict zu sehen das Glück hatte. Ein Paar Betrunkener machten Scandal, der Schutzmann verwies sie zur Ruhe, und die Kerle antworteten mit Stockschlägen auf den Kopf des Polizeimannes. Letzterer aber warf beide zu Boden. Andere kommen zu Hilfe, und die Sache war beendet. Gesetzt nun, dasselbe geschähe in Wien? Die New-Yorker Polizei ist ähnlich adjustirt wie die englische, d. h. mit hohem, dickem Filzhute und mit schwerem Life preserver — aber ohne Schleppsäbel. Wenn ein Uebelthäter Ihren Wachmann beim Säbelgehänge erwischt, schleudert er ihn herum wie einen Kreisel und läßt ihn dann fliegen! Der kurze Bleistock aber ist eine weit bessere Waffe als der lange Säbel, davon mögen die hiesigen Policemen erzählen, welche in dem Irländer Mob gar gefährliche Gegner haben. Vielleicht gibt Ihre Commune der Wache anstatt der Commodekappe auch einmal eine Kopfbedeckung, welche vor Schlägen und Regen schützt!

In Berlin und New-York laufen alle Pferde mit flachen Hufeisen. Berlin ist freilich ganz eben; dagegen ist das Terrain von New-York stark wellenförmig, und doch ziehen Omnibus- und Tramway-Pferde ihre schweren Wagen ohne Stollen an den Hufeisen, ganz wie die Percherons in Paris, die auf dem glatten Macadam rutschen wie die Katzen. Auch Ihre Pferde würden weniger stürzen auf dem Asphalt, wenn Sie die Stollen

caffiren würden, und der Pferdefuß bliebe gefünder. Bei
Glatteis natürlich, da müßten Eifen eingefchraubt werden, und
das thut man auch hier.

Gefahren wird in New=York ungeheuer viel. Ele=
vated Railway, Tramway, Omnibus und Karren füllen den
Broadway vollftändig aus; die Kreuzungen z. B. bei der
V. Avenue oder in der Bowery find fo belebt mit Fuhrwerk,
daß der Policemen oft die Paffanten fchubweife über die Straße
geleiten muß. In allen Straßen aber hat diefer Policemen
die Schulkinder beiderlei Gefchlechtes unter feinem befonderen
Schutze; wie um einen Vater fchaaren fie fich um ihn, und
rudelweife fpedirt er fie durch das Wagengewühle. Welche
Beruhigung für die Eltern!

New-York darf keineswegs eine fchöne Stadt genannt
werden. Die rohen Telegraphenftangen, welche feine Straßen
gleich abgeftorbenen Bäumen umfaffen, verunzieren die Stadt
fehr. Das Pflafter, an fich fchlecht, wird nicht gut erhalten;
die Straßen, durch welche die Elevated Railroad himmelhoch
(man fieht in die drei Stockwerke der Häufer) geht, find finfter
und trocknen eigentlich nie, aber die Ausdehnung und das
Leben imponiren ficher jedem Ankömmling. New-York, zwifchen
Hudfon und Eaftriver gelegen, ift verhältnißmäßig fchmal und
dehnt fich nur nach Norden aus, fonft baut es fich in die Höhe.
Es gibt Häufer von eilf Stockwerken, die ohne Elevatoren
ganz unbewohnbar wären. Der Länge nach führen die Avenues
und fenkrecht darauf fchneiden die Streets durch. Viele diefer
Streets fehen ganz ariftokratifch ftill aus, Vorlegftiegen führen
zu den fchmalen Häufern, und hin und wieder ftehen Bäume,
deren Wohlfein aber fehr fraglich ift. Unter den Avenues
gilt die fünfte für ariftokratifch; hier finden fich Paläfte in
unbekanntem Style, Clubs und Kirchen (deren New=York
nahezu 500 hat), unter denen die neue gothifche Kathedrale
den erften Rang einnimmt, denn fie ift nicht nur groß, fon=

dern stylgerecht durchgeführt, bis auf die bunte Orgel, welche sich wie ein in scheckige Federn gekleideter Sioux-Indianer unter Asketen ausnimmt. Gegen Norden schließt sich der Centralpark an, ein weitläufiger, ziemlich neuer, alleeloser Garten, in dem zahllose Equipagen schöne Frauen spazieren führen, die oft ihr Buggy selbst lenken. Mit dem Prater oder Schönbrunn und Versailles hält dieser Park keinen Vergleich aus, auch mit Zarskoje-Selo nicht, obwohl man auf den breiten Wegen bequem fährt, wie in allen russischen Hofgärten, die mehr ganzen Grafschaften gleichen als Parks.

Daß die Amerikanerinnen schön sind, wissen die Europäer; auch ich finde sie bis auf kleine Exceptionen schön. Ihre Gesichter sind edel, Hände und Füße klein, und in den bescheidenen, aber doch reichen Toiletten nehmen sie sich graziös genug aus. Aber die Wiener und Pester Frauen werden von den Amerikanerinnen nicht geschlagen. Ihre Frauen haben schönere Gestalten, und die Schönheit Ihrer Frauen ist viel mannigfaltiger als jene der hiesigen, denn die Frauen brauner oder schwarzer Farbe in New-York machen wohl keinen Anspruch auf Schönheit, obwohl sie es in ihrer Art sein mögen, aber die Art schon ist nicht schön. Von der Emancipation der Damen ist nichts zu sehen. Excentrische Weiber gibt es überall, und hochpolitische oder religiöse weibliche Querköpfe finden Sie in Europa auch. Daß Fräulein allein einkaufen (shoping) gehen, kommt auch in Wien vor, und auch solche Fräulein gibt es, welche Gäste bei sich empfangen und dem Papa, der solches zu rügen wagt, sagen — aber mein Paul kommt ja zu mir und nicht zu Dir! Eine gewisse Civilisation bringt aber eine gewisse Selbstständigkeit des Individuums mit sich, an welche sich auch die Europäer gewöhnen müssen.

So zum Beispiel war ich dieser Tage zum Besuche auf Staten Island in der Farm eines Freundes, der mir

B. Aba, Skizzen aus Amerika.   14

seinen 13jährigen Sohn vorstellte, einen durchaus nicht hoch-
gewachsenen, knabenhaften Jungen, welcher eben von einer
dreiwöchentlichen Excursion auf dem Hudson zurückgekehrt war,
die er allein in seinem winzigen Segelboote gemacht hatte.
„O“, sagte die Mutter, „er ist ein ganz guter Sailor, und
ich gab ihm in einer Box Lebensmittel mit, und er schlief
sicher im Boat.“

Ihren Mr. Papa's würden die Haare zu Berge stehen,
zumal wenn sie sehen würden, wie bevölkert der Hudson
ist und welch' colossale Schiffe da diese Nußschale in den
Grund bohren können! Gewiß halten die Europäer ihre
Kinder zu lange an der Schnur, und die Schnur ist auch zu
kurz, deshalb reißt sie oft, und dann macht der Junge eine
Dummheit nach der andern. „Ich gebe meine Tochter
keinem Erben“, sagte mir kürzlich ein reicher Amerikaner,
„ich gebe sie einem fixen Burschen, der zu arbeiten weiß und
sich ein Vermögen macht, während die Erben von Vermögen
in der Regel nicht arbeiten, daher nur eine Chance haben,
nämlich ihr ererbtes Vermögen zu vergeuden. Ich denke nicht
an das Sparen“, fügte er bei, „ich genieße mein Leben, weil
ich für mich gearbeitet habe.“

Was sagen Sie zu dieser Moral? Ist sie nicht absolut
entgegengesetzt der Moral, welche bei Ihnen herrscht? Welche
ist die richtige?

So sind auch die Mädchen freier hier als in dem
ängstlichen alten Welttheile, von dem man so gern sagt, er
hätte nicht mehr Raum für all' die Menschen, welche dort
hausen. Mag sein — aber so viel ist gewiß, daß ein Bummler
hier keine Achtung genießt. Jeder Mann muß ein Geschäft
haben, sonst ist er unnütz und gilt dafür. Zählen Sie, wie
viele Bummler Sie haben, multipliciren Sie die gefundene
Zahl mit 3000, und da haben Sie die Zahl der Dollars,

welche eben so viele Amerikaner verdienen müssen, wenn sie wie Herren leben wollen. Jeder Taglöhner verdient 80 fl. ö. W. monatlich, und weil das amerikanische Geld mit Hilfe des Schutzzolles im Lande bleibt, kann ihm der hohe Lohn auch gezahlt werden.

Deutsche Hände sind überall willkommen, nicht nur weil der Kopf durchschnittlich 60 Dollars Capital mitbringt, sondern weil der Deutsche ein nüchterner, fleißiger und geschickter Arbeiter ist. Warum gehen diese tüchtigen Leute nicht nach Ungarn, wo Hunderttausende von Jochen mit Weizen bebaut werden, den der amerikanische auf allen Getreideplätzen aus dem Felde schlägt, während Ungarn seine Hosenstoffe in Brünn kaufen muß? Aber weg mit dieser delicaten Frage und zurück zu New-York, der Arbeits- und Genußstadt!

„Fifth Avenue Hôtel" hat 500 Zimmer. Alle sind gleich den Stiegen mit ganz schweren, prachtvollen Teppichen belegt. Jedes Appartement hat sein Bad und Closet; der Elevator erspart das Stiegensteigen vollkommen. Im ersten Stockwerke befinden sich fünf Salons, zwei Schreibcabinette, ein Musik= zimmer, und die riesige Vorhalle führt in den noch riesigeren Speisesaal, den zwei Speisezimmer für Nachzügler flankiren; die vier höheren Stockwerke enthalten nur Fremdenzimmer.

Zu ebener Erde ist vorerst das Bureau, wo die Ge= schäfte des Hauses und seiner Bewohner abgemacht werden. Dort deponirt man die Schlüssel, empfängt und läßt Karten, gibt Commissionen, erhält Briefmarken und läßt die Briefe, holt sich Wechselgeld und Papier, erhält Informationen ꝛc. Daneben ist das Lese= und Rauchzimmer mit dem großen Schreibpulte und dem Bureau für Schiffs= und Eisenbahn= karten durch das ganze Reich und jenem für Tickets in alle Theater.

Gegenüber befindet sich der Bar, d. h. der Trinktisch, hinter welchem die Chemiker stehen, welche allerhand Eisgetränke

14*

brauen, mit und ohne Strohhalm zu trinken, wo Biere und
Weine geschänkt und Sandwichs gratis gereicht werden an
„stehende" Gäste, denn der Amerikaner hat nicht Zeit, sich
unter Tags zu setzen; dagegen trinkt derselbe beim Diner fast
ausnahmslos nur Eiswasser. Der Amerikaner ist nämlich
zu Mittag außerordentlich mäßig im Trinken — wenn er
den ganzen Vormittag und Abend in diesem Geschäfte recht
fleißig war.

Hier befindet sich auch das Zeitungsoffice und jenes für
Tabake aller Art. In neuester Zeit verkauft die ehemalige
Firma Laserme türkische Cigarretten, was, wie Sie sich denken,
für Oesterreicher ein großer Comfort ist, denn gute Cigarren
sind horrend theuer, unter 40 fl. ö. W. nicht zu haben,
und der amerikanische Tabak taugt schlecht für Cigarretten.
Uebrigens hatten die Habanaherren, die wir trafen, die Güte,
uns 1881er Cigarren von solcher Feinheit des Parfums zu
geben, daß nur so alte Raucher wie wir, die noch von
Godefroh in Wien kauften, eine Idee von der Güte und
Feinheit dieses Krautes haben, was nicht hindert, daß wir
gern gestehen, in Oesterreich raucht man mit Rücksicht auf
den Preis der Waare am besten in Europa.

Zwischen 8 und 10 Uhr sammeln sich die Einwohner des
„Fifth Avenue-Hôtels" im Speisesaale an Tischen, welche für
sechs Personen gedeckt sind und elbowroom gewähren, worauf
der Native hält. Das Menu enthält an fünfzig Speisen,
kalte und warme, Austern und Haselhuhn, Hammel und
Kalb, Lamm und Ochs, Eier in allen Gestalten, delicate
Hummer, Salate und rohen Sellerie; Bäckereien und Obst
in Hülle und Fülle und zu all' dem Thee oder Kaffee oder
Kaffee und Milchreis oder Milchsuppe — kurz man kann
Alles haben, was man sich ausdenkt, und Alles essen, was
man verträgt.

Wir Oesterreicher wundern uns über den Massen=
consum sowohl als über das Raffinement der Ernährung,
denn der Lunch ist eben so copiös und das Diner noch
reicher, denn alle Gattungen Wild, Fasanen, Rebhühner
und Schnepfen und alle Gattungen Eis und Eiscrême so
wie Käse aus allen Ländern der Welt bereichern die Tafel.
Man wählt das, was man wünscht, und ist vortrefflich, ja
ganz unvergleichlich gut servirt. Die Zahl der Diener in
schwarzem Kleide ist Legion — an den Wänden des weißen
Saales stehen sie herum in der Reserve, und Diener der
Diener räumen das Gebrauchte weg, nicht einen Laut hört
man, bei keinem Fürsten geht es feierlicher her. Erst um
Mitternacht schließt sich der Bar und der Speisesaal; wer
noch später essen und trinken will, geht in das Kaffeehaus
Delmonicos, des ersten Restaurants New=York's, oder, wie
die New=Yorker sagen, der Welt. Wir machten dort nur ein
Diner mit, das allerdings exquisit, aber vielleicht doch schon
verkünstelt war. Ich denke, bei Ihrer „Stadt Frankfurt"
oder beim „goldenen Lamm" herrscht bessere, weil einfachere
Küche, die wohl auch hier schon als „Wiener Küche" ihr
Renommée hat.

Aber unser Urtheil ist nicht maßgebend, wir sind
Cyniker im Vergleiche zu den Gastronomen der neuen Welt,
und zehn Gulden ö. W. für ein Mittagsessen ohne Getränke
ist uns zu theuer, und doch ist billiger bei Delmonico.
nichts zu haben.

Wir besahen die Küchen des Hauses, die Fabrik, in
welcher das Rohmateriale durch zwölf französische Köche und
doppelt so viele Köchinnen umgestaltet wird, bis es jenen Grad
der Verfeinerung erreicht, welcher das gewisse „Und jetzt richt'
an" Ihrer Linzer Kochbücher gestattet.

Heute kam starker Regen. Er kommt hier wie in
Europa von der Seeseite, nur ist diese hier Osten, dort

Weften. Die Omnibuskutscher schützen sich gegen die Nässe durch Parapluies wie es die römischen Fiaker zu thun gewohnt sind; die Pferde aber stecken bis zu den Ohren in Kautschukdecken und sehen aus wie die großen Krebse in Ihrem Aquarium, die in ihren breiten Schalen herumkrabbeln und ihren Pfeilschweif als Ruder gebrauchen.

Staten Island, wohin mich das riesige, zwei Stock hohe Ferryboat brachte, ist ein reizender Aufenthalt, voll von Datschas, d. h. Holzhäusern, deren ältere die Gestalt griechischer Tempel haben. Lauter Theseus-Tempel mit Fenstern. Dort ist auch das große Versorgungshaus für Seeleute, dessen Einkommen 600.000 Dollars beträgt und wo Seeleute, die fünf Jahre auf amerikanischen Schiffen dienten, sich dem dolce far niente ergeben dürfen. „Cooper-Union", „Aftors Library", „Young Mens christian Association" u. s. w. sind Institute für den Unterricht in riesigen Dimensionen, so wie sie riesige Stiftungen sind, durch welche Geldmänner dem Lande zurückgeben, was sie aus ihm gewannen. Die Magazine von Stuart und Tiffany können ganz Wien mit Allem versehen was zur Bekleidung und zum Schmucke für beide Geschlechter, für Groß und Klein taugt. Die Preise sind eben so groß als die Stores selbst.

Die herrliche Brooklyn-Brücke brauche ich nicht zu beschreiben, brachten doch alle Blätter Nachrichten über sie. Des Abends aber, wenn sie elektrisch beleuchtet ist, da gleicht sie einer Guirlande, die über's Meer geht, einer Kette von leuchtenden Blumen. Wunderbar!

In einer Stunde fahre ich nach Philadelphia, um den puritanischen Sountag auf dem Lande in der Familie meines jungen Freundes zu verleben. Montag habe ich Abbey's große Oper und Dienstag ein Abschiedessen bei Delmonico, denn Mittwoch geht es nach dem far West.

Von den Minstrells die ich gestern hörte, werde ich Ihnen noch besonders erzählen. Ich begreife, daß der Tourist, der sich genöthigt fühlt, aufzuzeichnen, was er sah und erlebte, stutzt, wenn er beginnt, Briefe zu schreiben. Der Stoff wächst ihm über den Kopf.

Es ist doch eine neue Welt, in der man hier lebt. Eine neue, andere, haftigere, fast möchte ich sagen, eine intelligentere Welt, während Europa langsamer denkt und thut, dafür aber weit gelehrter ist.

Meine besten Grüße an dieses gelehrte Europa!

IV.

Die Hudson-Bahn führt bis Albany entlang diesem großen Strome und die Fahrt gehört zu den schönsten, die man machen kann, da das rechte Ufer mit Waldungen bedeckt ist, die im Herbste jene berühmten Farben spielen, auf welche sich die Amerikaner so viel zu Gute thun. Das linke Ufer ist besiedelt; wie alle amerikanischen Landhäuser in Mitte von Gärten stehen, so auch hier. Freilich, so schön wie die Villen und Wohnhäuser der Bewohner Philadelphia's um den Fairmount-Park sind diese Häuser nicht, aber durchwegs gewähren sie einen freundlichen Anblick und lassen Zweifel an dem Wohlstande ihrer Bewohner nicht aufkommen. Interessant, aber garstig, sind die vielen Eishäuser, die an beiden Ufern des Hudson stehen. Es sind dies große Holzschupfen, so nahe als möglich an dem Strome gebaut und derart eingerichtet, daß im Winter das Flußeis leicht in diese hohen Schupfen geschafft werden kann. Ich denke auf jede deutsche Meile kommen wenigstens fünf solcher Eishäuser, und die Menge des daselbst gesammelten Eises ist so ungeheuer groß, wie die Consumtion von Eis groß ist. In jedem Glase Wasser, das man trinkt, schwimmt Eis, jedes Stück Butter, das servirt wird, liegt in Eis, alle kalten Fleischspeisen werden auf Eis gehalten. Charlotte russe und Eiscrême wird in Massen genossen. Auf dem Hudson verkehren nur Raddampfer, ich sah wenigstens keinen Propeller, und der Balancier ist die gewöhnliche Form des Motors, den auch alle Ferryboats zu New-York beibehalten haben.

In Albany verläßt die Bahn den Strom, und zu Rochester wechselt Derjenige den Train, der die Niagara-Fälle besuchen will. Man sagt, in Amerika gäbe es nur eine Wagenclasse. Dem ist aber nicht so. Jeder Zug führt Pullman- und Wagnercars, Drawingrooms mit sich, in welchen gegen besondere Vergütung das Publicum zu fahren pflegt, welches in Europa die erste oder vielleicht schon die zweite Wagenclasse zu benützen pflegt. Der Sleepingcar aber ist schon wieder eine höhere Classe, eine kostspieligere und bequemere. Wie sollte auch der Amerikaner, welcher so sehr auf Bequemlichkeit hält, auf den wichtigsten Comfort, jenen des Schlafens, verzichten wollen! Er thut es nicht und kümmert sich nicht um das Princip der Gleichheit, er genirt sich nicht, um sein Geld so gut zu leben als er kann, und dies auch zu zeigen. Der amerikanische Waggon ist mehr als nochmals so groß als ein europäischer, und ein Drawingroom hat rechts drei, links, neben den breiten Fenstern, je eine Reihe bequemer Fauteuils, dazwischen einen breiten Gang und an einem Ende des Cars das Rauchzimmer, am anderen die Toilette. Ebenso groß sind die Waggons auf der elevated Railroad, und mit diesen Riesenwagen macht man so scharfe Biegungen, wie z. B. aus Ihrer Kärntnerstraße in die Singerstraße; können Sie sich vorstellen, daß ein Eisenbahnzug in der Höhe des zweiten oder dritten Stockes durch die Kärntnerstraße brause, in die Singerstraße einlenke und allenfalls durch die Riemerstraße und Wollzeile auf den Stubenring gelange, um etwa in St. Marx sein Ende zu finden? Da ist nichts übertrieben. Ihr Stadtbahn-Mann wird keine so schwere Aufgabe zu lösen haben.

In einem reizenden kleinen Hotel am Niagara fand ich gutes Quartier und billige Unterkunft. In der Fifth Avenue zu New-York kostete jeder Tag 15 Dollars, d. i. 32 fl. Gold, hier jeder Tag 3 Dollars. Der 25. October war ein herrlicher, sonnevoller Tag. Natürlich lief ich sogleich auf Goat Island, jene Felsen-Insel, welche den Strom in zwei Theile scheidet, von denen der rechte den amerikanischen, der linke den canadischen oder Horseshoe-Fall bildet. Wie hoch man auch seine Erwartungen spannt, sie werden durch die Größe dieses Schauspieles weit übertroffen. 30 Millionen Kubikfuß Wasser in der Minute wälzt dieser Strom über beide Fälle und drängt sie bei den amerikanischen Rapids, dort, wo der Körper des berühmten Schwimmers Capitän Webb zum letzten Male gesehen wurde, in Eine Masse zusammen und stürzt sie über riesige Katarakte hinunter schäumend und brausend!

Die Amerikaner, die sich für jeden Blick, den man auf Ihre Naturwunder thut, reichlich bezahlen lassen, haben nun alle Merkwürdigkeiten zugänglich gemacht, gewiß auch voll Verständniß hergerichtet. Die ganze Goat Island ist ein Park, umgeben von Katarakten, wie der Kazan auf der Donau, und Bänken, wie das Eiserne Thor bei Turn-Severin. Beide Fälle, nahezu 200 Fuß hoch, sind oben durch gut versicherte Aussichtspunkte erreichbar, am Fuße aber hat man Treppen und Geländer angebracht, die es möglich machen, unter den Fall zu kommen und die Massen über sich wegstürzen zu sehen! Zu sehen! Wer sieht da? Der Sturm, den die fallenden Wässer erzeugen, betäubt, der dicke Wasserstaub blendet das Auge, die Algen, welche alle Geländer, jede Steinstufe, jeden Fels, auf dem man geht und steht, überziehen, lassen uns glitschen, man hat die größte Mühe, sich selbst zu halten gegen Sturm und Platzregen — — aber man ist dort gewesen! Zum Glücke war ein schöner, sonniger Tag, und der herrliche Regenbogen war doch sichtbar, kleiner, aber intensiver, als ihn die schönste Sonne in fernen Regenströmen zu erzeugen vermag. Für einen Dollar darf man sich ganz ausziehen, erhält Schafwollkleider, darüber geölte, wasserdichte Filzschuhe und über den Kopf eine Kautschukcapuze. Man sieht aus wie ein Taucher, und auch die Ladies sehen so aus. Zu den amerikanischen Katarakten führt ein doppelter Elevator, und unten ersucht ein artiger Photograph: man möge sich mit den Fällen zugleich photographiren lassen. Er zeigt viele Paare und Pärchen in dieser Umgebung, von denen er die Aehnlich= keit außerordentlich rühmt. Natürlich sind da auch Verkaufs= buden von Andenken aller Art, welche schöne Fräulein an= preisen, nicht ermüdend, die Besucher zu beschwatzen. Aus dem Parke führt eine Seilbahn zum Falle. Wenn man unten ist, kommt gleich der Photographer und will Sie abnehmen, und, die Bahn zurückgekehrt, im Parke selbst erscheint ein sehr artiger Herr, der höchst liebenswürdig uns erklärt, wie im Winter Alles zufriere bis herauf zur Terrasse, und zeigt uns, wo der Capitän Webb in's Wasser ging, wie er schwamm und um sein Leben kämpfte, und wie er verlor in diesem Kampfe, dann zieht er aus der Tasche eine Eisphotographie und dann eine andere, wo dieser Capitän mit den Wogen ringt, und endlich trägt er uns an, uns zu photographiren.

Sehr schön jedoch ist die elektrische Beleuchtung der Fälle. Zwei starke Reflectoren werfen ihre Strahlen direct auf den amerikanischen Fall, der nun glitzernd und schim= mernd, gleich silbernen Funken, den Riesensturz macht, um in den Wolken, die er von unten heraufsendet, wieder einen Regen= bogen zu zeigen, den der Mensch erzeugt mit seinem Lichte. Auch sonstige Spielereien weist dieser Park auf, worunter Wasserwerke, Springbrunnen, Segner'sche Räder 2c., die, von rückwärts in allen Farben elektrisch beleuchtet, ganz nett sind.

Auf dem canadischen Ufer ist nicht viel zu sehen. Die Cedar Island ist ohne besonderes Interesse, die Brücken, durch welche fünf Inselchen verbunden sind, sind keine Meisterwerke gegen Röblings große, doppelte Brücke über den Strom, und der burning spring zeigt uns ein Wasserloch, aus dem Wasser= stoffgas strömt — aber überall sind bereitwillige Photographers,

welche Ihnen alte Photographien zum Kaufe antragen oder
Sie zu persuadiren trachten, Ihr Conterfei mit jenem der
Landschaft in dauernde Verbindung zu bringen; überall Shops
mit Federfächern, mit herrlichen Exemplaren großer, weißer
und grauer Eulen und schwarzen Bergraben. Die Industrie
hier scheint die richtige Bade = Industrie zu sein; nichts als
Stöcke, Fächer, Cigarrenbüchsen, Geldtäschchen und anderer
Kram. An unserer Wirthstafel saßen nur zwei junge Paare,
neuvermählt, zärtlich und auch hübsch. Nur zwei. Aber in
dieser Jahreszeit genug, um zu beweisen, daß die Reporter
Recht haben, wenn sie den Niagarafall als das Dorado der
frischen Eheleute bezeichnen.

Nach drei herrlichen Tagen am Niagara begann kalter
Regen. Bei Regen zog ich in Chicago ein. Welche Riesen=
stadt! Welches Leben! Welcher Verkehr und welcher Schmutz!
Durch alle Straßen fahren Tramwahs, durch die Statesstraße
eine Kabelbahn, die ich einen Augenblick für elektrisch hielt,
da sie ohne Locomotive und ohne Pferde läuft. Das Kabel
liegt unter der Straße, und hier in San Francisco, das nicht
auf ebenem Boden liegt, laufen durchaus solche Kabelbahnen
die Bergstraßen aufwärts, fast so steil wie einst Ihre Seil=
bahn und wie jene, welche auf den Vesuv führt. Eine und
eine halbe Stunde lang fuhr ich diese Straße hinaus, um
Chicago's Hauptmerkwürdigkeit, die Schlachthäuser, zu sehen.
Ja es sind dies Schlachthäuser; doch hießen sie besser Fleisch=
fabriken. Nie sah ich etwas, was die Nerven mehr angreift,
als diese Häuser. Durch endlose Viehstände gelangt man,
im tiefen Kothe watend, zur größten dieser Anstalten, zu
„Armours Institut". Ein Junge wurde uns als Führer
beigegeben, und — ich will es gleich rühmend anführen —
lehnte jedes Trinkgeld für die mehr als zweistündige Wande=
rung ab. Was sahen wir da? Die Rinderschlachthäuser sind
von jenen der Schweine getrennt. Täglich werden bei Armours

24.000 Schweine zu Verkaufsartikeln verarbeitet und täglich 1600 Rinder für den Weltmarkt hergerichtet. Wohin geht all' das Fleisch? Und das der anderen Schlachthäuser? Und jenes Cincinnati's, wo der Hauptschweinemarkt ist? Wer kann mit dieser Production concurriren?

Unter großem Geschrei und Peitschenknallen werden die Schweine in immer engere Zwinger getrieben, bis sie in den letzten kommen, der etwa sechs bis acht Stücke faßt. Hier steht ein Mann und heftet eine Schlinge an den linken Hinter= fuß. Sogleich hebt die Dampfmaschine das Thier empor und führt es zum nächsten Compartiment, wo der eigentliche Schlächter steht, der für 10 Dollars täglich (circa 21 fl. Gold) den Thieren den Stoß in's Herz gibt. Ströme von Blut fließen, das dem Manne bis zum Knie reicht. Jetzt fällt das Thier in siedendes Wasser, schlüpft unter einer Bank durch, wird hier ergriffen und dem Räderwerke zugeführt, das ihm alle Borsten abstreift. Aus diesem Uhrwerke kommt es glatt und nackt heraus, wird von Männern mit scharfen Messern rein geputzt, dann an den Hinterfüßen aufgehängt, von anderen Männern der Eingeweide und des Kopfes entledigt, und nun wandert es von Hand zu Hand, bis die Speckseiten gut ein= gesalzen, verpackbar, bis die Schinken zum Selchen bereit sind, bis der Braten fertig und alle abfallenden Fleischtheile zu Hachée zerwalkt und in Schafsdärme gefüllt sind oder in dicke Mägen als Speckwurst in die Welt wandern. 50.000 Stück Frankfurter Würste selcht ein einziger Ofen täglich, und ich sah wenigstens zwanzig solcher Oefen!

Auch die Rinder werden in schmale Gänge getrieben, aus denen sich links Logen öffnen, in welche sich die ge= ängstigten Thiere flüchten. Hinter jedem aber schließt sich die Pforte und oben geht ein Mann, der schießt jedes Thier in die Stirn, worauf es lautlos zusammenbricht. Welch' gräßliche Jagd!

Das Palmer-House (Hôtel) trägt seinem Eigenthümer täglich rein tausend Dollars; dafür baute er sich auch im Lincoln-Park am Michigan-See ein Schloß in unqualificirbarem Style; möglich, daß dieser Styl den Inkas abgelauscht ist; uns Europäern kann er schwerlich gefallen. Aber bequem sind alle diese Häuser eingerichtet, wie Europa wohl schwerlich Gleiches aufweist. In allen Schlafzimmern hat man fließendes warmes und kaltes Wasser; jedes Schlafzimmer hat sein Badezimmer und Closet, alle Räume, von der Stiege an, sind geheizt — schon jetzt geheizt, d. h. im Osten und bis Auburn im Westen, denn hier in Californien beginnt jetzt die schönste, wärmste Jahreszeit, die Wiesen sind grün, herrliche Eichenbestände ziehen sich die Sierra herunter, Weinstöcke kriechen auf der Erde, liebliche Monzanitta-Büsche schmücken das Land, und oben gibt es Rhododendrons in Masse, aber sie blühen jetzt nicht. Hier in San Francisco und auf Goat-Island sind keine Bäume zu sehen, nur in den Parks stehen schöne Cedern, Sequonien, Araucarien und niedrige Dattelpalmen. In Gärten findet sich die Orange in allen Stadien der Fruchtbildung. Ja der Contrast zwischen der langen Fahrt durch die Prairien und die Felsen der Rocky Mountains und der Nevada ist ungeheuer. Schon von Chicago aus über Omaha hinaus nichts als Salbei und Büschelgras, mageres Gras für zahlreiche Rinder, die da für Chicago gehalten werden. Hin und wieder Prairiedogs oder schüchterne Gazellen und kecke Wölfe, die Fraß suchen und finden an gefallenem Rinde, das der Cowcatcher aus der Bahn geschmissen, nachdem er ihm die Rippen eingestoßen. Aber der Mensch siedelt sich überall hin, und North-Platte, Sydney, Cheyenne, Green-River sind ganz bedeutende Emporien, aus Holzhäusern gebildet, aber elektrisch beleuchtet, und Tramways, Omnibus und Fiaker fehlen fast nirgends. Die Speisestationen sind erstaunlich gut versorgt, und zumeist hat man noch einen Diningcar im

Zuge, in welchem Neger uns vortrefflich bedienen, besser als
im Palmer-House, wo auch elegante Neger den Service
besorgen, während im Fifth Avenue Hôtel zu New-York nur
Weiße den Dienst versehen. Nach 47 Stunden Fahrt kommt
man nach Ogden, der Station für Saltlake-City, der Mor-
monen-Stadt. Man hat viel über Brigham Young gespottet.
Aber jeder Unbefangene wird eingestehen müssen, daß er ein
blühendes Gemeinwesen gestiftet hat, dessen Organisation so
fest ist, daß sie den Stifter überdauert. Der Mormonismus
ist in starker Zunahme begriffen. Saltlake-City wächst
täglich. Man sieht von der Vielweiberei natürlich nichts; es
wäre denn, daß die vielen blühenden Kinder, welche in den
Gärten der schönen Villen spielen, darauf hindeuten. Aber
derlei zeigt ja ganz Europa! Ob jener Mann, der vier Maulthiere vom Bocke aus kutschirte und drei Frauen im Wagen
sitzen hatte, drei Gattinnen führte oder Schwestern oder Tanten,
das ist auch nicht zu ersehen. Handel und Verkehr sind lebhaft,
die Auslagen der Gewölbe strotzen von Pariser Artikeln, schöne
Buggys kutschiren mittelschöne Frauen und Mädchen. Der
Tabernacle ist ein bizarres, aber zweckmäßiges Haus für den
Gottesdienst, da es 10.000 Sitze enthält, prachtvoll akustisch
ist und 24 breite Thore hat, durch die sich der Tempel in
Einer Minute leert. Ob Richard Wagner sein System von
den Mormonen gelernt hat? Das Baireuther Haus öffnet
auch alle Wände zwischen den Pfeilern. Nun bauen sie aus
Quadern von Granit eine Art Festung, und diese soll der
neue Tempel werden. Schon 20 Jahre bauen sie und noch
20 Jahre werden sie bauen, da sie aus milden Gaben bauen.

Im Hôtel zu Ogden fand ich ein hübsches Stuben-
mädchen mit Flachshaaren. Ich fragte dasselbe, ob es aus
Schweden sei? „Ja“, sagte das Mädchen, „wir sind hier
alle aus Schweden.“ „Und wollen Sie einen Mormonen
heiraten?“ fragte ich weiter. „O ja“, sagte das hübsche Kind,

„ich hoffe es." Ist das nicht bezeichnend für die Popularität dieser moslimitisch-altjüdischen Institution? So lange die Frauen nicht revoltiren, werden die Gesetze des Congresses machtlos sein. Kinder sind in diesem Lande noch der richtige Segen Gottes.

Von Ogden brachen wir um zwei Stunden verspätet auf. Der Overlandtrain hatte fünf Stunden Verspätung. Man schickte uns mit einem Specialzuge fort. So viel hörte man, daß ein Unglück geschehen sei. Aber was geschah — erfuhr Niemand. Auch die Zeitungen, die doch sonst so rücksichtslos sind in Amerika, schweigen bis heute. Sie schweigen aber auch über das zweite Unglück, das uns in der Nähe von Colfax fast zwei Stunden verlieren ließ. Die Folgen dieser Entgleisung aber sahen wir: die Riesenlocomotive, Tender und Frachtwagen lagen als Trümmerhaufen auf der Bahn. Nur der Ingenieur und Heizer fanden den Tod. Woher kommt es, daß die Zeitungen schweigen? Rathen Sie! Gestern Abends kam ich hier an, heute Vormittags schon fand ich die Karte Mr. Walter B. Cooke's, Reporters des „San Francisco Chronicle", der mich zu interviewen wünschte. Ich schlenderte aber im Chinesen-Quartier herum. In Chicago suchten mich vier solche Herren auf, aber ein ordentlicher Reisender ist nie zu Hause, außer er schläft. So entkam ich der Liebenswürdigkeit dieser freundlichen Herren, begreife aber desto schwerer, warum sie Katastrophen nicht reportiren, wie obige.

Die Fahrt bis Wuinemucca ist trostlos. Hügel, Felsen, nacktes Land. Man steigt höher und höher. Wenn Prairien der Wüste ähnlich sehen oder doch mit derselben verglichen werden können, so fahren wir hier im Hochgebirge, im steinernen Meere. Die Schneedächer mehren sich, ganze Tunnels aus Holz schließen den Train ein. Nach und nach erscheint Nadelholz, tiefe Thäler (Canions) liegen zu Füßen hoher, schneebedeckter Berge. Endlich erreicht man Summitstation, sie liegt jedoch im Holztunnel, zu dem ganze Wälder verschnitten sind. Keine Aussicht. Erst im Blue Canion haben diese Dächer ihr Ende, und jetzt fährt man in wunderreiner Luft rasch der herrlichsten Vegetation, dem reichen Californien zu. Hier sind schon überall die Goldwäschereien und überall die Söhne des himmlischen Reiches mit ihren aus Seide geflochtenen Zöpfen, überall Chinatowns, wo die Erde Gold führt. Diese Wäschereien sind höchst merkwürdig, und ich werde wohl noch Gelegenheit finden, sie zu beschreiben.

Vorderhand eile ich nach Sacramento, der besten Speise= station, von dort nach Benicia, wo der ganze Train auf das größte Flußschiff der Erde hinauffährt und nach Porta Costa übersetzt. Dann geht es nach Oakland, der Endstation der Central=Pacific=Bahn, nach San Francisco. Hier besteigt man das Ferryboat und übersetzt die Bai von San Frisco. Bei der Nacht sieht die dreieckige, beleuchtete Stadt aus wie Syra. Heute kommt mir die Bai vor wie der Bosporus. Palace= Hôtel hat 936 Zimmer. Es ist das größte Hôtel der Welt, und doch ist man hier gut bedient. Wenn wir von den Ame= rikanern etwas lernen können, so ist es das, das Leben so comfortable zu machen, als möglich, Alles so zweckmäßig ein= zurichten als denkbar. Daß die europäischen Ingenieure etwa von den amerikanischen sollten lernen können, das glaube ich nicht. Eher umgekehrt. Aber auch hierüber, sowie über die Chinesen ein andermal.

V.

An Bord der „Annie G. Silver",
Ende November 1883.

Ich schwimme auf dem Vater der Ströme, auf dem
Miſſiſſippi. Vermuthlich werde ich ſieben Tage auf dieſem
impoſanten Fluſſe ſchwimmen. Es iſt nicht ohne Intereſſe,
den Fluß ſelbſt zu ſehen und zu befahren, der zwiſchen end-
loſen Urwäldern 2000 Meilen läuft; zu ſehen, wie ſich der
Fracht- und Perſonendienſt auf dieſer alten Linie abſpinnt,
wie dieſe praktiſchen Yankees die Sache eingerichtet haben.
Das hätte ich aber auch auf einer kürzeren Strecke ſtudiren
können, und den Strom ſelbſt hätte ich zu St. Louis und
Memphis zu bewundern Gelegenheit genug gehabt. Alſo weder
die majeſtätiſche Größe dieſer Rieſenader des Rieſencontinentes,
noch der durch die großen Bahnen weſentlich beeinträchtigte
Verkehr auf den großen Dampfern war Urſache der Wahl,
die ich getroffen, ſondern der Schrecken, der mich befiel, als
ich daran dachte, daß ich, in St. Louis angelangt, wieder den
Pullmancar beſteigen ſollte und wieder zwei Tage und
Nächte das Eiſenbahngeraſſel und Glockengeläute zu erdulden
hätte, das mich auf dem weiten Wege von faſt 5000 Miles
geleitete und in meinen Ohren nachtönte wie der Klang des
Gong und Tamtam, die auf allen Eiſenbahnſtationen zum
Eſſen laden. Immer noch beſſer, dachte ich, ſieben Tage ſchiff-
fahren, als drei Tage auf der Bahn ſitzen — ja vielleicht
lerne ich den Schienenweg von Neuem ſchätzen, wenn ich die

Langeweile der Flußschifferei ganz ausgenossen haben werde.
Das Schiff ist 400 Fuß lang und 46 Fuß breit, der Salon,
in welchem ich schreibe, hat 68 Schritte in der Länge, also
etwa 160 Fuß! Drei Stockwerke und als viertes das Steuer=
haus. Welcher Coloß! Die Zahl der Passagiere erster Classe
entspricht der Größe nicht. Es sind 37 Cabinen = Inhaber,
darunter etwa ein Drittel Damen. Ja Damen in höchst
modischen Kleidern und stark mit Armbändern und Schmuck
überhaupt behaftet, während die Herren wie Farmer aus=
sehen. Es gibt hier in Amerika keine Bauern; sie werden
durch den Farmer ersetzt, welcher durchaus gentlemanlike aus=
sieht, besonders wenn er auf Reisen geht; seine Uhr ist von
Gold, die Kette schwer und auch golden, am Finger trägt er
einen schönen Ring mit großen Steinen oder mit einer Camee,
welche er sehr zu lieben scheint, und im Sleepingcar hat er
keinen Revolver umgeschnallt, weil das Tragen von Waffen
im Schlafwagen verboten ist. Er fährt natürlich erster Classe,
zahlt sich den Sleeper, der für eine Nacht zwei und einen
halben Dollar kostet, und raucht Cigarren, zwei Stück zu
25 Cents, also ein Stück zu 30 kr. ö. W. So sieht der
Farmer aus, und seine Frau ist ganz Lady, ja wenn sie aus
dem Westen stammt, trägt sie wohl gar eine Perrücke und
versteckt die Stirn ganz hinter den Zotteln, so daß sie gleich
dem weißen Pintscher, welcher Ihre Mauern ziert, kaum
herausgucken kann; vielleicht ist sie auch geschminkt! Die
Kinder endlich könnten ganz gut auch in Paris herumlaufen,
nur tragen sie zu viel rothe Farben an sich, sind aber meist
terribles genug. Daß ein Passagier dem geistlichen Stande
angehört, war sogleich zu erkennen, wurde jedoch erst nach
einigen Stunden offenbar, weil er nach dem Thee im Speise=
saale einen kleinen Gottesdienst abhielt und sehr hübsch über
die Pflichten der Eltern gegen die Kinder sprach, was Letzteren
gewiß lieber war als Ersteren.

15*

Alles Andere ist Fracht. Das Schiff ladet 2000 Tonnen und geht dabei nur 10 Fuß tief, da das Fahrwasser, wie der Capitän sagte, gar oft kaum tiefer ist. Unsere Fracht besteht aus Allem, was die Farm braucht und was die große Stadt am nöthigsten hat, aus Mehl und gepökeltem Schweinefleische. Große Wagen, kleine Buggies, Schiebkarren, Kübel, Fässer, Stricke, Pflüge, Säemaschinen, Conservekisten stehen überall, und bei jeder Mühle ladet der Steamer Mehl in Fässern und Säcken für New-Orleans, wozu 50 Schwarze an Bord sind, die ihr Meister, auch ein Schwarzer, zur hurtigen Arbeit treibt. Dieser Riese trägt als Zeichen seiner Würde (?) oder Macht eine dicke Hundspeitsche, denn der Neger ist ja jetzt ein freier Mann.

Des Abends und bei Nacht beleuchtet der Steamer die Landungsplätze elektrisch, und diese Landungsplätze sind das Bruchufer selbst, zu dem der Dampfer die Brücken an Bord mitführt. Diese, acht Klafter lang, hängen im Gleichgewichte und werden durch Dampfkraft an's Land gelegt. Aber hierüber später einmal; nun zurück zur Reise durch die South-Pacific-Länder.

Mein erster Besuch galt Los Angeles, der alten spanisch-californischen Ansiedlung. Los Angeles liegt in einem Orangengarten. Was nicht Orangen-, das ist Weinland. Es duftet von Orangen. Damit ist Alles gesagt, denn von der alten spanischen Zeit ist kaum mehr etwas zu sehen. Die alte Kirche, ein Holzbau einfachster Art, ist klein, und von Spaniern sah man nur verkommene, arme, elende Muster; der Yankee hat sie hinausgearbeitet, wie er eben daran ist, die Neu-Mexikaner aus ihren Lehmhäusern hinauszuarbeiten, theils durch seinen Unternehmungsgeist, theils durch seinen Fleiß, theils durch seinen Revolver. „Help yourself" ist seine Losung, und dieser folgt er, zumal in den Mining-Districtes, durch welche mich die nächsten drei Tage führten. Dieses Land liegt zwischen 4000 und 7000 Fuß hoch, ist theils vollständige Wüste, theils Prairie, theils dürftiges Alpenland, aber der Reichthum an Silber, Kupfer und Gold ist groß genug, um Barren davon den Bahnzügen zu übergeben, Eisenbahnstationen zu gründen, um die sich Arbeiter und Bergleute (Miners) sammeln, um Waffer zuzuleiten oder zu ergraben, um das Staunen des Reisenden zu wecken, der kaum begreift, wie es möglich ist, durch solche Wüsten solche Bahnen in solcher Länge zu führen! Was gäbe der Khedive, was gäbe England darum, besäßen sie Bahnen nach dem Sudan! „Die ganze englische Armee ist in Egypten vernichtet", sagte mir in St. Louis ein alter Herr beim Frühstück. „Khartum", meinte er, „ist ja doch nur zwei bis drei Miles von Kairo!"

Indeß, die Amerikaner hätten sicher schon Bahnen nach dem Sudan gebaut, und die Schwierigkeit wäre gewiß nicht größer gewesen als hier über das wüste Hochland. Wer den Zweck will, muß auch die Mittel wollen! So belegt der Lademeister die Landungsbrücken stets mit Heu, das in gepreßtem Zustande mitgeführt wird, nur damit keiner der Lader ausgleite und stürze. Ich denke, in Europa würde man um dieses Heu Thränen vergießen, weil es so gut für Kühe wäre!

Auf diesen Bahnen wird nicht schnell gefahren. Der eine Grund, warum man nicht mehr als vier bis fünf deutsche Meilen per Stunde macht, ist der denn doch immerhin provisorische Zustand der Bahn und der Brücken, der zweite und wahrscheinlich maßgebendere: Kostenersparniß, denn die „Accidents", wie sie heißen, greifen Niemand an, und ist Jemand „injured", so denkt sich jeder Andere: „Besser er als ich." Verhältnißmäßig reist man daher technisch sicher, und für Fremde hat der Conducteur die besondere Aufmerksamkeit an gewissen Plätzen zu mahnen, sich ja mit Niemand in ein Gespräch einzulassen, sondern stracks in's Diningroom zu gehen,

zu essen und rückzukehren, den Waggon sperre er mittlerweile
ab. Die Stationen sind daher sicher!

Erst in Emporia oder Tapua beginnt besseres Land;
der Kansasriver bringt Leben, und der Osten benützt es.
Kansascity ist denn schon eine große, lebendige Stadt, acht
Züge stehen für 7 Uhr Abends bereit, davon drei nach Chicago,
jeder auf anderer Route und jeder voll. Von hier aus macht
der Zug circa dreißig Miles die Stunde und hätte es auch
mit uns gemacht, wäre nicht ein entgegenkommender Fracht-
zug entgleist, was uns zwei Stunden aufhielt! So geht es
in der Civilisation.

Was die sogenannten Städte an der Southpacific betrifft, so sind sie weiter nichts als Anfänge. Ich denke, jede
Stadt ist unvollendet, auch in Europa. Nur jene Städte
sind ganz fertig, die durch Festungsmauern eingeschlossen sind.
Da fängt die Unfertigkeit erst außerhalb dieser Mauern an.
Viele amerikanische Städte haben nur eine Straße, die anderen
sind blos markirt und sehen aus wie etwa Ihr Wien hinter
dem Augarten. Andere sehen in ihrem Innern schon so aus
wie Ausläufer der Brigittenau, und noch andere bestehen blos
aus etlichen Hütten! Aber der Bahnhof, der Landungsplatz
und die Hauptstraßen sind überall elektrisch beleuchtet. Ohne
mich einer Uebertreibung schuldig zu machen, darf ich sagen,
die ganzen United States haben in allen ihren Emporien das
elektrische Licht angenommen.

Es geht ein eigenthümlicher Unternehmungsgeist durch
das ganze Land, so frisch, so zielbewußt, daß man nur staunen
kann. Woher kommt dieser Geist? Warum ist er in Europa
so wenig entwickelt? Lohnt er sich dort nicht? Warum nicht?
Ist es blos der Kampf mit den alten Einrichtungen? Ist
es Trägheit? Nehmen wir ein Beispiel, etwa den Lastwagen!
Nur im alten spanischen Lande zu S. Cruz sah ich ein unserem
Leiterwagen ähnliches Gebilde. Der Yankee hat sich ein zweck-

mäßigeres Fuhrwerk construirt. Der Laderaum ist fast dem
Boden gleich im Niveau; er hängt zwischen den Rädern, die
an gebogener Achse laufen. Es gibt keine Leitern an den
Seiten, sondern gut passende Stangen werden in Hülsen gesteckt;
das Laden geht schnell und ohne Kraftanstrengung, so auch das
Entladen. Der Kutscher sitzt auf hohem Bocke und übersieht
die Fahrbahn vollständig. Es läßt sich Zweckmäßigeres nicht
denken. Nun nehmen Sie den Leiterwagen. Es bricht das
Rad. Man macht ein neues; es bricht die Leiter, detto.
So wird dieser unzweckmäßige Wagen stückweise erneuert, er
ist so zu sagen unsterblich. Damit geht colossale Arbeit und
Zeit verloren. Oder ein anderes Beispiel. Jeder Kaufmann
baut sich sein Geschäftshaus. Wesentlich für ihn ist das
Magazin. Zu diesem führt der Elevator, der vor dem Store
im Trottoir angebracht ist. Das ist selbstverständlich. Die
Kiste, der Ballen steigt vom Lastwagen direct auf den Elevator
und sinkt mit ihm hinab in's Magazin. Wie ließe sich das
in Wien denken, ohne alle Keller umzubauen, ohne mit allen
Leitungen zu collidiren, die unter die Erde gelegt sind! Der
Kampf mit alten Einrichtungen ist ein größerer, als man denkt.
Aber Alles erklärt er nicht. Die lohnende Arbeit dürfte wohl
der Hauptmotor für den amerikanischen Unternehmungsgeist
sein. Ein Reich, das zwei große Meere zum Schutze seiner
Production besitzt, kann sich eben leicht schützen, und das
Resultat dieses Schutzes liegt hier offen da. Um gleich recht
kühn zu sprechen, sage ich, hier, so wie Nordamerika jetzt
aussieht, ist die sociale Frage gelöst. Jeder, der arbeiten will,
findet Arbeit, und jede Arbeit lohnt sich, d. h. jeder Arbeiter hat
drei Mal des Tages reichliche Fleischkost, und der Aepfelkuchen
fehlt nie; er verdient genug, um Vor= und Nachmittag Bier,
Wein oder Schnaps zu trinken und erspart noch so viel, um
sich ein Lot Baugrund zu kaufen, darauf eine Hütte zu bauen,
aus der wohl nach und nach ein Haus wird, zu dem mit

der Zeit auch das Buggy kommt. Wer das nicht kann, der
ist kein fleißiger Arbeiter. Der Ackersmann, der Eisenbahn=
arbeiter, der Taglöhner arbeitet in Handschuhen, die 2 Dollars,
d. i. 4 fl. 26½ kr. Gold kosten, und verdient das Geld hiezu.
Der ganze Mittelstand lebt im eigenen Hause, der Reiche in
Palästen, er verlebt weit mehr, als europäische Reiche dermalen
zu verleben wagen. Es existiren hier zwei große Parteien,
die sich Republicaner und Demokraten nennen. Erstere sind
Protectionisten, Letztere Freihändler. Man würde sie daher
ökonomische Parteien nennen! Das wäre aber ein großer Fehler.
Es sind dies politische Parteien; jede trägt ihre Fahne vor
sich, bis die Wahlen vorbei sind, dann bildet sich sogleich der
Ring. Die Sonder=Interessen der Repräsentanten und nicht
Grundsätze haben zu entscheiden, die Interessen und die Macht
dieser Interessen. Aber ich irre ab vom Wege, den ich zurück=
gelegt habe. Millionen Menschen haben noch Platz an der
Central Pacific und Millionen an der Southern und Millionen
an der Northern=Pacific=Bahn. Der Acre Regierungsland
kostet noch 1½ Dollars, und zahllose Compagnien unter=
nehmender Männer sind daran gegangen, die Wüsten zu
bewässern, und wo Wasser ist, da läßt sich der Grund bebauen.
Hier am Missisfippi aber haben noch andere Millionen Platz,
viele, viele Millionen, nur müssen diese den endlosen Urwald
erst roden. Wasser haben sie genug. Welche Lust wäre es,
sich da anzusiedeln, fern vom Getriebe der sich befeindenden
Menschen, nur im Kampfe gegen die großartige Natur seine
Kraft zu versuchen, sich selbst schützend — oder untergehend
in diesem großen Kampfe, den in Europa Niemand mehr zu
kämpfen hat, denn dort ist Derjenige verloren, der den Kampf
gegen böse Menschen und Unsitte aufzunehmen wagt, mag er
tausend Mal recht haben; er ist verloren, weil er sich selbst
nicht schützen darf und Niemand ihn schützt, wenn er nicht in
den Ring gehört.

Doch der Brief wird zu lang. Wie sieht es mit der polizeilichen Sicherheit in jenen Ländern aus, die durch die South-Pacific-Bahn erschlossen wurden und an Alt-Mexico grenzen? Damit Sie das erfahren, übersetze ich Ihnen eine kleine Notiz aus der Zeitung von St. Louis, ddo. 26. November 1883. Hören Sie. „Der Trainraub" heißt der Titel, und die Notiz lautet so: Die letzten Details über diesen Raub auf der South-Pacific gehen dahin, daß fünf maskirte Männer, alle schnell, intelligent und furchtlos, den Train durch Aufreißen der Schienen stellten; der Maschinführer S. C. Webster wurde erschossen. Eine Zahl von Schüssen wurde auf den Feuermann abgegeben, der davonrannte und sich im Salbeibusch versteckte. Der Postbeamte wurde bewacht, während das Felleisen geplündert wurde. Der Zug hatte höchstens 1000 Dollars bei sich. Die Passagiere blieben unbelästigt, nur Einem, der zu entfliehen versuchte, wurden 150 Dollars abgenommen. Der Conducteur mußte seine 200 Dollars hergeben. Die Räuber hielten den Train fast eine Stunde an; es war finstere Nacht. Sechs Pferde standen gesattelt ganz nahe. Ein Mann hütete sie. Alle schienen ihr Metier vollständig zu verstehen. Zeit und Ort waren mit großer Klugheit gewählt, und hätten sie den Train angepackt, welcher in der letzten Nacht lief, hätten sie nahezu 100.000 Dollars erwischt. Auf dem Train war nur ein Revolvermann, daher an Widerstand gar nicht zu denken. Der Conducteur des Lastwaggons, des letzten Waggons im Zuge, war entkommen und rannte 5 Miles zurück zur Station Gage und telegraphirte nach Demming den Vorfall. Ueber hundert Mann setzten sich sogleich auf einen Specialtrain und fuhren an den Ort der That; der größte Theil derselben machte sich auf, die Räuber zu verfolgen, und sind heute noch nicht zurück. Eine Depesche aus Demming sagt: „die cowboys seien nach Mexico entkommen". Dies der Inhalt des Telegrammes.

Cowboys heißen Rinderhirten. Das alte Mexico steht im schlechtesten Rufe. Demming liegt über 6000 Fuß hoch in der Wüste; dort hatte ich Wagenwechsel und schlief vier Stunden im offenen Zimmer. Der Raub geschah etliche Tage, bevor ich hinkam. Alles war da sicher! Welche Regierung könnte dieses Riesenterritorium gegen solche cowboys schützen? Sind diese cowboys etwas Anderes als die szegény legények Ihres Bruderlandes? Help yourself! Deshalb gefallen mir die Urwälder des Mississippi und Ohio!

VI.

New-Orleans, im December 1883.

In St. Louis trug ich den Pelz, in New-Orleans fressen mich die Mosquitos. Ihre neuverheirateten Paare lieben es, den Honigmonat in Venedig zu vollbringen, wahrscheinlich dieser Mosquitos wegen, und hier ziehen sie nach New-Orleans, vielleicht aus demselben Grunde. Zwei solche Paare hatten wir an Bord der „Annie P. Silver", auf dem wir verspätet hier einlangten, da theils großer Waarenverkehr, theils Nebel rasche Fahrt ausgeschlossen hätte, selbst wenn sie im Programme gestanden wäre. Aber ich denke, man fahre nie schneller, denn der Capitän sagte: „O! in fünf Tagen" — „I guess", fügte er bei; Spaßvogel, das. I guess heißt: ich vermuthe. Wie soll ein Capitän etwas vermuthen, was er wissen muß? Indeß der Amerikaner sagt so oft I guess, daß mir das Wort gar nicht auffiel. Später, als ich selbst gueßte, daß wir in fünf Tagen nicht nach New-Orleans kommen würden, sagte der brave Mann, er guesse auch. Acht Tage auf dem Vater der Ströme, Meche Sebe heißt er in der Sprache der Indianer, das ist eben Vater der Ströme, und der Yankee gestaltete sich das Wort nach und nach um, so daß es jetzt vier s und zwei p hat und deshalb etwa wie Mississippi ausgesprochen wird, so wie New-Orleans recte New-Orlins genannt wird. St. Louis gleicht stark Chicago, nur ist es noch schmutziger. Am 23. November wurde eine Straße gekehrt, und eine Zeitung jubelte auf, indem sie die richtige Schlußfolgerung zog, St. Louis könne gereinigt werden.

Aber ich glaube nicht daran. Solche Plätze sind Geschäfts-
plätze: hohe Stiefel trägt man ohnehin, und als Uebergänge
dienen etwas erhabene Steine, welche in Siebenbürgen charak-
teristisch genug „Kampel" heißen, was so viel sagen will wie
„Kamm". San Francisco besitzt auch solche Kämme; zwischen
den Oeffnungen fahren die Straßenkarren durch, auf den
Kämmen balanciren die Herren in ihren hohen Boots und
die Damen in ihren kleinen Schuhen, denn der Fuß der Amerikanerin ist sehr klein und die Chaussure tadellos; kleiner ist
nur der Fuß des Chinesen, dessen Chaussure ebenfalls tadellos in ihrer Art ist. Alte Race! Uebrigens habe ich die
Ohren der Neger durchwegs sehr klein gefunden, was info-
fern auf alte Race deuten würde, als die Ohrmuschel durch
den langen Nichtgebrauch muskellos wurde. Dagegen lassen
die Hände der Schwarzen, so wie ihre Füße an Größe nichts
zu wünschen übrig. Colossal, und deshalb tragen auch alle
Minstrels angeschiftete Schuhe, mit denen sie jene prächtigen
Negertänze aufführen, die fast den Eindruck machen, als
schlügen sie mit den Sohlen Castagnetten. Arme Schwarze!
Durch's ganze Land werden sie verspottet, und nirgends dürfen
sie an einer Tafel sitzen, wo Weiße essen. Da kam in Memphis
eine schwarze Dame an Bord, gekleidet wie eine New-Yorker
Lady, nur ein bischen bunter; sie hatte ihr Töchterlein bei
sich, ein Mädchen von 16 bis 17 Jahren, gleichfalls im Rem-
brandt-Hute, und einen Knaben von acht bis zehn Jahren,
der rothe Strümpfe trug und Knickerbockers.

Diese drei Individuen, der Familie eines wohlhabenden Farmers angehörend, wurden separat gehalten und abgefüttert; sie machten auch nie den Versuch, sich in die weiße
Gesellschaft zu mischen, sondern zogen sich scheu zurück in ihren
Käfig — ob in „ihres Nichts durchbohrendem Gefühle" —
oder aus Verachtung? Wer weiß, was in diesen Köpfen vorgeht? Hier in New-Orleans sollen sie sehr hochmüthig sein,

jedenfalls tragen sich die Damen sehr selbstbewußt, z. B.
rothsammtne Jockeykappe mit Goldbörtel, gleichen Rock und
weißseidenes Leibchen; große Füße in kleinen Schuhen und
große Hände in zersprengten Handschuhen. Reizend, und dazu
das vollständige Gorilla-Gesicht und, bald hätte ich gesagt:
die Ausdünstung des letzteren. Ganz erstaunlich. Ein Platz
heißt hier der Congosquare, hier war vor 20 Jahren noch
Sclavenmarkt; jetzt ist dieses schwarze Volk frei und gleichberechtigt, und kein anständiges Hôtel beherbergt einen solchen
freien Mann!

Als ich behauptete, daß in Europa jeder Neger in
jedem Hôtel Aufnahme an jeder Wirthstafel Platz fände
— da zuckten die freien Demokraten und Republikaner die
Achseln — sie bedauerten den „alten" Continent, der Alles
erst von Amerika lernen müsse! Haben Sie auch so a lovely
Landschaft wie diese, und haben Sie je Cotton gesehen? So
fragte mich ein Gentleman. Diese herrliche Landschaft bestand
aus Wald in vollster Ebene, und es lagen am Landungsplatze etwa 50 Ballen Cotton, wie wir sie in Marienthal
alle Tage sehen können. Die Amerikaner haben keine hohe
Meinung von uns Europäern und unserer Civilisation. Ich
meine da natürlich nur den Amerikaner, der nie in Europa
war und seine Beefsteaks deshalb gut findet, weil er nie zartes
Fleisch gemästeter Thiere gekostet hat. Wenn ich Zeit finde,
will ich ein Capitel über amerikanische Kost schreiben. Jetzt
nur so viel, daß die Reise auf der South-Pacific und jene
auf dem Mississippi, was Verdaulichkeit betrifft, zu den größten
Aufgaben gehört, die je europäischen Mägen, ja sogar europäischen Gaumen gestellt wurde. Aber hievon, wie gesagt, ein
ander Mal.

Etliche Wildgänse, mehrere Enten und einige Schnepfen
erjagten wir — aber diese Jagd ist sehr naß und verbietet
sich dem Reisenden von selbst. Drei Bären kamen in Sicht,

aber verrannten sich sogleich wieder im Urwalde. Kairo,
Memphis, Vicksburg, Natchez, Baton Rouge (die jetzige
Hauptstadt von Louisiana) sind die vorzüglichsten, aber nicht
die schönsten Plätze, die man anfährt.

Am besten gefielen mir die ehemaligen Edelsitze in
dem dicken Dickicht großer Lebenseichen mit ihren Ansied=
lungen von Sclavendörfern. Das sieht so heimlich und
lauschig aus, daß man bei jedem verbrannten Herrenhause
und bei jedem verlumpten Dorfe trauern muß um die zu
Grunde gegangene Civilisation, an deren Stelle die Freiheit
trat, das heißt: die sociale Sclaverei. „Wir sind nicht frei",
sagte mir ein hübscher, schlanker Neger, der einen weißen
Hut und weißen Anzug trug und in Natchez das Schiff ver=
ließ. „Ich versuchte zwei Mal mein Glück und freite um ein
weißes Mädchen", sagte er, „aber zwei Mal wurde ich ab=
gewiesen; ich wollte Farmer werden, dazu brauchte ich jedoch
eine Frau; ich mag keine schwarze, eine weiße bekomme ich
nicht — so wurde ich school-teacher", schloß er. Good by,
er stieg aus.

Dieser Mann dachte! Aber die wenigsten Neger
denken. Jene 40 starken Männer, welche das Ladegeschäft be=
sorgten, lachten, tanzten, arbeiteten schwer und schnell, lachten
und tanzten wieder — aber Alles geschah mechanisch. Diese
Arbeit und Lustbarkeit ist ihnen bequem; die Art der Arbeit
wird genau befohlen — der Neger vollzieht sie genau, schnell
und geschickt; ohne Befehl bleibt er liegen oder lacht affen=
artig und tanzt, wie etwa die Affen in Schönbrunn an das
Gitter springen, oder, einander verfolgend, sich eine Nuß ab=
jagen oder zwecklos hüpfen. Ich wollte, ich könnte Sie in den
hiesigen Hafen führen, damit Sie diese Tausende von freien
Schwarzen sehen könnten, die hier gleich Sclaven hart arbeiten,
aber es gern thun müssen, widrigens sie verhungern würden.
Da stehen Hunderte von Schiffen, die Cotton, Zuckermelasse,

Reis, Tabak bringen und holen, und Hunderttausende von Ballen und Fässern liegen schon am Lande, der Neger hat sie aus dem Schiffe geholt, aufgestapelt, er ladet sie auf neue Schiffe oder auf Wagen, die das Rohproduct der Verfeinerung zuführen oder dem Verkaufe. Nur Neger sieht man, nur zerrissene Kleider, aber vorwiegend rothe Hemden, reinliche, aber auch zerrissene, wie sie Bärenführer den kleinen Wesen anziehen, welche Darwin's Menschen genannt werden. Jene aber, deren Sclaven diese Schwarzen waren, sind nahezu verschwunden.

Ihre fürstlichen Existenzen sind ohne Entschädigung vernichtet, ihr Vermögen existirt nicht mehr, keine Grundentlastung brachte Ersatz, ihre Wohnsitze sind dem Verfalle anheimgegeben, sie sind verarmt — verschwunden. Grausames Geschick. Als ob der Taifun Menschen, Habe und Gut verwirbelt hätte! — — Und Ironie des Lebens — Jene, für die der Zeiten Gunst gearbeitet, dürfen sich in die Gesellschaft ihrer Befreier nicht mischen — denn sie gehören einer niedrigen Race an, sagt der siegreiche Yankee!

Nun könnte ich versucht sein, Ihnen eine Statistik des Handels von New=Orleans zu geben und Ihnen zu sagen, welche Producte und Fabricate Ihres Landes hier günstige Chancen fänden!

Ich thue es nicht. Keine Plagiate. Dr. Meyer hat vor zwei Jahren alle Daten dem „Vaterland" in schönen Briefen geliefert; die ungarischen Grafen, welche damals Amerika bereisten, haben das Land wirklich fleißig studirt und ein Buch über Amerika in Aussicht gestellt. Es wird wohl bald erscheinen, denke ich, denn die ungarischen Grafen — so nennt man sie hier — sind eben so populär als geschätzt in Amerika und besonders in New=Orleans, dessen wunderschöne Frauen gern von ihnen reden und dessen Kaufleute gern lesen werden, was Jene zu sagen haben. Aufrichtig gesagt, fand ich eigentlich

nur Zucker, Baumwolle und Reis — etwas Tabak aus Ken-
tucky und Havana und etwas Obst aus dem Westen und
Norden — aber österreichische Zündhölzchen fand ich nicht und
Pester Mehl auch nicht. Nach und nach wird das wohl auch
kommen, aber sehr nach und nach. Dagegen fehlt es an
Dalmatinern und Küstenländern hier nicht; sie kommen mit
Seglern, auf denen sie 20 fl. ö. W. per Monat beziehen,
und gehen sogleich durch, um 20 fl. per Woche zu verdienen.
— Diese Idealisten!

Nun wieder zurück zur Schiffreise. Immer wärmer
wurde die Luft, immer heißer die Sonne. Ein warmes
Kleidungsstück nach dem anderen wanderte in den Koffer,
und Sommertracht wurde herausgenommen. Mit einem guten
Fernglase bewaffnet, die Havanacigarre zu 25 Kreuzer Gold
im Munde begann ich den Tag. Nach und nach kam die
strahlenlose Sonnenscheibe herüber über die Wälder und goß
ein Meer von goldigem Lichte über die Erde. Der blaue
Dunst, der über dem mächtigen Strome liegt, weicht scheu
zurück, zerfließt in nichts, und die träge Wassermasse liegt
vor uns, fast unbeweglich, lautlos. Man hört nichts als das
Einschlagen der breiten Schaufelräder in die breiige Fluth,
die in schweren Tropfen zurückfällt vom störenden Rade. Jetzt
setzt die Sonne ihre Strahlen ein, und schon heben sich die
Wildgänse in die Höhe und ziehen in langer Flucht nach rückwärts, wo der Schwall des Schiffes ihre Dünen verlassen
hat. Wildenten ducken unter oder entfliehen wie ihre größeren
Schwestern; da und dort kreiset ein Bussard — und Alles
ist wieder ruhig. Die schwarzen Matrosen kommen in den
zweiten Stock, dort lagert das Mehl und die Seife, welche
der kleine Kaufmann im nächsten Orte bestellt hat — sie
tragen die Fässer und Kisten hinunter, die Diener beginnen
das Deck zu scheuern, die Spucknäpfe zu putzen, in welche
diese unvermeidlichen Kauer Massen von braunem Safte

abjetzen, die Glocke ertönt — das Frühstück wird aufgetragen. Sechs große Tafeln sind gedeckt. Wer Lust hat, ißt eine Stunde lang, wer nicht, macht die Sache in fünf Minuten ab und sucht das Freie wieder. Zwölf Mal die Länge des Schiffes abgehen, braucht netto eine Stunde, wenn die Damen erscheinen und uns anreden — es ist dies amerikanische und ganz hübsche Sitte — wohl auch zwei Stunden; die Sonne ist höher gestiegen, Landung folgt auf Landung; man muß an's Land, eine Rose holen, Moos sammeln, die schwarzen Mädel an= schauen, die weiße Kopftücher tragen oder Helgoländerhüte; man muß doch in Red River, in Bayou Sara, im Plaque= mine gewesen sein, und wenn das Ladegeschäft Stunden dauert, will man hinein in den Urwald oder in das Zuckerfeld gehen, wohl auch eine Schnepfe schießen, und siehe da, es ist 12 Uhr, gerade noch Zeit, Toilette zu machen, und wieder läutet es, das Dinner ist da. N'en parlons pas. Nach Tisch Pause, dann Cigarrette, dann Plausch über Politik, Oekonomie 2c., worin jeder Amerikaner fix ist, sehr fix, und wenn man ihn fragt, ob er das von Carrey oder John Draper habe, so wissen diese Herren gar nicht, daß diese National=Oekonomen und Historiker echte Yankees sind und in Amerika für Amerika geschrieben haben. „Keine Zeit für Bücher", sagte der Mann, welcher „in Schuhen" machte. Sie haben keine Zeit für Bücher, müssen Geld machen. Diese Bücher trugen viel Schuld am Bürgerkriege, denn die Louisiana=Männer brauchten sich nicht dem Geldmachen — dem Geldteufel — zu überliefern, sie hatten Zeit für Bücher und waren den nördlichen Staats= männern gar sehr überlegen. Jetzt geht die Sonne unter — wie in Egypten, wie ein Nordlicht, wie eine Feuersbrunst, bei welcher das Welttheater verbrennt!

Nun kommt die Whistpartie, ohne honneurs, pour l'honneur mit sieben Tricks. Das nüchterne, alte englische Whist, das aber komisch genug ausfällt, wenn etwa zwei

Damen mitspielen, von denen die eine fortgesetzt fragt, was trump sei und die andere überhaupt nur oberflächliche Kenntniß der Kartenbilder besitzt, daher das Recht in Anspruch nimmt, jede Karte, nachdem sie gespielt, wieder zurücknehmen zu dürfen. Da nun principiell nicht um Geld gespielt wird, so kann sich ein weiblicher Whistspieler alle erdenklichen Kunststücke erlauben und die gewagtesten Experimente machen.

Natürlich sitzt man nach dem Souper wieder auf Deck, allein, unter dem herrlichen Sternenhimmel, und da darf man wohl auch „sinnen", was so viel heißt, als Einst und Jetzt zu verbinden suchen — und an Lassens schönes Lied denken: „Es war ein Traum!" Unten im Salon aber singen hübsche Mädchenstimmen amerikanische Lieder, recht lustige, in das Gebiet des Duddle schlagend — oder recht sentimentale, tragische, die, merkwürdig genug, stets von Liebe handeln, als ob die Liebe nur traurig sein könnte!

Man trippelt so viel herum den ganzen Tag, daß man gern in's Bett geht und schläft, ungeachtet des Heulens der Maschine, Pfeife, Glocke und der Neger, bis der neue Tag beginnt, und toujours perdrix!

So kommt man auch nach New-Orleans, welche Stadt ich, wie Florenz, die Stadt der Rosen nennen möchte. Der Rosen! Ja der Blume! Aber auch der Frau. Schönere Frauen als hier kann es nicht geben. Man sagt, die schönsten seien Creolinnen. Unter Creolen stellen sich die Europäer gelungene Abkömmlinge der Farbigen vor. Dem ist aber nicht so. Die schönsten Blondinen der Welt besitzt Louisiana. Es läßt sich nichts Zarteres, Eleganteres und Geistvolleres denken! Und wie musikalisch sind diese fein organisirten ätherischen Wesen, welche alle jene Bücher lesen, die ihre Herren ungelesen lassen, und S. Bach spielen und — Wagner! Verzeihen Sie diesen Ausbruch des Enthusiasmus. Wenn Sie ihm miß-trauen, so lade ich Sie ein, einen Ausflug hierher zu machen und sich etwa im Hause des österreichisch=ungarischen Consuls zu überzeugen, ob ich zu enthusiastisch war! Schon die ungarischen Grafen schwärmten für diese Damen, ich thue daher nichts Anderes, als österreichisch fortsetzen, was Ungarn so glücklich begonnen hat.

Das nächste Mal sollen Sie von Cotton und Oelpressen hören, vom Packen der Schiffe und Fabriciren der Cigarren, von Spinnereien und vom Lake Pontchartrain; von den Zuckerplantagen und dem, was man Stapel nennt. Heute schließe ich mit Rosen.

———

VII.

Golf von Mexico an Bord des „Hatchison",
im December 1883.

Als ich in Wien den erften Dornzaun fah, war ich
nicht wenig erftaunt, daß man folche Schutzmittel gegen
Menfchen in Anwendung brachte. Ich hielt diefen Dornzaun
für eine fpecififch wienerifche Erfindung. Seither lernte ich,
daß diefe Zäune dem amerikanifchen Geifte entfproffen find,
denn in den neuerfchloffenen Ländern fchützen die Eifenbahnen
ihren Befitz durch diefe Thorn fences gegen das weidende
Rindvieh und diefes Vieh gewiffermaßen gegen den tödtlichen
Cowcatcher. Die Privaten machten nun das nach, fo daß
ganze Quadratmeilen durch diefe faft unfichtbaren Drähte
gefchloffen und durchkreuzt find. Der Thorn fence bildet
einen fehr großen Induftriezweig und Handelsartikel. In
Texas nun begann ein förmlicher Krieg gegen diefe Fences.
Das Vieh fieht fie nicht; rennt an, fticht fich die Augen aus
und zerreißt fich die Haut. Man führt den Krieg mit großen
Zangen, und wie ich hörte, breitet fich der Krieg nach allen
Seiten aus, fo daß diefe Zangen ein Induftriezweig und
Handelsartikel wurden. Je weniger nun in Ihrer fchönen
Hauptftadt Vieh geweidet wird, was z. B. in Kairo und in
Vicksburg ꝛc. am Miffiffippi vorzukommen pflegt, defto mehr
darf ich über die offenbar verfpätete Einführung diefer Feld-
einfaffung in Wien ftaunen. Soll ich vielleicht ein Mufter
der Anti=Fence=Zangen einfchicken?

Heute hielt der Cirkus Coles in New=Orleans feinen
Einzug. Die Elephanten marfchierten ganz bequem durch die

ganze Stadt; vier von ihnen zogen einen coloſſalen Wagen, in welchem fünf Löwen majeſtätiſch herumſpazierten. So kündigt ſich dieſer Circus hier an. Ich hoffe, daß ſich dieſe luſtige Sitte auch bei Ihnen acclimatiſiren wird. Ueberhaupt ſcheint mir Ihr öffentliches Leben ganz ſtill zu ſein gegen den Lärm dieſer ſüdlichen, halb tropiſchen Stadt. Keine Nacht vergeht, ohne daß große Proceſſionen von Geſellſchaften aller Art mit Muſikbanden durch die Stadt ziehen, welche die Soldaten nachahmen, indem ſie, wenn den Muſikanten der Athem aus- geht, die Trommel ſchlagen. Aber ich begreife ſie ganz, denn die armen New-Orleaneſen haben gar kein Militär! Ein ſchwacher Erſatz, aber doch einer. Und nun naht ſchon der Faſching, die Vorbereitungen ſind in vollem Zuge. Schon wird der König und die Königin des Faſchings gewählt und werden Berathungen gepflogen, ob Gottfried von Bouillon oder Barbaroſſa oder Cortez einziehen ſolle. Die Coſtüme wird Paris liefern; alle Schönheiten wirken mit; die Zeitungen werden Telegramme bringen von allen Stationen, die der Heros in ſeiner langen Fahrt berühren wird, und endlich langt der ganze Zug in New-Orleans an, auf der Bahn oder zu Schiffe, und zieht in die Stadt ein. Alle Veranden ſind gefüllt, Alles jubelt, man empfängt den Maskenzug mit tropiſchem Enthuſiasmus, und Diners und Bälle begrüßen die fremden Gäſte.

So poetiſch lebt dieſes nüchterne Geſchäftsvolk, das den ganzen Tag in den Börſen ſteckt und lauſcht, wie Cotton ſteht, welche Schiffe ankommen, welche und wohin ſie abgehen, was ſie ſuchen, ob Wolle oder Reis, ob Orangen, Tabak, Zucker? Aber unſere Kaufleute werden das bald ſelbſt ſehen, denn nächſtes Jahr iſt hier „Weltausſtellung“, und man rechnet auf ſtarke Beſchickung aus Oeſterreich. O ſchicken Sie doch ein Wiener Kaffeehaus her, wo man guten Kaffee mit guter Sahne und gute Wiener Kipfel bekommt. Man zahlt hier

für ein amerikanisches Frühstück, b. i. Beef, Kaffee, Butter,
Eier, einen Dollar, d. i. 2 fl. 13 kr. Gold! Für schlechten
Kaffee mit schwacher Milch, schwerem Brote, etwas nicht allzu
guter Butter und zwei Eiern 35 Cents, d. i. 75 kr. Gold.
Ein einfaches Wiener Frühstück, Kaffee und Butter, könnten
Sie leicht für 10 Cents geben und würden mit Ihrem starken
Kaffee Furore machen. In S. Francisco ist eine Wiener
Bakery, die auch Mandoletti und Zuckerbäckerwaare, z. B
Gugelhupf, verkauft. Sie macht große Geschäfte, auch über
die Gasse, denn die Amerikaner sind Leckermäuler! Welche
Waare Sie sonst noch schicken sollen? Darüber müssen Sie
wohl mit Ihrer Gesandtschaft verhandeln, und Ihre Kaufleute
müssen den Stift in die Hand nehmen und rechnen. Das
Beste, was sie haben; den Wiener Preis plus Fracht und
Zoll, müssen sie berechnen und mit amerikanischen Preisen
vergleichen. Der Amerikaner kleidet sich sehr sorgfältig, er
kleidet sich sorgfältiger als der Durchschnitts=Europäer, und
die Amerikanerin maschiert an der Spitze der Pariser Moden.
Beide Geschlechter sind äußerst sensitiv für die kleinste Ver=
änderung im Schnitte der Kleider, und ich denke, das ganze
Volk ist ein dankbares Publicum für jede Industrie, die mit
Bekleidung zu thun hat. Gefallen wird es Ihren Geschäfts=
leuten jedenfalls hier, und mit der englischen, französischen und
spanischen Sprache langen sie vollständig aus.

Sie wissen, daß Amerika sehr stolz ist, seine Baumwollen=
Industrie hoch genug entwickelt zu haben, um Concurrenz nicht
eben sehr fürchten zu müssen. Das hindert aber nicht, daß
große Massen von Baumwolle nach England verschifft werden.
In dem Zustande, in welchem sie von der Plantage kommt,
kann sie nicht verladen werden; die Ballen nehmen zu großen
Raum ein. Die Nothwendigkeit, den Raum zu sparen, schuf
einen großen Industriezweig, die Baumwollpresse, welche nichts
Anderes zu thun hat, als den Ballen von circa fünf Centner

so klein als möglich zu machen. Solche Pressen arbeiten höchst präcis und machen fast Alles selbst. Der Ballen wird zwischen die Lager gewälzt und auf ein Fünftel seines Raumes verkleinert, mit sechs Reifen umspannt und auf der anderen Seite hinausgeworfen. Erst jetzt ist er packbar. Das Schiff wird damit vollständig kunstgemäß ausgestopft. Ein gut gepacktes Schiff ist ganz seetüchtig und kann von den Wogen nicht zerdrückt werden. Daß der Cottonsame gepreßt und das Oel als Olivenöl nach Europa geht, habe ich vielleicht schon erzählt; daß jedoch die Samenhülle, zu Mehl verarbeitet, in Europa und namentlich in Deutschland ein Hauptdüngungs= mittel wurde, das dürfte Sie interessiren, weil auf diese Art von der Baumwolle gar nichts in Amerika zurückbleibt als die Staude, die immer wieder Kleiberstoff, Salatöl und Dünger für Europa liefern muß und liefert.

Es gibt hier sehr große Tabakfabriken; sie verarbeiten amerikanischen und Havana = Tabak zu Cigarren, Cigarretten, Rauch=, Schnupf= und Kautabak in ungeheuren Massen. Hunderte von weißen und farbigen Mädchen und Knaben, hunderte von hellen Yankees, braunen und schwarzen Negern und dunklen Spaniern sind dabei beschäftigt. Letztere machen echte Havana = Cigarren, d. h. Cigarren aus echten Blättern, schön und auch gut — aber echte Havana = Cigarren sind doch besser, besonders wenn sie ganz frisch, fast naß sind und sich anfühlen wie ein Schwamm! Wie lange ist es her, daß man in Europa noch stolz war auf alte Cigarren? Die Gourmands speicherten sie auf und griffen für Freunde in die ältesten Schreine! Hier raucht man nur den Jahrgang 1883! Wer hat Recht? Indessen, so gute Cigarren wie einst gibt es überhaupt nicht mehr.

Die schönsten Ausflüge, welche man von New=Orleans aus macht, sind Westend und Spanish=Fort. Sie liegen am See Pontchartrain, der eigentlich ein Meer ist und charmante

Bäde-Anstalten und Parks besitzt. Hier haben auch die Clubs der Ruderer ihren Sitz, und große Restaurationen können Tausende von Menschen aufnehmen, die bei Musik und gutem Mahle sich ergötzen. Ganz nahe dabei liegen die Friedhöfe, welche ausgezeichnet gut gehalten sind und durch ihre luxuriösen Grabmäler vom Wohlstande des Volkes Zeugniß geben. Es gibt da Grabcapellen, die 30.000 fl. ö. W. kosteten und so dicht mit Epheu überwachsen sind, daß sie in grünen Grotten zu stehen scheinen. Man fährt im Wagen durch diese Todtenstadt, sieht riesige Lebenzeichen und wirkliche Columbarien (für Aermere) und mag sich wohl hineindenken, daß man in einem Parke spazieren fahre.

Ganz nahe dabei wieder hat der Cirkus seine Zelte errichtet, und in gerader Richtung kommt man in die Hauptstraße, wo die meisten Theater zu finden sind, in deren einem (grand opera house) jetzt die berühmte amerikanische Sarah Bernhard, Namens Clara Moris die Camiliendame gibt. Ich will nicht abfällig über sie übertheilen; sie ist gewiß eine große Künstlerin, kann es aber auch sein, denn sie muß doch sicher schon ein Vierteljahrhundert der Bühne angehören und diese delicate Rolle in ihren jungen Jahren oft genug gegeben haben, um sie zur vollsten Perfection auszuarbeiten. Etwas weniger von letzterer und etwas mehr Jugend schienen mir wünschenswerth. Aber das englische Publicum ist stets dankbar — Clara Moris ist der Liebling des Publicums, wie die Ristori der Liebling ist der Italiener, wenn auch der Fremde nicht begreift, wie man noch so junge Rollen spielen kann, wenn man bereits alt geworden!

An Sonntagen früh 7 Uhr besucht man den French Market, weil dort nicht nur Alles verkauft wird, was der Sonntagstisch fordert, sondern überhaupt Alles, was das Haus, die Menage als solche — braucht, und auch Gombo, das ist ein Pflanzenpulver, das die Indianer in die Stadt bringen,

um den Feinschmeckern Gelegenheit zu geben, Suppe mit
Austern daraus zu machen, ein Gericht, welches in den Häusern der Creolen sehr beliebt ist, das jedoch mir den Eindruck
machte, als äße ich Austern in Gummisauce! Zwei riesige
Hallen dienen dem Markte. In der ersten findet sich fast
nur Fleisch, das so geschmackvoll hergerichtet ist, wie Thierleichen nur überhaupt geschmackvoll hergerichtet sein können.
In der zweiten gibt es alle Arten Geflügel, darunter den
Lieblingsvogel der Orleanesen, den Truthahn; weiter Wasser-
wild in Massen; alle Sorten von Gemüse und Massen von
Bananen, Orangen, Trauben, Aepfel — mitten im Winter;
und nun folgt der Fischmarkt, und dazwischen befindet sich
Küchengeschirr und Hausrath, und eingesprengt sind Kaffee-
stände und kleine Restaurants, wo Reiche und Arme ihr
Frühstück nehmen. Im Fasching ist es Brauch, nach dem
Balle hier Kaffee zu trinken, in den offenen Hallen im
Jänner! Zwischen beiden Hallen halten die Indianer ihre
Waren feil.

Dieser ganze große French Market machte mir nahezu
den Eindruck einer Exposition universelle et particulière.

Hinter den Hallen ist der Jackson-Square, wo der berühmte General zu Pferde sitzt, schon geraume Zeit, und ich
hoffe, noch viele Jahre, umgeben von Cedern, die in alle
Formen geschnitten sind, von Lonicera, von Sykomoren und
sammetweichem Rasen. Alle Wege aller Gärten aber sind mit
kleinen Muscheln bedeckt gleich wie mit Kieseln, nur zarter
und weißer. Sie stammen aus altem Meeresgrunde. Hinter
dem Square steht die Kathedrale, eine Basilica mit Holz-
galerien. In ihr sang ein Knabenquartett bei gedämpfter
Orgel eine herrliche Messe. Noch schöner jedoch ist die Musik
in der Jesuiten-Kirche, wohin die elegante Welt der Creolen
beten geht. Ein deutscher Capellmeister hat sein Orchester und
seinen Chor meisterhaft gedrillt, und herrliche Frauenstimmen

hat er gefunden in diesem Lande, wo sich Niemand verkühlt und wo die Zugluft ordentlich gezüchtet wird! Seit den Zeiten des Papstes Pius IX., seit der sixtinischen Capelle zu jener Osterzeit hörte ich so erbauliche Kirchenmusik nicht. Zwei Stunden vergingen — wie ein Traum.

Und nun möchte ich Sie zum Schlusse doch fragen, ob bei Ihnen das Budweiser Bier auch so berühmt ist als wie hier in Amerika? Ich hörte zwar oft vom Pilsner Biere und habe es wohl auch gekostet — aber vom Budweiser hörte ich nichts. Es genießt hier des größten Rufes und wird, wie ich hörte, in St. Louis von der Brauerei Anhaüser-Busch gebraut. Fast zögere ich, aufzuschreiben, was ich hier sagen möchte. Ich zögere; am Ende klagt mich Ihr Dreher! Aber persönliche Ansichten darf man doch äußern, ohne ein Duell fürchten zu müssen? Nicht? Ich finde, daß Anhaüser-Busch das beste Bier der Welt brauen. Behalten Sie das für sich. Es ist ja immerhin möglich, daß Anderen anderes Bier besser mundet; es gefällt ja Vielen zum Beispiele Zola besser als Turgenjew! Mir gefällt Turgenjew besser als Zola. Dabei frage ich nie, wen stellt diese Wera, wen jener Iwan vor? Jeder Autor erfindet sich die Figuren, die er braucht. Turgenjew lobt auch nicht immer seine Zeit, und doch liest man ihn gern. Sans rancune. Wenn ich Anhaüser lobe, so table ich Pilsen nicht. Absolut Gutes gibt es nicht, und das relativ Schlechte kann doch immerhin noch gut sein, wenn man nur billig denkt.

VIII.

Havana.

„Waſſernoth in Wien", ſagt ein Telegramm der „Poz de Cuba". Entſetzlich! Eine Million Einwohner und kein Waſſer. Was nur mit der Donau geſchehen ſein mag? Hat ein Erdbeben Ihre Hochquellen verſchüttet? Help yourself! Leiten Sie die Leitha ſtracks nach Wien! Aber ich denke, die Noth wird nicht ſo groß ſein — Sie werden Bier trinken und excellente alte Weine und, wenn nöthig, auch junge. Wir trinken hier Regenwaſſer, das wir durch Hudſon Eis auf=friſchen und mit dunkelblauem Cubaner Wein färben. Man muß ſich zu helfen wiſſen.

Trotz des herrſchenden gelben Fiebers, das viele ſchmutzige Farbige, mitunter auch reinliche Weiße wegrafft, genießen wir das ſchönſte Klima der Welt. 80 Grad Fahrenheit im Schatten Ende December! Begleiten Sie mich gefälligſt nach Quinta della Molina. Dieſe Villa liegt etwa eine Viertel=ſtunde außerhalb der Stadt am Paſeo della Reina, an der Promenade der Königin. Die Königin von Spanien war aber noch nicht auf dieſer ihrer Promenade, auch der König nicht, und das iſt ſehr ſchade, weil er und ſie ſicher befehlen würden — den Garten der Quinta auch in Stand zu erhalten; die Villa iſt ja königlich — gehört dem Könige und der Königin, und auch ihr fehlt jeder ſoin. Der Generalcapitän von Cuba hat das Recht der Benützung — aber er zieht es vor, der körperlichen Sicherheit wegen, das Haus nicht zu bewohnen, und ſo verfällt dieſe wundervolle Manſion, die aus tausend und einer Nacht hiehergezaubert zu sein scheint. Eine breite Allee aus himmelhohen Cocospalmen führt gerade auf das luftige Haus, dessen grüne Jalousien den vollen Einblick gestatten in den riesigen, kühlen Saal, voll verblaßter Tapeten und zerzauster Schaukelstühle aus Rohr. Rechts und links schließen sich weitere Palmenalleen an, die in ihrer Mitte sich verbreitern zu förmlichen Tempeln, indem die Bäume ihre Fiederköpfe nach innen neigen und ein dichtes Dach bilden, unter welchem Tische und Bänke und Stühle stehen, einladend zur Rast im Schatten dieser Palmen. Hinter dem Garten erhebt sich das Terrain, und ein Bächlein rieselt die schiefe Ebene herab, das vor Zeiten wohl das Rad einer Mühle trieb, von der die Quinta ihren Namen trägt, das aber jetzt unter Lorbeerbäumen, unter Rosensträuchen und von Palmen beschatteten Bananenbüschen weiterfließt und kleine Canäle und reizende Teiche speist, auf denen Schwäne aus Kautschuk und Duckenten aus Blech lustig herumschwimmen, während Krähen durch die Wipfel rascheln und Spatzen uns in den Weg hüpfen. Ein paar Rehe, im Dornenzaun gehalten, sind Zeugen, daß einst „Herren" hier gewohnt haben, und etliche weidende Schafe und Kühe beweisen, daß nur mehr Aufseher oder besser Nutznießer da hausen. Denken Sie sich nun das Ganze durchglüht von der tropischen Sonne, die so schwarze Schatten wirft wie das elektrische Licht und so glänzende Lichter durch Kronen und Stämme der Palmen preßt, wie sie englische Aquarellisten in ihre Bilder hineinwaschen, und Sie haben eine Ahnung von der Glorie tropischer Pracht. In Tulipan, einer Vorstadt Havana's, liegt ein ähnlich schöner großer Palmengarten, in dessen Mitte ein wahrer Palast steht. Dort wird dem Sohne des deutschen Kronprinzen zu Anfang des nächsten Jahres ein großes Fest von den Deutschen Havana's gegeben werden. Diese Deutschen haben eine schöne Summe — ein ganzes Capital — zusammengesteuert, bauen das Schloß von

Grund, d. h. den Grund desselben neu auf, denn der Tanz-
saal würde einstürzen, wenn er nicht fundamentirt würde; sie
beleuchten den Palmengarten und den Palast elektrisch, geben
dem Prinzen ein großes Diner, dem ein großer Ball folgt,
zu welchem alle die schönen Havaneserinnen geladen sind, diese
wirklich reizenden Frauen mit den dunklen Augen, dem (allerdings verdeckten) gelben Teint, den winzigen Füßen und den
herrlichen Camelien!

Wie gut diese Deutschen zusammenhalten! Es ist eine
Freude!

Es wäre sehr verlockend, nun eine kleine Diversion auf
das politische, polizeiliche und wirthschaftliche Gebiet zu machen,
zu untersuchen, woher der Verfall stammt, wie es kommt,
daß ein Goldpiaster mehr als doppelt so viel werth ist als
ein Papierpiaster; wie es kommt, daß man so sehr über Un-
sicherheit, Raub und Mord in der von Wachen und Soldaten
strotzenden Stadt zu klagen hat, wie es möglich ist, daß ein
so großes, reiches Land, das vor der 1868er Insurrection einen
Wirthschaftsüberschuß von 29 Millionen Goldpiaster hatte,
jetzt nach der Insurrection ein Wirthschaftsdeficit von 27 Millionen aufweist; zu untersuchen, ob denn alle diese Paßquäle-
reien und horrenden Visa-Gebühren (vier Golddollars per Kopf)
nöthig oder doch nur nützlich seien. — Aber der Herrscher von
Spanien wird sicher einmal selbst nach Cuba gehen und sich
die „Wirthschaft" in der Nähe ansehen, d. h. er wird sich
nicht nur bei spanischen Functionären, sondern bei Cubaner
Pflanzern und Kaufleuten die nöthigen Informationen holen,
und dann wird das wirthschaftliche Deficit verschwinden, wie
die Gespenster Ihres Kratky-Baschik im Prater verschwinden.
Ich denke, daß ein Vigilance-Comité in Havana wahre Wunder
verrichten könnte, fürchte jedoch, alle Palmen, so viele deren
auch sind, würden zu „Gibbets" werden. Für mich hat diese
Frage deshalb so großes Interesse, weil sie mir mit der Frage

über die Zukunft der „Coloured men" zusammenzuhängen scheint. Diese Frage spielt jedoch stark hinüber in die „States" und namentlich nach Louisiana, und wenn Sie erlauben, will ich Ihnen darüber später meine unmaßgebliche, wenn sie wollen, zopfige Ansicht schreiben. Heute nur so viel, daß es selbst in jenen glücklichen Lazzaroni-Zeiten zu Neapel nicht so viele Faullenzer, Lungerer, Krüppel, Bettler, Loseverkäufer gab als hier in Havana, und was besonders auffällt, daß ein großes Contingent zu Bettlern, Blinden und Lahmen von Chinesen geliefert wird; Chinesen ohne Zopf, also solchen, die nicht mehr nach China zurückkehren können, die Christen wurden; Chinesen in Lumpen und Fetzen gehüllt wie ihre schwarzen Collegen, während die echten Chinesen Californiens nette, reinliche, durchwegs gut gekleidete, fleißige Männer sind. In ganz San Francisco sah ich keinen bettelnden Chinesen, ja, ich glaube, überhaupt keinen Bettler. Und nun zwei Worte über „unsere" Wirthschaft.

Ich bin der Gast von fünf Junggesellen, fünf deutschen Junggesellen, denn der einzige Spanier unter ihnen ist auch in Deutschland erzogen und spricht und denkt deutsch — so weit es die verwickelten Verhältnisse und kaufmännischen Aufgaben dieser Herren gestatten; denn alle fünf sind Kaufleute. Diese fünf Herren mietheten sich in Cerro, der fernsten Vorstadt Havana's, ein großes, schönes, luftiges Haus, das vorn eine breite, von dorischen Säulen getragene Veranda hat, die sich durch ein schönes Eisengitter abschließt. Solche Veranden hat jedes Haus; die Veranda setzt sich fort, erscheint wie ein Porticus, in dem alle Nachbarn sich begrüßen und sprechen können. Aus der Veranda führen zwei große Eisengitterthore in den gemeinsamen Salon, in dem Schaukelstühle um kleine Tischchen stehen, wo sich ein ganz gutes Klavier findet und die Spucknäpfe nicht fehlen, welche die Steinflur im Lande des Tabaks beschützen müssen. Aus dem Parlour führt eine gewölbte, breite, thürlose Oeffnung in den Speisesaal, der hoch, fensterlos, d. h. ohne Glasfenster, jedem Zuge freien Eintritt gestattet. Ein großer Speisetisch und zwei Credenzen bilden die Möblirung. An den Speisesaal schließen sich die Schlaf= zimmer der fünf Herren an. Eines koketter als das andere. Ich denke, der schönste und größte Luxus Havana's besteht im Bette. Das Bett ist ein „Himmelbett" wie man es in Oesterreich nennt. Die Bettstelle ist ganz in Tüll, Spitzen und Stickereien eingehüllt und je nach Liebhaberei des Schläfers mit blauer, rosarother oder weißer Seide oder Atlas aus= geschmückt. Jeder hat seine Toilette, alle zusammen ihr Bade= zimmer, und zusammen haben sie Platz für drei Pferde, welche im offenen Stalle stehen, denn es gibt hier keinen geschlossenen, und das Thier bekommt nie Winterhaare. Die fünf Herren halten zusammen einen europäischen Diener, einen kohlschwarzen Koch, dessen graumelirte Haare zeigen, daß er sein Handwerk schon lange übe, und dieser hält einen Laufburschen, den Sohn eines Chinesen und einer Negerin, das merkwürdigste Product der merkwürdigsten Combination von Flachnase, Schiefauge und Gorilla=Gebiß, das je die Welt gesehen.

Die Kaufleute trennen sich in zwei große Kategorien: in Importeure und Exporteure. Zwei der fünf sind Impor= teure europäischer Artikel. Dry goods heißen sie. Ihre colossalen Lager enthalten Alles: Pflüge und Spitzen, Hüte und Steingut, Papier und Stecknadeln, Stoffe aller Art und Rohmaterial für alle Gewerbe, Glas und Eisen, Möbel und Bauvorlagen, kurz Alles, nur echten Schmuck und Perlen nicht. Die Exporteure sind entweder Tabakmänner oder Zucker= leute; sie halten keine Vorräthe, ihre Waare wird ihnen Ende jeder Woche abgeliefert, es ist nun ihre Aufgabe, sie zu packen und so schnell als möglich zu verschiffen. Während die Ersteren nur auspacken, packen Letztere nur ein; während Erstere im Store sind, gehen Letztere in die Fabriken und controliren die

Erzeugung; während Erstere nicht mustergemäße Waare dem europäischen Fabricanten zur Verfügung stellen, riskiren Letztere, daß ihnen dies von den Consumenten Europa's oder Amerika's geschehe.

Dieses „Zurverfügungstellen" ist eine gar böse Sache. Der Importeur ist in der Regel nur Commissionär; er zahlt aber die Waare, die er dem Cubaner liefert, in Europa. Wird die Waare ihm zur Verfügung gestellt, so hat er Proceß, und in Havana gewinnt kein Fremder einen Proceß, sagte man mir. Der Exporteur kauft die Waare und soll sie aus Europa zurücknehmen, wenn sie dort nicht gefällt — auf Tausende von Meilen! Was soll er in Cuba damit machen?

Die Herren haben daher ihre Sorgen, und die Gefahr, Verluste zu erleiden, ist nicht klein. Aber wenn sie Abends sechs Uhr mit der Eisenbahn ankommen, da streifen sie nicht nur die nassen Hemden, sondern auch ihre Sorgen ab. Der Neger kocht gut; für gute Weine sorgen sie selbst; den Kocktail macht Don Will, den Kaffee Don Max; die prächtigen Cigarren spendet Don Fernando, und da reden sie von dem schönen Wien, das sie alle besucht, und von Wiens schönen Frauen und von Wiens herrlichen Bauten und Bieren und schwärmen von Wiens Theatern und Wiens Hochquelle — von derselben Hochquelle, welche das Telegramm „Wassernoth" nennt.

Nach dem Essen kommt der Rockingchair, das dolce far niente; man wickelt die Havaneser Cigarrette aus, man macht sich dieselbe neu — so verlangt es diese Cigarrette; Will spielt Wagner und Gounod — bald singen sie, und mir zu Ehren beginnen sie das Kaiserlied — Haydn's: „Gott erhalte".

Jetzt kommen Besuche; Nachbarn aus Cerro; Städter; lauter Junggesellen, denn keiner will eine Havaneserin zur Frau nehmen, nicht weil sie ihm zu wenig schön sind oder sich zu viel im Schaukelstuhle fächeln, anstatt zu wirthschaften

— nein, sie wollen nicht Havaneser werden, wollen wieder in die grüne frische Heimat zurück, wie die Bewohner des himm= lischen Reiches wieder heimkehren — so lange sie den Zopf tragen. Deutsche Frauen aber dürfen sie nicht herüberbringen in dieses heiße, nasse Klima voll Miasmen — denn sie sterben alle am gelben Fieber!

Den Fächer in der Hand, die Mosquitos abwehrend, vielleicht eine Partie Skat, alle Löcher des Hauses offen, daß die Gasflammen wackeln und zucken — wie Brush= Bogenlichter. Nach Kühlung strebend, trinkt man jetzt in Eis gekühltes „Budweiser" Bier, und die Gäste fahren heim; die Jungens gehen in's kokette Bett. Morgens sechs Uhr ist Reveille. Später wird's zur Fahrt zu heiß. An Freitagen und Samstagen stehen die Exporteure wohl schon um vier Uhr auf, oder kommen gar nicht nach Hause, weil der Fabri= kant erst im letzten Momente abliefert, und da heißt es ganze Nächte packen und briefstellern, spanisch, englisch, deutsch und französisch. Und alle diese Sprachen braucht man auch im persönlichen Verkehre, denn der Havanese kann nur spanisch — der Amerikaner nur englisch, und die New=Orleanser lieben das Französische um so mehr, je mehr es zu ver= schwinden droht.

Hoffentlich schmilzt ein Föhn den Schnee des Schnee= berges, und Ihre Wassernoth ist verschwunden, wenn diese Zeilen in Ihre Hände kommen.

B. Aba, Skizzen aus Amerika.   17

IX.

Wiſſen Sie, wer der „yellow Jack" iſt? So nennt man in Havana das gelbe Fieber. Es gehört doch ein gewiſſer Muth dazu, Arm in Arm mit dieſem Burſchen zu wandeln. Aber ich denke, noch größerer Muth iſt nöthig, um das göttliche Havana im Winter zu verlaſſen. Das Herz brach mir ſchier, als ich den Platz auf „Britiſh Empire" belegte, der mich in geſündere, friſchere Regionen bringen mußte, weil die guten, lauen gar ſo teufliſch ungeſund ſind. Künftig gehe ich in Ihr neues Seebad, nach Abbazia, in das Roſenneſt, das meinem Freunde Simonyi ſo gut bekam. Er ſtarb nämlich dort, er brauchte ſich nicht zu flüchten. Es war um ihn geſchehen. Welch' reizender Ausdruck! Drei Tage hatte ich meinem Paſſe nachzurennen. Er fand ſich nicht. Faſt war es auch um mich geſchehen. Der Paß iſt ein furchtbar noth= wendiges Inſtrument auf Cuba.

Ganze Conſulate verließen ihr blühendes Tabakgeſchäft, um nach dieſem Paſſe zu fahnden. Ohne Paß bekommt man gar keinen Platz auf einem Schiffe, höchſtens wenn man zu unredlichen Mitteln — greift. Wer wird derlei thun! Wer einen Platz zahlt, gibt den Paß ab. Wer fortreiſen will, holt ihn im Zollamte, läßt ihn vidiren, was nur 9 fl. ö. W. koſtet, und gibt ihn dem Schiffsoffice. Aber nur auf Cuba. In Amerika kümmert man ſich um Päſſe ſo wenig als in Europa, obwohl es auch da nicht gerade ſchadet, eine Legiti= mation zu beſitzen. Es reiſen nämlich verſchieden aufgelegte

Menschen, deren Humor oft brenzlichen Beigeschmack hat. Im Zollamte werden hübsche Paßlisten nett geführt. In dieser Liste stand mein Name nicht. Das Zollamt hatte die ganz besondere Aufmerksamkeit, da es durch die ewigen Nachforschungen schon gelangweilt war, mir einen Paß zu schicken. Aber dieser Paß gehörte einem Baumwollhändler aus Natchez. Wie soll sich da ein gutes europäisches Staatsbürgergewissen befriedigt wähnen? Endlich gelang es mir, den Holzschranken, der mich vom Register trennte, zu durchbrechen! Nun konnte ich, es war der dritte Tag der „Suche", die Listen selbst durchstöbern. Diese alten Listen waren durch wochenlangen Rauch von „Havana" bereits vergilbt. Nichts! Nichts! Gar nichts. Gewiß reist ein Anderer auf meinen Paß, dachte ich eben, als ich seine Spur fand. Hören Sie! Gesetzt, Jemand hieße: Jaromir von Mayer, würde man darauf kommen, daß dieser Reisende unter litera V zu suchen ist? „Herr „Von", Kaufmann aus N. N." stand in der Liste, und auf diesem Pfade fand sich mein Paß — es war die höchste Zeit; nur zwei Stunden noch, und das Schiff sollte die Anker lichten, aber es lichtete erst nach fünf Stunden, da es eben aus Vera-Cruz angekommen war, aus jenem berüchtigten Fiebernefte in dieses herrliche Fiebernest, dem ich nun entfliehen mußte; so wollte es der größte Fieberarzt Havana's, der Dr. Zayas. Selbst der Wermuth = Cocktail vermochte nicht, den yellow Jack zu bannen. Dieser Cocktail ist doch furchtbar gut. Er ist besser als Ihr Schwechater Lager, ja sogar besser als jeder Champagner.

Niedergeschlagen, blaß, fieberhaft, saß ich an Bord des „British Empire"; mühsam hob ich das Nachtglas und blickte rund um mich. Hier die alten Festungswerke, von alten Palmen überragt; dort die weite Stadt, ohne Dach, Palmen schauen über die Häuser, Hügel ringsum, Gärten und Palmen! Hunderte von Schiffen beleben den Hafen; Barken kreuzen

17*

gegen den Südwind, sie bringen Mitreisende, welche die Frei=
treppe furchtsam emporklettern. Schon brennen die Lichter der
Leuchthäuser, den Hafenausgang zeigend, schon erscheint Venus,
der Abendstern; Laternen längs des Quai leuchten auf, Fen=
ster zeigen Lichter, das Schiff ist voll; wo werden alle diese
Menschen unterkommen? Flüchten sie alle vor dem yellow
Jack? Sie lachen, sie trinken, sie essen Orangen — alle
essen Orangen, sie sind gesund, nichts wühlt in ihren Ein=
geweiden, und sie verlassen Havana doch! Unbegreiflich!

Da ertönt der erste hohle, dumpfe Pfiff. Nun trinken
sie wieder, sie zünden sich Havana an (was sollten sie sich
sonst anzünden?), sie gehen fort, sie verlassen das Schiff,
keine zwanzig bleiben zurück. Wer wird im Winter nach
Norden reisen? Nur der ganz witzlose Kampf um's Dasein
oder der yellow Jack kann einen solchen Entschluß reifen,
nur die Noth ihn zur Ausführung bringen. Lauter Tabak=
männer reisten. Nur Eine Frau kam mit. Sie führte ihre
17jährige Tochter nach New=York, weil diese Tochter nur
17 Zoll groß ist. Sie führte sie zu Barnum oder sonst
wohin. Eine Mikrokäphalos. Eine einträgliche Mißgeburt, ein
merkwürdiges Monstrum minimaler Menschengestalt, eine
lebendige Puppe; eine Puppe, die sogar redet. Waren so die
Bewohner von Palenque? Lächerlich. Ein Homunculus, eine
Homuncula; Atavismus, und die Mutter zeigt stolz dieses
fratzenhaft aufgeputzte Kind — das ihr viel Geld trägt, wie
Miß Pastrana so viel Geld machte, daß sie ihr englischer
Kornak zu Tode heiratete. Wen wird diese kleine Señora aus
Mexico heiraten? Einen Wurstel? Der Capitän fand täglich
Breite und Länge? er war ein Engländer; das Unglück des
„Columbus" konnte ihm nicht geschehen. Bei Savana schlug
der Südwind in Nordwind um, wir verließen den Golfstrom,
die + 28° R. Havana's verwandelten sich in — 10° R., alle
Küsten, alle Inseln ragten schneeweiß aus dem blauen Meere,

in New-York lag der Schnee zwei Fuß hoch; er liegt noch
dort, denn der Straßenkehrer wirft ihn auf's Trottoir und
der Hausherr wirft ihn zurück auf die Tramwayschienen in
alle Ewigkeit, bis er schmilzt, und jetzt ist es Februar, und
er schmilzt noch nicht, dieser Ruhelose. Mit dem kalten Nord=
winde verschwand die Malaria. Man kann eine Lungen=
entzündung ernten, aber der yellow Jack ist überwunden.
Immer Scilla oder Charibbis.

Das heutige Washington ist das Straußei, aus dem
die künftige Residenzstadt ausgebrütet werden wird. Im Ei
liegt schon Alles, Körper und Geist, Leib und Seele. Nur
warmhalten und ausbrüten, das geschieht. Dafür sorgt der
Senat, der Congreß, die jeweilige, stets sich erneuernde Ge=
sellschaft, dafür die aristokratische Tendenz des demokratisch=
republikanischen Volkes, dafür das jährliche Budget, der
Ueberschuß des Finanzdepartements, dafür sorgen die Receptions.

Regis ad exemplum! Der Präsident gibt Receptions
zum Beispiele am Neujahrstage der Limited=Gesellschaft. Er
gibt illimitirte Receptions, wo jeder anständig Gekleidete dem
Chef der Republik die Hand drücken darf; er gibt Receptions,
um der Diplomatie Gelegenheit zu verschaffen, zum Beispiele
die Navy zu treffen; to meet, wie es in der Einladung
heißt; ganz gleiche, in welchen die Navy wieder den Congreß
meeten soll u. s. f.

Stets ist er von einer Anzahl schöner Damen umgeben,
die wir gern Hofdamen nennen möchten. Ob sie freiwillig
oder „befohlen" fungiren, konnten wir nicht in Erfahrung
bringen. Jedenfalls fungiren sie gern, denn sie sind höchst
liebenswürdig, sehr heiter und elegant, wie nur Palastdamen
sein können.

Dies ist das sociale Leben des Präsidenten, der nicht
wie ein König, aber doch regis ad exemplum lebt. Nichts

natürlicher, als daß die Palastdamen und ihre Herren auch in gleicher Weise leben. Das ganze Leben hier ist eine Art „Hofleben", und zwar eine sehr hübsche Art, ja eine gemüthliche Art von Hofleben.

Die Amerikaner werden das nicht zugeben. Wir Europäer aber werden die Receptions uns als Hofleben erklären, ja wir werden es sogar ein hochentwickeltes Hofleben nennen dürfen.

Einmal begonnen, zieht es Alle nach sich, Niemand kann eine Ausnahme machen, nicht für sich, nicht für Andere. Mit einem Worte heißt diese sociale Nöthigung: Etiquette. Wenn man will, so ist jede Etiquette unbequem, weil sie der persönlichen Freiheit Schranken zieht. Aber ohne „Formen" keine Civilisation. Die Art und Weise, wie man sich gegenseitig auf Receptions findet, ist höchst ungezwungen. Etliche Minuten sich zu zeigen, da und dort die Hand zu drücken, genügt. Man tanzt, man musicirt; man spielt eine Partie Whist; man soupirt; man findet überall Champagnerpunsch oder Eispunsch aus edlem Bordeaux-Weine — ja hin und wieder gibt es sogar Rauchzimmer, obwohl die Häuser zu derlei meist zu klein sind.

Das größte Haus bewohnt der russische Gesandte, der denn auch das größte Haus macht.

Der englische Gesandte bewohnt zwar auch ein großes Palais, das seine vorsichtige Regierung für die Gesandtschaft noch zu einer Zeit baute, wo der Baugrund per Quadratfuß 36 Cents kostete, während er jetzt 3—4 Dollars werth ist. Der „Engländer" ist jedoch Witwer, während der Russe eine Gemahlin besitzt, die mit echt russischer Gastfreundschaft die allergrößte Liebenswürdigkeit verbindet, dabei an Energie schon nichts zu wünschen übrig läßt. Eine geborne Hausfrau, geboren für den höchsten Styl der Haushaltung. Wie sie, so ist er von unermüdlicher Sorgfalt für seine Gäste, und seine Sorge geht nur dahin, Jedem vom Gesichte abzulesen, womit er ihm eine Freundlichkeit beweisen könne. Jede Reception im Hôtel des russischen Gesandten ist ein großer Ball.

Ein eben so schönes Haus macht der deutsche Gesandte, wenn auch die Räume seines Hauses nicht so groß sind wie jene des Russen und Engländers, dafür kann man dort besser japanische Kunst studiren als bei „Jchti Ban" in San Francisco. In diesem graziösen Museum aber haust eine eben so graziöse, eben so heitere, junge Hausfrau, die tapfer in dieses große sociale Leben hineinsprang und sich desselben freut an der Seite ihres ernsten, gediegenen Gatten. Auch in diesem Hause wird getanzt.

Es wird noch in vielen anderen Receptionen getanzt, und wir denken, dies seien jene, welche durch den stäten Verkehr mit der Diplomatie ihre Gebräuche denen der alten Welt anschmiegen; in echt amerikanischen Häusern hat die Reception denselben Zweck, den sie im Hause des Präsidenten hat, Gelegenheit zu bieten, damit die Glieder der Gesellschaft sich gegenseitig treffen. Wir sind nicht sicher, ob diese Glieder der amerikanischen Gesellschaft an leichten Verkehr, an Salonconversation nicht jene der alten Welt übertreffen! Der Verkehr ist wirklich leicht, bequem, nicht tief, aber oft geistvoll, stets heiter, immer bon genre, und was so hübsch ist, alle Fräuleins sind gesprächig, finden Worte für Gedanken und Gedanken für Worte.

Bei all' dem wird man nicht anstehen, zu sagen, daß die Receptionen übertrieben sind; die Folge davon ist sehr traurig. Man muß nämlich eben so viele Visiten machen, als es Receptionen gibt, und so sehr sind Receptions de rigueur, daß man die Visiten machen muß! Es kommt freilich vor, daß Familien auf Receptionen erscheinen, welche hiezu nicht gebeten sind, d. h. solche, die keine Visiten gemacht haben.

Derlei gehört auf das Kerbholz der socialen bévues, in Europa würde man sagen: Fehler der Provinzialisten. In Amerika aber gibt es keine Provinzen, sondern nur States und Territories, die selbst tonangebende Hauptstädte haben, und wer kann die Sitten aller 47 Hauptstädte ergründen?

Receptions halten nur Damen. Unverheiratete Herren halten keine Receptions; sie empfangen und geben Besuche, aber ihre Salons öffnen sie nicht. Die Armen!

In der ganzen alten Welt hat die Frau Einfluß auf Politik und Regierung. Die gar hoch gestellte amerikanische Frau gewiß auch. Vielleicht bilden die Receptions gute Gelegenheit, auf Damen einflußreicher Herren zu wirken — natürlich blos durch Aufmerksamkeit, möglicher Weise auch durch herzliche Empfehlung oder empfehlende Herzlichkeit. Man sagt derlei! Aber es gibt auch Mütter, die kein anderes Interesse haben, als ihre Töchter, und für Fräulein erscheinen Rosenbouquets, und die Flirtation findet auch in diese Räume hinein, wohin sie wohl auch gehört.

Nicht selten erfreut sich die ganze Gesellschaft an ganz netter Musik. Da hört man Schubert's und Schumann's Lieder, da spanische Volksgesänge, und ganze Chöre von Fräulein aufgeführt, zeigen, mit welcher Liebe diese göttliche Kunst betrieben wird.

So vereinigt die Reception staatliche und sociale Zwecke und dient gleichmäßig dem Streben, der Geltung Ausdruck zu geben, die man beansprucht, der Stellung zu entsprechen, die man genießt, Unterhaltung zu bieten, wie sie die Gesellschaft der Menschen nun einmal erheischt, und vorzubereiten, was die Menschheit braucht, damit sich „das Herz zum Herzen findet".

Und es gibt einen guten Klang.

Soeben erfahre ich, daß mein Brief aus und über Californien verloren ging und daß sie auch jenen nicht erhalten haben, der meine Reise von New-Orleans nach Key-West und Havana zu schildern versuchte.

„Kein Schade", wird man sagen, und hat sicher Recht.

Wenn ich es jedoch nochmals versuchen sollte, diese Lücken auszufüllen, so liegt der Grund nicht in Wichtigthuerei, sondern nur in der Pedanterie Ihres Correspondenten.

Ein Loch in einem Werke, mag es noch so klein sein, ist wie ein Loch in einem Kleide. Wer wird damit hinaustreten wollen in die Welt der Leser?

X.

All improving! Ein junges, friſches, reiches Leben!
Und ſie wiſſen es, die Amerikaner, daß ſie und ihr weites
Land jung, friſch und reich ſind. Es freut ſie daher, wenn
Europäer zu ihnen hinüberkommen, nicht um Geld zu machen,
ſondern um das prosperirende Gemeinweſen zu ſehen, deſſen
Entwicklung beiſpiellos iſt in der Geſchichte; ſie ſind ſtolz auf
ihre Fortſchritte und liebenswürdig in ihrem gerechten Stolze.
Gleich einem alten Freunde wird man aufgenommen, und
die Bemühungen, dem Fremden das Leben ſo angenehm zu
machen als nur möglich, ſind ohne Ende, faſt überſchwänglich.

Kaum angelangt in San Francisco, erhielt ich Karten
als Mitglied von vier Clubs. Der San Francisco=Verein,
der Union=, der Pacific= und der Bohemian=Club nahmen
mich in ihre Mitte auf; alle vier ſind in comfortablen Häuſern
breit untergebracht, und in allen ſpeiſt man vortrefflich. Ganz
beſonders reizend iſt der Club der Zigeuner. Jedes Mitglied
muß dem Club ein Andenken widmen, beſtehend aus einem
Kunſtwerke oder einem Werke des Kunſtgewerbes. Mr. M.....
wurde, weil er ganz ohne Stimme, aber gern ſingt, als
Ernani portraitirt, wie dieſer große Held gerade das hohe a
herauspreßt; der actuelle Präſident des Clubs, einer der
größten Weiberfreunde und Courmacher, hängt lebensgroß als
Kapuziner da, die Augen zu Boden geſchlagen; an allen
paſſenden und recht unpaſſenden Stellen ſtehen und hängen

Bildwerke, welche die Eule auf dem Todtenkopfe darstellen, das Wappen des Clubs; eine vorzügliche Orgel steht im großen Saale, wo Vorträge gehalten werden, Billard, Spiel und Barrooms fehlen natürlich nicht.

San Francisco ist eine heitere Stadt. Market=Street, Kearney=Street sind superbe Straßen mit großen Stores und Waarenhäusern; quer führen die Straßen auf die Hills, und über diese gelangt man in den großen Park, der dann an's Meer führt, zum goldenen Thore, wo das Cliffhouse steht, auf dessen breitem Balcone man hinaussieht in die blauen Fluthen des Golden Gate, auf die Felsen=Inseln, welche von den berühmten Seelöwen bewohnt sind. Schon von weitem hört man ihr Geheul. Hunderte von ihnen drängen sich und verdrängen sich. Viele sind so groß wie die größten Ochsen. Sie klimmen hinauf auf die schroffen, zackigen Gesteine, die Flossen als Füße gebrauchend, bis sie endlich sich Platz gemacht haben und in eine Spalte fallen und liegen bleiben, um sich zu sonnen. Wenn sie sich aufrichten, so sehen sie aus bald wie Schlangen, die sich bäumen, bald wie Riesenhunde, die sich gegenseitig bekämpfen, bald als wären sie gigantische Blut= egel, die den nackten Fels ansaugen wollen, und dann nehmen sie wieder die Gestalt von Fischen an, stürzen kopfüber in die See, ihr jetziges Element, dem sie sich angepaßt haben. Ein Gesetz schützt ihr Leben. Niemand darf sie tödten; sie sind sicherer als irgend ein Mensch, der zwar auch nicht getödtet werden darf, aber doch getödtet wird.

Das lustige Getriebe dieser seltsamen Thiere bildet jedoch nur die Staffage zu dem herrlichen goldigen Bilde des herr= lichen goldenen Golfes. Ist man in Neapel? Der wolkenlose Himmel ist dunkler blau als der welsche. Ist man in Con= stantinopel? Nein! Eine moderne, lachende Stadt liegt hinter Fort Point, hinter Präsidio, der prächtigen Flottenstation der United States. Nie haben Soldaten schöner gewohnt als diese Marineurs in ihren Frame-Casernen, umgeben von blühenden Gärten und sammtweichen Rasen. Oder schauen wir den Dagne Fjord? Nirgends ein Gletscher. Die Eichen=wälder von Oakland, dem Eichenlande, liegen jenseits des Golfes in blauer Ferne und die goldenen Strahlen einer sub=tropischen Sonne vergolden die glatten Fluthen der blauen See, die in regelmäßigen Schlägen sich an den Felsen brechen und perlend aufspritzen in Millionen färbiger Thautropfen!

Ein unvergeßlich herrliches Bild.

Dieses Cliffhouse ist von einem Riesenparke umgeben, der größer ist als der Fremont=Park in Philadelphia, in welchem ich drei Stunden im · Trabe herumfuhr, ohne alle Punkte berührt zu haben.

Dieser neue San Francisco=Park ist nun der richtige Platz zum Tummeln für das Buggy. Die Wege sind glatt wie eine Tenne, breit, daß zehn Wagen neben einander fahren können; da greift der schnelle Traber aus — man fliegt nur, und der Park ist voll von Kutschen aller Art, von Reitern und Reiterinnen, die vor dem Diner ihre Promenaden machen; aber das Buggy herrscht vor; man hat Raum, sich gegen=seitig zu jagen und die Schnelligkeit der heimischen Pferde zu zeigen, von denen ja doch nur schwache Exemplare nach Europa kommen.

Bei diesem scharfen Fahren und dem großen Wagen=verkehre in allen Städten Amerika's ist es erstaunlich, daß so wenig Unglücksfälle geschehen. Mir ist kein Fall vorge=kommen, daß irgend Jemand überfahren worden wäre! Und was hat ein solcher Kutscher nicht Alles zu thun! Man nehme zum Beispiel einen Omnibus in Broadway zu New=York: Er muß den großen schweren Wagen durch das dichte Gewühle der gleichen Wagen durchleiten und dabei die Pferde so scharf halten, daß er jeden Moment den Wagen zu stellen im Stande ist; hiezu benützt er noch überdies die Bremse welche er mit dem Fuße stellt; weiters öffnet und schließt er die Wagenthür auf einen Wink mit der Glocke oder das Zeichen eines Fahr-lustigen; endlich muß er das Geld wechseln, das man ihm durch eine kleine Lücke auf den hohen Kutschbock hinaufreicht, denn diese Omnibusse haben keine Conducteure, man wirft die fünf Cents (dieser Preis geht durch ganz Amerika sowohl bei Omnibussen als bei Tramways) uncontrolirt in eine Büchse. Und ungeachtet der großen Schwierigkeit des Kutschirens und Ueberbürdung mit Nebenarbeit wird Niemand überfahren!

Das kommt von den großen Entschädigungssummen her, welche Beschädigten oder ihren Angehörigen von den Gerichten zugesprochen werden. Kutscher, Eigenthümer des Wagens und Miether sind solidarisch entschädigungspflichtig. Das macht vorsichtig! Und in der That gehören in Amerika die Straßen den Passanten und nicht den Wagen.

Auch wenn San Francisco nicht an sich eine schöne, noble Stadt wäre, deren Gestalt doch etwas von der ermü-denden Schachbrettform amerikanischer Städte abweicht, weil die Hügel wellenförmig und ziemlich hoch aufsteigen und weil die Bergstraßen durch die zierlichen Wagen der Kabelbahn reizend belebt sind; auch wenn die vielen Chinesen in ihrer zweckmäßigen nationalen Tracht der Stadt nicht eine ganz eigenthümliche Physiognomie geben würden und der große Wohlstand nicht im ganzen Leben aller Bewohner, ihren schönen und comfortablen Häusern und ihrer außerordentlichen Gastfreundschaft zum Ausdrucke käme: der Park, das Cliff-house, das Golden Gate, die herrliche See, der italienische Himmel, die zahlreichen Schiffe im Hafen und das Buggy wären ausreichend, um zur Reise dahin aufzufordern — um den Abschied schmerzlich zu machen.

Ganz Californien hat nur eine Million Einwohner, und von diesen lebt ein Drittheil in der Hauptstadt. Seit die Goldproduction nur wenig lohnt, ist die Landwirthschaft im

Steigen. Einer meiner Freunde kaufte während meiner An=
wesenheit aus der Eridamasse eines großen Miners ein Landgut
in der Ausdehnung von drei einer halben deutschen Quadrat=
meile, fast durchaus Weinberge und Obstgärten, mit fünf=
tausend Pferdekraft Wasser zur Bewässerung. Der Reinertrag
ist mit 40.000 Dollars nachgewiesen, und der Käufer zahlte
450.000 Dollars dafür. In solchen Dimensionen wird dort
gewirthschaftet!

Nachdem das Josemita=Thal verschneit war, besuchte ich
Santa Cruz und die big trees (Sequonia gigantea), die
nahe bei obigem Orte in einem tiefen Thale gruppenweise
unter Rothholz, Modroño, Manzanitta und poison oak
(Gifteiche) als wahre Riesen stehen. Sie sind bis und über
400 Fuß hoch und leider alle hohl. Der Mensch zerstört
eben Alles. Er brannte sie aus. Der größte Baum heißt
General Grant; sein Durchmesser ist 19 Fuß, der Umfang
60 Fuß; der General Fremont hat nur einen halben Fuß
weniger, und keiner der Riesen ist niedriger als 300 Fuß.
Zu Tausenden haben Besucher Visitekarten an die hohlen
Wände genagelt, fast durchwegs Karten reisender Engländer!
Daß ganz Los Angeles ein Orangengarten ist, habe ich
erzählt. Von hier geht's in die Wüste, auf das Hochplateau,
wo Agaven und Aloen wachsen, die ihre Blüthenstengel hoch
in die Luft strecken; sie und die Cactusgewächse, deren einige
ganz die Gestalt großer, gefüllter Getreidesäcke haben, müssen
den Boden aufbrechen, und Millionen Acres Landes harren
des Wassers, um Ansiedlern zugänglich zu werden. Von
Demming an nähert man sich dem civilisirten Osten, und von
St. Louis kommt man aus der Region des Ackerbaues und
der Industrie vorerst in die wärmere Region des Cottons,
dann in die warme des Zuckers, und sobald man New=
Orleans, das subtropische Zuckerland, verläßt und den Riesen=
strom des Missississippi hinabfährt, nähert man sich den

wirklichen Tropen, es wird wärmer und wärmer bis man + 28° R. findet im Hafen von Havana.

Wir verließen New=Orleans auf einem guten, aber kleinen Propeller, Namens „Hutchinson"; der Capitän war ein Amerikaner, sein erster Officier ein Dalmatiner.

Eine ziemlich scharfe Nordbrise gab uns das Geleite; zahlreiche Steamer, darunter ganz große Seeboote und ganz kleine Yachten, belebten den Strom, dessen Ufer flach sind und links bald zu verschwinden scheinen, so tief liegen die Sand= dünen, die eine schmale Zunge bilden, durch welche der Lauf des majestätischen Flusses mehr markirt als begrenzt wird. Nach Mittag kommt man zu Fort Jackson und Fort Philippe, und hier beginnen die Jetties, d. h. die großen Steinwürfe, welche der Sulina nachgemacht wurden und die Deltabildung verhindern sollen. Das Bett des Mississippi liegt schon höher als die riesig weiten Länder, welche er durch= zieht. Es ist schon unmöglich geworden, die Dämme noch höher zu bauen, und New=Orleans droht das Geschick Szegedins. Wahrscheinlich wird es auch durch diese colossalen Wassermassen zu Grunde gehen. Der Ohio, welcher sich bei Kairo in den Mississippi ergießt, ist allein schon wenigstens fünf Mal so groß als die Donau, und schon der Mississippi allein füllt sein Bett vollständig aus. Ob die Steinwürfe sein Bett so vertiefen werden, daß die Geschiebe aufhören, sich anzulegen und den Strom zu stauen, darf man wohl bezweifeln, und deshalb scheint Mr. Kasson's Programm, das der „Outlets", mehr und mehr Anklang zu finden, welches „Ueberfallsbette" für die Wildwässer vorschlägt, die direct in den Golf geleitet werden sollen.

Sobald man die Jetties und ihre Leuchthäuser passirt hat, befindet man sich im Golf von Mexiko und steuert nach Osten, Florida zu, das man das Orangenland nennen darf.

Man fährt nach Cidar Key, das 6 Gr. östl. Länge, 29 Gr. nördl. Breite liegt. Am nächsten Morgen schon sollte man da landen. Viel Mehl und Pökelfleisch hatten wir für das Obstland an Bord; aber wir kamen erst am Abend dort an. Der Nordwind soll das Wasser von der Küste Florida's weg gegen Süden getrieben haben, wir saßen auf dem Grund der Lagunen und sahen nur von weitem die Ufer. Cidar Key ist ein ganz kleines Emporium, von dem eine Eisenbahn durch die Halbinsel nach Jacksonville höchst primitiv gebaut wurde. Am nächsten Tage durften wir uns ausschiffen. Der Ort besteht aus Einer Straße, in welcher sich viele Beer-Salons, ein kleines Hôtel und etliche Modewaarenstores befinden. Er steht auf großen Bänken großer Austern; alle Straßen, Wege, Dämme und die ganze Eisenbahn sind auf diesen Muscheln erbaut und mit ihnen anstatt des Schotters belegt; überall liegen Haufen von solchen Schalen, deren Insassen die Ansäßigen schon verzehrt haben, und etliche große Säcke füllt man mit solchen Austern für den „Hutchinson".

Das wellenförmige Land ist mit Chamerops humilis bedeckt, man sieht alte, dicke Stämme von Weinreben, die auf dem Boden lagern. Zerstreut zwischen niedrigen Palmen und hohen Liveoaks stehen arme Negerhütten, vor denen schwarze Kinder lärmend Ball schlagen. Vor dem Secessionskriege sollen hier blühende Plantagen bestanden haben — sie sind total verschwunden. Nichts als Armuth und Fetzen. Vielleicht hebt die Eisenbahn den Platz wieder! Wenn es jedoch wahr ist, daß jede Nordbrise das Wasser vertreibt, so hat Cidar Key wenig Chancen. Aus dem Inneren bringt man Cedernholz, und am Eingange des kleinen Hafens liegt eine kleine Insel in den Lagunen, durch welche wir uns mühsam durchgearbeitet haben, und darauf steht eine Bretsäge. Sie trägt die Aufschrift: „Cedarmill F. Faber." Das Cedernholz wird dort zu Bleistiften zerschnitten!

Ein großes Schiff lud Eis aus, das es aus Baltimore gebracht hatte. Sonst herrschte kein Leben. Am nächsten Morgen machte uns die Fluth flott, und wir fuhren auf glatter See gegen Süden. Es wäre schwer, zu sagen, ob die zwei Tage oder die zwei Nächte schöner waren, die wir bis zur Insel Key West brauchten: balsamische Lüfte, tropische Sonne, südlicher Sternenhimmel von überwältigender Klarheit und ein wahrer Strom von Licht, das der Mond in breiten Streifen über die spiegelglatte See ergoß. Auf dieser Fahrt erangelte ich einen drei ein halb Schuh langen, stahlblauen Kingfish, der 9 Pfund wog. Eine Stunde hatte ich zu thun, bis ich ihn aus dem Meere auf Deck brachte, so sehr stemmte sich der mächtige Bursche gegen meine Kraft, und so sehr half ihm die 200 Yards lange Leine durch ihr Gewicht und das Schiff durch seine schnelle Bewegung. Er ging auf ein Stück guten Speckes!

Schon war der zweite Tag seinem Ende nahe. Wir sahen die Insel, an welcher wir um sechs Uhr anlanden sollten, nicht. Wir hatten selbst gesehen, daß der Capitän um Mittag den Sextanten gebrauchte, um die Lage des Schiffes zu bestimmen. Nun stieg er, mit dem Perspective bewaffnet, selbst in den Mastkorb und lugte aus.

Aber kein Leuchthaus erschien. Das ganze Schiff wurde unruhig. Der Capitän berieth sich mit seinem Mate, dem Dalmatiner, und wir konnten deutlich hören, daß Letzterer ihm in gebrochenem Englisch zurief: „Ich habe Ihnen ja schon um 12 Uhr gesagt, daß wir eine falsche Richtung einschlugen."

Das Unglaubliche war geschehen. Um 20 Miles waren wir zu weit nach Osten gekommen. Man kehrte um und kam erst Tags darauf vor Key West an. „I made a mistake!" sagte der joviale Capitän beim Frühstücke. Der Capitän des „Columbus" machte etliche Wochen später bei

Marthas Vineyard (Boston) ein ähnliches Mistake, das
119 Menschen das Leben kostete!

Key West ist ein tropisches Bijou. Es liegt am
4. Breite- und 24. Längengrade. Schon vom Schiffe aus
sieht man ein großes Steingebäude. Es ist dies ein Marien-
kloster und zugleich eine Mädchenschule. Von der hohen
Veranda im zweiten Stockwerke dieses Hauses übersieht man
die ganze Insel. Alle zauberhaften Bilder der Kinderzeit
tauchen da auf, in welcher Robinson Crusoe uns entzückte.
Inmitten des blauen Meeres liegt dieses kaum mehr als
fünf Miles große Eiland, an dem sich die Wässer in weißem
Schaume kräuseln. In weiter Ferne rechts und links erblickt
man dunkle Striche, die sich aus dem Meere heben. Es sind
Koralleninseln gleich Key West, die mit diesem einen Halbkreis
bilden. Alle diese Inseln hatte unser Schiff nicht gefunden,
obwohl es unter demselben Capitän seit vier Jahren monatlich
zwei Mal hin und her fährt zwischen New-Orleans und Key
West-Havana!

Luftige Häuser stehen in schön und gut gehaltenen Gärten
zwischen Cocospalmen, Mandelbäumen, Sabadillas und Ole-
ander von riesiger Größe in vollster Blüthe; Zuckerrohr und
Mais wird gebaut, und in langen Gassen stehen die Hütten
der Neger, der freien, armen Neger, beschattet von Pontiana
und von Rosenbäumen! In Wagen mit Maulthierbespannung
kommen die weißen Mädchen zur Schule gefahren — es ist
auch im December zu heiß zum Gehen; die Wege sind zu
staubig, obwohl eine Springfluth das Inselchen erst vor
48 Stunden überfluthet hat. Gegen Osten tummeln sich kleine
Boote, aus denen von Zeit zu Zeit nackte Neger Kopfsprünge
in die See machen. Es sind dies Schwammfischer, und große
Massen von dunkelbraunen Schwämmen hängen auf langen
Gerüsten zum Trocknen und Bleichen. Gegen Westen zeigen
hohe Schlote, daß der Dampf arbeite. Es sind dies Cigar-

renfabriken, in denen schon Havanatabak verarbeitet wird, denn Key West ist der südlichste Besitz der Union, und der Arbeitslohn soll in den United States verdient werden. Am Landungsplatze, in allen Straßen, auf allen Squares des kleinen Nestes dominirt aber die Palme, die majestätische Palme, und diese macht das Bild; ihr gehört der Sieg.

Im Convicte wirken dreizehn Schwestern, die in eng= lischer Sprache Unterricht geben, denn die weißen Kinder sind Yankees. Es gibt da Mädchen von allen Größen, von solchen, die lernend spielen, bis zu jenen, die spielend lernen und bald, bald heiraten werden. Zwölf Mädchen sind Con= victistinnen und einige dreißig fahren zur Schule. Das Bild Chambords, des Stifters dieser Schule, hängt epheuumkränzt im Speisesaale.

Im Ganzen hat die Insel 13.000 Einwohner, deren größter Theil Neger sind. Man hört mehr spanisch reden als englisch, und als gegen Abend unser „Hutchinson" zur Abfahrt läutete, da bekamen wir über vierzig Passagiere, sämmtlich spanischer Zunge. Die Damen zeichneten sich durch sehr bunte Tracht aus, die Herren aber trugen schöne, große Hähne auf dem linken Arme, wie man etwa Schooßhunde tragen würde. Diese Hähne sollen von ganz vorzüglicher Kampflust und Geschicklichkeit sein, deshalb werden sie zu den Spielen mit= genommen, die in New=Orleans und Havana mit gleicher Leidenschaft und um gleich hohe Einsätze gespielt werden.

Soll ich ein solches Kampfspiel beschreiben? Nein! Es ist zu häßlich, zu grausam, den armen verwundeten Hahn noch fort zu reizen, damit er — halb todt — noch einen Angriff mache und dann ganz todt hinsinke.

All' diesen Spaniern war es in Key West zu kalt geworden. Das Thermometer war auf 60 Grad Fahrenheit gefallen, und der Besitzer einer Villa hatte uns am 18. De=

18*

cember v. J. frische Trauben vom Stocke gebrochen, und diese Leute flüchten!

Der ganze Landungsplatz war voll von Menschen; hundert Tücher winkten Abschied; alle hatten laute Grüße hinein und heraus zu rufen aus unserem Schiffe, als es um vier Uhr Nachmittags die Anker hob. Tags darauf, um sechs Uhr, lagen wir vor Havana. Lebe wohl, du liebliches Key West. Selbst der Neger gereicht dir zur Zierde. Palmen und Neger. Lebe wohl, du stilles Kloster, du Segen für die junge Generation!

Lebe wohl, du dicker, blaugekleideter schwarzer Policemen, der du uns so freundlich Cicerone warst und so oft den Schweiß von der Stirn wischtest, wenn wir dich zu weit in's Land verlockten und zu viel ausfragten in Ermanglung eines Bädeker.

Es war dies der erste uniformirte Neger, den ich zu Gesichte bekam. In Havana sieht man wie in Egypten ganze Infanterieregimenter schwarzer Race.

Der Anblick von Havana ist prachtvoll, sein Hafen der beste der Welt. Eine alte Civilisation.

Schade, daß sie sich überlebt hat! Wer wird Cuba neues Leben einhauchen?

XI.

Die Heimfahrt.

Die Cabine auf „Westernland" war gesichert, der 16. Februar in aller Hast zur Heimreise festgesetzt. Schwere Erkrankungen vieler Lieben nöthigten zur Abkürzung des Aufenthaltes. Der Februar ist eine schlechte Zeit, um den Ocean zu übersetzen. Jedes Zeitungsblatt brachte Kunde von schweren Schiffsunfällen. Doppelte Vorsicht war daher geboten. Worin besteht sie? Natürlich in der Wahl einer guten Linie und innerhalb dieser in der Wahl des besten Schiffes dieser Linie. Welche Linie ist gut? In Europa ist man geneigt, jene Linie für die beste zu halten, welche die kürzeste Fahrzeit nachweiset, weil dann die Gefahr auf acht bis neun Tage reducirt wird, während zum Beispiel die Red Star Linie zwölf Tage als kürzeste Fahrt in Aussicht stellt. Der Amerikaner räth die längere Fahrzeit für das beginnende Frühjahr an, weil die Schiffe der langsameren Fahrt einen südlicheren Cours nehmen, um den schon in Bewegung befindlichen Eisbergen auszuweichen, welche bei Stürmen sehr gefährlich werden können. Man hat aber eine große Wahl sowohl unter den schnellen, als unter den langsamen Schiffen, deshalb ist diese Wahl nicht leicht. Selbst wenn man kein angeborenes Vorurtheil gegen gewisse Tage hat, so meldet sich doch ein Anderes, nämlich gegen unglückliche Unternehmungen. „Pech" nennt man in Wien unverschuldetes Unglück. Manche Linien haben aber entschieden Pech, zum Beispiel die Hamburger, die White Star Line, die ungeachtet vortrefflicher Schiffe und ausgezeichneter Equipage mit dem Reiseglücke auf feindlichstem Fuße stehen. Endlich möchte man einen guten Capitän und möglichst gute Verpflegung zumal, wenn man Aussicht hat, durch widrige Winde oder Stürme statt acht oder zwölf Tage an die zwanzig Tage auf der See zu schwimmen.

Hat man All' dies wohl überlegt und aus dem Time= tables herausgesucht, so beginnt das Telegraphiren an die Verwaltungen um Cabinen oder doch um Plätze für bestimmte Tage.

Es gibt wasserscheue Menschen und solche, die jede Gefahr, jede Unbequemlichkeit gerne ertragen, um nur die Seefahrt zu verkürzen. Dahin gehören die Seekranken. Jene, welche dem Mal de mer nicht unterworfen sind, beginnen nun zu zählen, wie oft da ein Wechsel in der Fahrgelegenheit nöthig ist, falls man Cunardline wählt oder Lloyd, wie lange die Eisenbahnfahrt in Europa dauert, ob directe Züge, ob Schlafwägen da und dort laufen; sie rechnen die Preise aus, denn sie müssen sich mit englischem, französischem oder deutschem Gelde oder mit allen dreien versehen und keine unnöthigen Greenbacks nach Europa mitschleppen, kurz, es gibt genug zu bedenken und genug zu thun.

Ich wählte „Westernland" der Red Stare Line, ein Schiff von 6000 Tonnen, mit einer Maschine von 6000 Pferde= kraft; ein Schiff modernster Construction, ganz elektrisch beleuchtet und von Capitän Raudle geführt. Nie hat die White Star Line ein Schiff verloren. Sie fährt zwischen New=York und Antwerpen, also keine Eisenbahn, kein Schiffs= wechsel zwischen Amerika und Europa, eine große helle Cabine mit breitem Bette für mich allein und Stabilität des Steamers, da er mit 6000 Tonnen beladen war, theils mit Weizen, theils mit Tabak für Belgien. Ein ganz reines, neues Boot, das seine vierte Reise machte, seit es die Werfte zu Glasgow verlassen.

Die „Westernland" (alle Schiffe sind weiblichen Geschlechtes in der englischen Sprache) fährt unter belgischer Flagge, aber die Red Star Line ist eine amerikanische Unternehmung und einer ihrer Hauptdirectoren (Actionäre) ist der Bruder meines Philadelphier Freundes, ich war daher aufmerksamster Behandlung gewiß und für derlei ist ja jeder Mensch empfänglich.

Zu den peinlichsten Vergnügungen, die sich der Mensch auferlegt, gehört das Abschiednehmen. Nicht etwa wegen der großen Zahl der Besuche, die man in dem gastlichen Amerika zu machen hat, sondern weil man, je älter man wird, desto intensiver fühlt, daß das ganze Leben ein fortwährendes Abschiednehmen, ein stetes Memento mori sei. Der Tod ist doch wirklich nichts anderes, als ein ewiger Schlaf, ein Einschlafen ohne weiteres Erwachen und jeder Schlaf ist eine Wohlthat! Woher kommt die Scheu vor dem Tode? Nicht vor dem ewigen Schlafe scheut man sich, sondern vor dem „Sterben". Dieses ist meist sehr mühsam und fast immer häßlich; deshalb ist auch das Abschiednehmen unangenehm, ja mehr, es ist peinlich; und doch muß es sein.

Abschied nehmen heißt zunächst Visiten machen, weiter Hände drücken, weiters in small talke so viel Liebenswürdiges, so viel Dank und Anerkennung zu lispeln, als zu Gebote steht, dann Abschied zu frühstücken, Abschied zu diniren, endlich aber zu flüchten und letzteres, die Flucht, ist wirklich in Amerika das einzige Mittel, um amerikanische Gastfreundschaft und Liebenswürdigkeit zu besiegen.

Der Congressional, so heißt ein accelerirter Expreßzug zwischen Washington und New-York, brachte mich nach Philadelphia, der Riesenstadt, der rothen Riesenstadt, die mehr Verkaufsläden hat, als Wien und Pest zusammen, der Stadt mit dem Riesenparke, in welchem die Exhibition statthatte, von der nichts zurückblieb als das Andenken, der Stadt des behäbigen, alten Wohlstandes, die sich eine Cityhall baut, welche noch größer ist als das Wiener Rathhaus und noch mehr kostet, als dieses, der Stadt, welche fast durchwegs elektrisch beleuchtet ist und in deren Straßen es von Menschen wimmelt!

Den ersten Abend brachten wir im Theater zu, wo eine Art „Pächter Feldkümmel" gegeben wurde. Ein Farmer kommt in die Stadt, besucht dort seine verheiratete Tochter, welche reich ist und in der besten Gesellschaft lebt. Der Alte geräth mit den städtischen Sitten und Menschen in hundert lustige Conflicte und sein Sohn freit zugleich die Stubenkatze seiner Tochter, worüber der Papa bis zu Thränen gerührt ist. Der Sohn, Herr Ignacio Martinetti ist zugleich Gro-tesquetänzer und seine Mary tanzt auch vortrefflich; Beide haben excellenten Athem, denn singend tanzen und tanzend singen muß in ganz Amerika jeder Komiker und jede Soubrette verstehen.

Der zweite Tag gehörte den Abschiedsbesuchen, der Abend aber einem großen Abschiedsdiner, einem Stage-Dinner.

Stagedinner heißt ein Herrendiner. Man wird von den Damen empfangen, aber diese ziehen sich zurück, sobald angesagt wird, daß servirt ist. Diesmal war es ein Farmer-tisch; der Tisch reicher Herren, welche die Landwirthschaft als Sport betreiben können. Das Diner war denn auch lucullisch und wurde durch zahllose Toaste noch tüchtig gewürzt. Der Amerikaner ist ein geborner Humorist und alle acht Farmer waren Humoristen; selbst die acht schwarzen Kammerdiener geriethen in so krampfhaftes Lachen, daß der Dienst fast darunter litt. Und so ging's bis zwei Uhr früh — und da soll man sich leicht trennen!

Schon der Morgenexpreßzug entführte mich nach New-York, wo es galt von Neuem Abschied zu nehmen!

Wieder Diners, darunter Eines im Hause des österreichischen Generalconsuls. Haus! Palazzo! Cäsare Borgia hat sicher in diesem Bijou gewohnt — das vielleicht auch über's Meer flog, wie jenes Häuschen zu Loretto. Ein Palazzo voll von Schätzen, deren größter die Hausfrau selbst ist, in Mitte ihrer Kinder.

Und Abschied von der Königin der „Werra". Sie fährt nicht mehr zurück nach Europa, sie hat sich einen Prinz-Gemahl ausgesucht und wurde seither schon Gräfin. Ob sie wenigstens ihres Grafen Königin geblieben ist? The Count! Man hört und gibt gerne Titel im demokratischen Amerika! Als aber der Antrag gestellt wurde, dem jeweiligen Präsidenten der Republik für Amtsdauer den Titel Excellenz zu geben, da bäumte sich der Stolz der Senatoren und Congreßmen gegen diese Ungleichheit himmelhoch auf und als die Senatoren und Congreßmänner begannen sich und ihrer Familie Paläste in Washington zu bauen, da protestirten die Staaten — ihre Mandanten — gegen die Creirung einer Bureaukratie von Volkes Gnaden, als ob nicht die 5000 Dollars, welche der Congreßmann und Senator nebst 20 Cents per Reisemeile und 125 Dollars für Zeitungen schon den Charakter des bezahlten Staatsdieners bilden würden! Esquire aber ist doch auch jeder Gebildete in den United States!

Am 16. Februar schiffte ich mich ein in New-Jersey. Es war sehr kalt. Eis trieb im Strome. Wer Pelze besaß, der trug sie.

Aus Philadelphia und Boston kamen die Freunde nochmals Abschied nehmen und aus New-York auch.

Um acht Uhr verließen wir den Pier, auf dem sie standen, mit Tüchern Abschied winkend.

Immer kleiner wurden die Gestalten — noch wehten die Tücher! —

Soll man da leicht scheiden?

Von Sandy Hook, das heißt der amerikanischen See= küste, bis Flushing der europäischen Küste an der Schelde= mündung rechnet man 3303 Seemeilen. Es ist also der Mühe werth sich häuslich niederzulassen. Man richtet sich vorerst die Cabine ein, packt aus, was bei Tag und Nacht nöthig wird, weiset jedem Stücke seinen festen Platz an, denn Alles muß niet= und nagelfest sein, nichts darf wackeln, jeden Augenblick kann der Sturm kommen.

Dann folgt die Orientirung im Schiffe selbst. Wo sind Bäder? Wo steckt der Barbier? Wo ist das Rauchzimmer? Wo sind die gewissen Orte? Wo findet man die Rettungs= ringe? Den Salon findet jeder, aber seinen Platz am Tische muß er erfragen, denn hier herrschen feste Regeln und der Platz bleibt durch die ganze Reise. Wann ist Frühstück, wann Lunch, wann Dinner? Wird nach alter Art table d'hôte gegessen oder nach neuer, nämlich: jeder wählt aus dem Speisetarif (der keine Preise enthält, weil die Verpflegung, Board, im Fahrpreise steckt) was ihm beliebt; Einiges, Vieles, Alles, wenn es ihm so gefällt; weiß man dies, so schaut man sich um seinen Cabine=Steward um, eine wichtige Persön= lichkeit, von der das Aufwecken, die Schale Kaffee vor dem Frühstücke, das Reinigen der Kleider, gar oft auch gütige Nachsicht, wenn der Passagier es wagt in seiner Cabine allein und verstohlen sich der strictly verbotenen Cigarrette zu über= lassen; man wird leicht bekannt à zwei Francs per Tag, die sehr gut angelegt sind, zumal im Winter; denn in des Steward's Hand liegt der Schlüssel zum heizenden Dampfe und zum leuchtenden Lichte!

Der nächste Freund, dem man à zwei Francs täglich anpürschen muß, ist der Steward der Tafel. Er bedient uns rasch, aufmerksam, lernt in kürzester Zeit alle Eigenheiten des Reisenden und lacht freundlich, wenn er freundlich behandelt wird. Sein Werth ist unbestreitbar.

Herren brauchen die irische Stewardeß selten. Höchstens hie und da ein abgesprungener Kopf, ein zerrissener Hand= schuh — was jedoch nur auf der Reise nach Amerika vor= kommt, denn auf der Rückreise besitzt man schon transatlan= tische Gloves, die beinfest genäht sind; ist der Reisende jedoch Gemahl einer mitreisenden Gattin oder Vater einer Tochter oder gar Beides, so ist ein höchst vertrauter Fuß mit dieser Frauendienerin ganz unbedingt nöthig, denn sie bleibt stets kerngesund und ist in Behandlung aller Stadien der See= krankheit erfahrene Autorität!

Bei der Abfahrt eines Schiffes möge sich Niemand dem Commandanten oder einem anderen Schiffsofficiere vorstellen oder vorstellen lassen, selbst wenn er die gewichtigsten Em= pfehlungen in der Tasche hat. Er hat keine Zeit. Man kommt ihm ungelegen; er lernt seine Passagiere gerne kennen, aber nicht alle auf einmal und will sie mit Muße genießen. Erst am zweiten Tage machte ich seine Bekanntschaft. Mr. Rauble ist ein perfecter Gentleman, aber in erster Linie Capitän; ein strenger Dienstmann, hart gegen sich, zwölf Nächte kam er nicht von der Brücke; er litt an heftigem Fieber, und doch brachte er die Nacht auf seiner geliebten „Westernland" zu, deren innere Eintheilung er entworfen, deren Bau er über= wacht hat, als verantwortlicher Agent seiner Gesellschaft. Sie ist aber auch höchst zweckmäßig eingetheilt und ganz ohne Ueberladung, doch elegant eingerichtet, während zum Beispiel die „Werra" doch überladen ist. Wozu Plafonds im Salon, die 80.000 Mark kosten?

Die I. Classe ist von der II. Classe nur durch eine Thüre getrennt. Ist Bedarf da, so werden die Cabinen I. Classe in solche II. Classe verwandelt; so werden auch

Laderäume in Schlafräume der III. Classe=Passagiere ver=
wandelt und umgekehrt. Jede Abtheilung schließt hermetisch
(Kautschukthüren) ab; und so findet jede Saison ihren Bedarf.
Die Bemannung ist vortrefflich untergebracht, drei Spital=
zimmer sind da, luftig und licht, und auch das Arrestlocal
fehlt nicht, von dem, wie der Capitän sagt, meist nur bei
deutsch=amerikanischen Studenten Gebrauch gemacht wird, die
das starke Kneipen ihrer Schulheimat wohl gut vertragen
mögen, die es jedoch, wenn sie auf Ferien nach Hause fahren,
dieses viele Trinken fortsetzen wollen und unter dem Einflusse
der Seeluft und Schiffsbewegung dem Delirium tremens
sehr nahe kommen, oder doch ihre Excesse, für welche ihnen
die ganze Universitätstadt zu Gebote steht, auf den kleinen
Raum eines Schiffes übertragen, ohne zu bedenken, daß
Passagiere weder Unarten noch Tumult vertragen. Diese
jungen Herren bewohnen sodann das Arrestlocal, wohin kein
geistiges Getränke bringen kann.

Küche und Keller sind wohl versehen, Eis gibt es in
Masse, Wasser im Ueberfluß, Kohle so viel, daß man auch
die Rückreise damit bestreiten könnte. Der Raum zum
Spazierenlaufen ist auch breiter als auf der „Werra" — kurz
ein vorzügliches Schiff, mit vorzüglicher Equipage und vor=
züglich geschulter Bedienung.

Am ersten Tage hatten wir eisigen Westwind; im Freien
war nicht viel zu machen, aber wir zogen acht Segel auf und
die scharfe Brise legte sich mächtig in die Leinwand, die See
blieb ruhig, das Schiff flog majestätisch und ohne Schaukeln
hin; es war prächtig. „Ich dachte an Dich", schrieb mir
mein Washingtoner Freund, „und bedauerte Dich, denn mein
ganzes Haus zitterte, alle Fenster klirrten am 16. Februar,
als neuer Schnee fiel und alle Straßen sich mit Eis über=
zogen." Gegen Abend wurde es ganz ruhig; die Schachspieler
arbeiteten unermüdlich und als, wie auf einen Zauberschlag,

das ganze Schiff, alle Salons, alle Stiegen, alle Gänge, alle Staterooms (Cabinen) sich mit elektrischem Lichte füllten, da fingen sie von Neuem an sich gegenseitig aufzufressen, denn dieses geistvolle Spiel endet doch bei Spielern, die nichts über= sehen, stets mit einem trostlosen Patt.

Nirgends vielleicht, als auf Schiffen, ist das Glühlicht eine so große Wohlthat. Gar keine Gefahr und deshalb brennen die Lichter auch in den Schlafzimmern regelmäßig bis elf Uhr Nachts. Man legt sich, wie zu Hause, in sein Nest und liest sich in den Schlaf. So that ich in dem präch= tigen amerikanischen Bette, das gleich dem cubanischen anstatt Federn ein Drahtnetz besitzt, auf dem jedoch zum Unterschiede von Cuba eine vorzügliche Matratze lag. Erst in Antwerpen kam ich wieder in ein schmales, kurzes, altmodisches, euro= päisches Bett, in welchem der längere Mensch knieend liegen muß. Am 17. Februar, zwölf Uhr Mittags, hatten wir 346 Miles zurückgelegt. Wir jubelten. Ginge es so fort, so wären wir in zehn Tagen in Europa! Das gibt An= knüpfungsfäden für Gespräche mit Passagieren, die endlich ihre Karten wechseln. Der Wind blieb günstig und die Hälfte der Nacht blieb ruhig. Am 18. ging es weniger gut. Der Steamer lag auf der Seite. Heftiger Südwind hatte sich eingestellt, alles Wasser drängte gegen Norden, wo sich ein hoher Wellenberg aufthürmte. Der Sturm peitschte die Wogen über Bord, so daß Ströme über das Verdeck floßen. Die ganze See war ein Schaum. Der Himmel aschgrau und im Tauwerk pfiff es in allen Tönen — eine infernalische Aeols= harfe. — Mittags zwölf Uhr hatten wir 396 Miles gemacht, also gute Fahrt gehabt. Je länger jedoch der Sturm dauert, desto bewegter wird die See; die Frauen sind alle krank; ein kleiner Knabe weint in seinem Elende schon sechs Stunden ununterbrochen; die Segel werden gerefft; Nebel bricht ein, das Nebelhorn heult fortwährend, alles Speisegeschirr steckt in Rahmen, die Flaschen liegen und ein Geklingel von zitternden Gläsern geht durch's ganze Schiff.

Die Nacht ist peinlich und ich glaube, ich sehnte mich nach dem kleinsten Bette der Welt, das aber nur in Siebenbürgen landesüblich ist und in Todtenkammern, so sehr wurde ich in meinem Doppelbette herumgeworfen. Aber es sollte noch schlechter kommen. Eine Gale aus N. O. O. Eisige Kälte bei starkem Regen. Die Riesenwogen schlagen über's Schiff, das scheußlich rollt und stampft. Es bedeckt sich ganz mit Eis, alles Tauwerk ist mit Eis überzogen, das vom Sturm gepeitscht und losgerissen in schweren Trümmern prasselnd auf's Verdeck niederfällt. Mit Kautschukschaufeln putzen die Matrosen in Oelkleidern das Verdeck ohne Unterlaß und treu fliegt der Möven Schaar dem Schiffe nach, sie schießen auf die Abfälle der Küche hinunter in den Schaum, wo sie jeden Brosamen entdecken und finden, diese Chinesen der See. Nur mehr 273 Miles konnten wir zurücklegen. Da der ganze Dampf zum Kampfe gegen den Sturm verwendet werden muß, bleibt das Schiff ungeheizt. Ganz in derselben Weise verging auch der 20. Februar.

Wir machten nur 226 Miles. Die Aussichten verschlechterten sich sehr. Aber der 21. besserte sich, 281 Miles, der Himmel wurde blau, die See dunkelblau, die Sonne guckte aus den Wolken, nur der Wind blieb uns conträr. Zum ersten Male konnten wir Shuffle board spielen, das am meisten Aehnlichkeit mit Eisschießen hat, nur werden die Scheiben mit Krücken gestoßen und wie glatt auch das Verdeck an sich ist und durch Aufstreuen von Wellsand gemacht wird, — glatt wie Eis wird es doch nie. Am sechsten Reisetag legten wir schon wieder 324, am siebenten 330, am achten 384, am neunten 333, am zehnten 336 und am elften Tage früh fünf Uhr waren wir in Flushing. Immer glatter wurde die

See, immer ruhiger und immer kälter die Luft; in Antwerpen war Alles beinfest gefroren.

Wir spielten täglich etliche Stunden Shuffle board, Abends eine Whistpartie und freuten uns auf das erste gute Diner im Hôtel, denn auf langer Fahrt werden die Stoffe doch täglich schlechter, das Fleisch wird schlitziger, und alle Conserven bekommen den gleichen Geschmack; wir Europäer bringen es nicht zu Stande, jede Suppe, jede Fleischspeise mit Pfeffer zu beladen, über jedes Stake, jede Cotelette eine schwarze Sauce zu schütten, welche dem Fleische jeden Fleisch-, dem Fische jeden Fischgeschmack nimmt, um ihn durch den ewig gleichen Parfum zu ersetzen, wir lernen es nicht, erst auf dem Teller zu kochen und, man glaube es mir, diese Kocherei ist auch nichts werth.

Die Gesellschaft des ersten Platzes war nicht groß. Nur 29 Personen, darunter drei kleine Kinder, die viel weinten, vier größere Burschen, die den unwiderstehlichen Drang hatten im Tauwerke herumzuklettern, sechs Frauen, von welchen vier in tiefe Trauer gekleidet, den Tod des Ernährers beklagten, der sie jedoch in großem Wohlstande zurückgelassen hatte, denn sie führten ihre ganze Hauseinrichtung mit sich nach Baden=Baden, woher die Großmutter stammte, welche mit der Obsorge für den jüngsten Sprößling betraut war. Ein Herr war Drygood Mer= chant in New=York, ein gemüthlicher Irländer und strenger Katholik; ihm angeschlossen reisten zwei Priester, beide Iren, der eine aus Canada, der andere aus San Francisco, diese drei machten eine Pilgerreise nach Rom und Jerusalem, brachten für den Vatican einen kleinen Peterspfennig mit und sprachen nur englisch. Ein anderer hoher magerer echter Yankee, der seine Frau, zwei Garçons terribles und ein herziges Töchterlein mit sich führte, hatte als Reiseziel Messina sich erkoren; er macht in Olivenöl, das wohl hübsch theuer sein wird, wenn es nach St. Louis kommt! Ein junger Banquier aus Phila=

delphia's befter Gefellfchaft ging nach Europa, weil er überarbeitet war; er fpielte beffer Whift als alle anderen Partner,
aber doch auch nicht gut, fand jedoch während der Reife kein
anderes Mittel gegen feine nervöfe Kopffchmerzen als Whisky,
worin ihm ein junger, hübfcher Handelsreifender und der
Schiffsarzt gewiffenhaft Befcheid thaten. Noch will ich zweier
junger Doctoren der Medicin aus Chicago Erwähnung thun,
die nach Berlin zogen, um dort Chirurgie zu ftudiren und eines
älteren Herrn, des enragirteften Schachfpielers und Figuren-
taufchers, der je gelebt, welcher offenbar aus Süddeutfchland
ftammt, aber amerikanifch-englifch fpricht, wie ein Native und
wie ich gerne zugebe, fehr geläufig fpanifch plauderte, wenn
er diefe wundervolle Sprache auch nicht fchön wiederzugeben
wußte. Er lebte früher in Mexiko, noch früher in Spanien,
reifte jetzt wieder nach Cadix und ich vermuthe, daß er in
Schweinefleifch und Speck machte; vielleicht ift er ein Agent
Armours!

Der Drygoodman koftete alle Weine durch und fand
bei jedem, daß er der befte fei, den er je in feinem Leben
verfucht hatte. Der Banker war mit keinem zufrieden, fondern
kehrte immer wieder zum Champagner zurück, was Mr. Jewett
nicht that, weil diefer Herr überhaupt nie einen anderen Wein
verfuchte. Er ging nach Europa, um da Geld zur Erbauung
einer Concurrenzbahn gegen die Central- und Union-Pacific
aufzutreiben. Zu diefem Zwecke hatte er einen Prospectus
drucken laffen, welcher jedoch nicht etwa die Rentabilität feines
Projectes ziffermäßig darthat, fondern fein und feiner Partner
Bruftbilder und die kurze Lebensgefchichte aller Drei brachte.
Man höre!

The Statesman heißt das Reclameblatt des Mr. Jewett,
der es für diefen Zweck gegründet hat, denn die Nummer ift 1
des I. Bandes. Oben auf prangen die Porträts der drei
Gründer: Hon. W. Cornell Jewett, der fich Friedensagent

des amerikanischen Conflicts, Gründer des directen United States und späteren französischen Kabels gegen das Monopol, und Inaugurator der Anti-Monopol-Eisenbahn-Compagnie von Ocean zu Ocean nennt. Rechts von ihm, mit gewaltigem Schnurrbart, ist der Hon. Horace A. W. Tabor abgebildet; sein Titel lautet: Exsenator der United States, Millionär, König des Gebietes, dessen Zweck es ist, seinen Reichthum zu vergrößern für das allgemeine Wohl. Links von Mr. Jewett sieht man das Porträt des Dritten im Bunde, der Hon. Andrew Albright heißt und New-Jersey's geehrter Bürger und Staatsmann, sowie reicher Fabrikant ist, dessen Ziel dahingeht, die Reputation eines anständigen Menschen zu hinterlassen. Nun folgt ein Abriß des Lebens aller Drei.

„Mr. Jewett ist 1827 zu New-York geboren, erhielt in den Häusern Allen und Riggs commercielle Erziehung, ging 1849 nach Californien, gründete dort unter seiner Firma ein ausgedehntes Handelsgeschäft und machte „Landoperations", gründete die erste Handelsbank, brannte dreimal vollständig aus und machte Opposition gegen die Vigilance-Comitees. 1858 machte er den ersten Overlandtrip im Wagen mit und verheiratete sich 1859 zum ersten Male, ging 1860 nach Colorado, sagte dessen Incorporirung voraus, worauf seine Frau starb."

„Während des Krieges besuchte er die Höfe von Europa, als unabhängiger Botschafter im Interesse des Friedens, der Befreiung der Sclaven und der Erhaltung der Union durch Mediation und Friedensverhandlung zu Niagara. Er opponirte der republikanischen Politik, als gewaltthätiger Usur-pation der Rechte der Südstaaten."

„1867 heiratete er zu Frankfurt Frl. Charlotta Berna, welche Mutter zweier interessanter Töchter wurde, die jetzt in Europa sind. Seine Frau ist dermalen 34 Jahre, besitzt verschiedene Geschicklichkeiten, eine überraschende Noblesse und

Schönheit, spricht mehrere Sprachen fließend und ist begabt mit allen Eigenschaften wahrer Weiblichkeit."

„Im Jahre 1870 inaugurirte er unabhängige Kabels über den Ocean. Da aber diese Kabels mit schon bestehenden amalgamirt wurden, so ist er jetzt mit dem Projecte eines dritten beschäftigt."

„Mr. Jewett steht noch im „prime of life" (56 Jahre), ist von guter Gesundheit und „rigorous Intellect". Er ist entschlossen an der nächsten Wahlcampagne zum Präsidenten der Republik Theil zu nehmen, verlangend, daß neue Menschen und neue Ideen das Land regieren müssen! Mr. Jewett wird kein öffentliches Amt annehmen, obwohl er in die Frenton-Gubernatorial-Convention gewählt war und eine neue Politik und neue Maßregeln für das künftige nationale Gouvernement in Vorschlag brachte!"

Ob wohl seine schöne Frau die europäischen Capitalisten verlocken wird, ihr Geld in die neue Overland zu stecken! Oder vielleicht seine interessanten Töchter von elf und dreizehn Jahren?

Sehen wir jetzt, was Herr Tabor zu seinen Gunsten anführt: „Geboren ist er 1830 und wurde 1859 Bürger von Colorado, nachdem er Mitglied der Topeka-Legislatur war, die Präsident Pierce mit Bajonetten gesprengt hat. Zwölf Jahre trieb er Handelsgeschäfte, dann Bergbau. Sein erstes Glück hatte er in Little Pittsburgh zu Leadville und nun drängten sich die Erfolge, bis er jetzt „Bonanza King" mit Besitzungen wurde, um der reichste Mann der Welt zu werden, gegründet auf solidem Besitz, nicht auf das wässerige Capital der Vanderbilt's, Gould's, Garrison's, Field's, Mackey's und Anderer!"

„Senator (Ex-) Tabor war durch vier Jahre Lieutenant-Gouverneur von Colorado und wirklicher Gouverneur bei drei Gelegenheiten, ist Präsident der Hauptbank-Compagnie von

Colorado und anderer Compagnien; er erbaute für 800.000 Dollars das prachtvolle Operahouse zu Denver, das ihm gehört und die große Industriehalle. Er ist ein hervorragender Candidat für den Gouverneursposten in Colorado und zugleich Candidat für die Stelle des Präsidenten der Republik."

„Seine erste Heirat war eine !glückliche. Seine zweite Frau ist jung und „accomplished"! Sie ist bestimmt, den ersten Rang als Lady von höherer Bildung, Schönheit und Intelligenz einzunehmen. Er wird mit seiner Gattin Europa besuchen, im Interesse der Bahn vom Atlantic zum Pacific und jenem anderer großen Unternehmungen, dann zum Zwecke der Wohlfahrt des Vaterlandes. Er ist ein liberaler, honneter, in seinen Gefühlen staatsmännischer Mann, der nur nach Reichthum strebt für „endowments"!!"

Dieser Herr sagt, warum er seine ausgezeichnete Frau nach Europa führt! O diese Macht der Frau! Ob er aber, falls Herr Jewett die paar hundert Millionen Dollars für seine Bahn in Europa aufbringt — woran wir bei der Hoheit der Frauen und Töchter kaum zweifeln — nicht gemeinsame Sache mit den wässerigen Capitalien der anderen Eisenbahnkönige machen werde, um durch Tarifcartelle sein höchstes Ziel: Vergrößerung des Reichthums zu erreichen, darüber darf man nicht allzu sicher sein.

Der dritte Partner reicht, was Berühmtheit betrifft, weit nicht an die zwei früheren bedeutenden Gründer hinan. „Hon. Andrew Albright ist aber auch der jüngste, erst 32 Jahre alt, er kann es also noch weiter bringen. Sein Vater gehörte zu den ersten Settlern und war Farmer. Er selbst besitzt eine gute Constitution und einen unbezwingbaren Willen. Seine Beharrlichkeit kennt das Wort Mißlingen nicht. Sein Temperament ist sanguinisch und sein Vertrauen in die eigenen Unternehmungen ein festes. In Geschäfts- und öffentlichen

19*

Schönheit, spricht mehrere Sprachen fließend und ist begabt mit allen Eigenschaften wahrer Weiblichkeit."

„Im Jahre 1870 inaugurirte er unabhängige Kabels über den Ocean. Da aber diese Kabels mit schon bestehenden amalgamirt wurden, so ist er jetzt mit dem Projecte eines dritten beschäftigt."

„Mr. Jewett steht noch im „prime of life" (56 Jahre), ist von guter Gesundheit und „rigorous Intellect". Er ist entschlossen an der nächsten Wahlcampagne zum Präsidenten der Republik Theil zu nehmen, verlangend, daß neue Menschen und neue Ideen das Land regieren müssen! Mr. Jewett wird kein öffentliches Amt annehmen, obwohl er in die Frenton-Gubernatorial-Convention gewählt war und eine neue Politik und neue Maßregeln für das künftige nationale Gouvernement in Vorschlag brachte!"

Ob wohl seine schöne Frau die europäischen Capitalisten verlocken wird, ihr Geld in die neue Overland zu stecken! Oder vielleicht seine interessanten Töchter von elf und dreizehn Jahren?

Sehen wir jetzt, was Herr Tabor zu seinen Gunsten anführt: „Geboren ist er 1830 und wurde 1859 Bürger von Colorado, nachdem er Mitglied der Topeka-Legislature war, die Präsident Pierce mit Bajonetten gesprengt hat. Zwölf Jahre trieb er Handelsgeschäfte, dann Bergbau. Sein erstes Glück hatte er in Little Pittsburgh zu Leadville und nun drängten sich die Erfolge, bis er jetzt „Bonanza King" mit Besitzungen wurde, um der reichste Mann der Welt zu werden, gegründet auf solidem Besitz, nicht auf das wässerige Capital der Vanderbilt's, Gould's, Garrison's, Field's, Mackey's und Anderer!"

„Senator (Ex-) Tabor war durch vier Jahre Lieutenant-Gouverneur von Colorado und wirklicher Gouverneur bei drei Gelegenheiten, ist Präsident der Hauptbank-Compagnie von

Colorado und anderer Compagnien; er erbaute für 800.000 Dollars das prachtvolle Operahouse zu Denver, das ihm gehört und die große Industriehalle. Er ist ein hervor= ragender Candidat für den Gouverneursposten in Colorado und zugleich Candidat für die Stelle des Präsidenten der Republik."

„Seine erste Heirat war eine [glückliche. Seine zweite Frau ist jung und „accomplished"! Sie ist bestimmt, den ersten Rang als Lady von höherer Bildung, Schönheit und Intelligenz einzunehmen. Er wird mit seiner Gattin Europa besuchen, im Interesse der Bahn vom Atlantic zum Pacific und jenem anderer großen Unternehmungen, dann zum Zwecke der Wohlfahrt des Vaterlandes. Er ist ein liberaler, honneter, in seinen Gefühlen staatsmännischer Mann, der nur nach Reichthum strebt für „endowments"!!"

Dieser Herr sagt, warum er seine ausgezeichnete Frau nach Europa führt! O diese Macht der Frau! Ob er aber, falls Herr Jewett die paar hundert Millionen Dollars für seine Bahn in Europa aufbringt — woran wir bei der Hoheit der Frauen und Töchter kaum zweifeln — nicht gemeinsame Sache mit den wässerigen Capitalien der anderen Eisenbahn= könige machen werde, um durch Tarifcartelle sein höchstes Ziel: Vergrößerung des Reichthums zu erreichen, darüber darf man nicht allzu sicher sein.

Der dritte Partner reicht, was Berühmtheit betrifft, weit nicht an die zwei früheren bedeutenden Gründer hinan. „Hon. Andrew Albright ist aber auch der jüngste, erst 32 Jahre alt, er kann es also noch weiter bringen. Sein Vater gehörte zu den ersten Settlern und war Farmer. Er selbst besitzt eine gute Constitution und einen unbezwingbaren Willen. Seine Beharrlichkeit kennt das Wort Mißlingen nicht. Sein Temperament ist sanguinisch und sein Vertrauen in die eigenen Unternehmungen ein festes. In Geschäfts= und öffentlichen

19*

Druck:
Customized Business Services GmbH
im Auftrag der KNV-Gruppe
Ferdinand-Jühlke-Str. 7
99095 Erfurt